Do que é feito um bom trabalho sobre ant lher? Apego total à autoridade das Escrituras e crença na sua completa relevância para as questões mais atuais e pertinentes da igreja e da cultura de hoje — inclusive no que diz respeito à questão de gênero. Ao considerar seriamente as questões levantadas pela igreja e pelo meio cristão em geral, Yago traz à luz uma teologia deficiente que subjaz os discursos e determina crenças e práticas dos cristãos com relação ao valor, ao lugar e ao papel da mulher, dentro e fora da igreja. Abraçando de maneira firme a autoridade, a suficiência e a inerrância das Escrituras, Yago fornece respostas firmes, coerentes e válidas para problemas culturais que têm sido ignorados ou precariamente respondidos por aqueles que, embora considerem tais características distintivas das Escrituras, têm fechado os olhos para questões viscerais de uma parcela expressiva da cristandade: as mulheres.

Renata Veras

Líder do Ministério de Mulheres da Igreja Batista Maanaim, coordenadora do Seminário e Instituto Bíblico Maranata e autora de *Lugar de mulher é onde Deus disse* e outras obras sobre feminilidade, teologia e exposição bíblica

Nos últimos anos tem surgido uma geração de homens que, em oposição aos exageros feministas, procuram uma masculinidade tão exagerada que com frequência resulta em falas e vidas desordenadas. Muitos deles exercem cargos de liderança em igrejas, e usam erroneamente passagens bíblicas para justificar abusos e calar mulheres. Em *Igrejas que calam mulheres*, Yago Martins não só revela os pensamentos desses grupos como também se contrapõe a eles com sensibilidade cultural e profundidade teológica-exegética. Trata-se de obra urgentíssima, escrita por um pastor conservador e complementarista equilibrado que, com humildade e graça, traz à luz alguns pontos cegos dos conservadores e que, com firmeza e solidez, mostra o que as Escrituras têm a dizer sobre a atuação feminina na sociedade, na igreja e na família. Mulheres podem — e devem — usar seus dons para abençoar a igreja e a sociedade, e glória a Deus por isso!

Jacira Pontinta Monteiro

Mestranda em Educação, Arte e História da Cultura pela Universidade Presbiteriana Mackenzie e autora de *O estigma da cor*, que trata do tema do racismo a partir de uma perspectiva bíblico-teológico

Estando à distância de um Oceano e não me identificando com muitas das guerras culturais no Brasil (e Estados Unidos), este livro aborda questões pertinentes sobre o lugar da mulher no plano divino. Ao abordar temas vastos como submissão, complementarismo, igualitarismo, divórcio, trabalho, práticas sociais, lugar na igreja, Yago procura fundamentar todos eles na Palavra, trazendo lùz e exemplos concretos. Faz isso de forma clara e explicativa, ajudando a compreender os equívocos que podem surgir de abordarmos essas questões sem a devida contextualização bíblica e histórica.

Ana Rute Cavaco

Mãe de quatro filhos, colabora em vários projetos de produção de conteúdo cristão e serve a tempo integral com seu marido, Tiago, na Igreja da Lapa, em Lisboa

Igrejas que calam mulheres é uma resposta lúcida e bíblica à confusão e aos pecados de cristãos conservadores que, no afã de se distanciarem do progressismo, acabam abraçando crenças não bíblicas e pecaminosas sobre o papel, a dignidade e o direito à proteção das mulheres. Mais do que um livro sobre escândalos e polêmicas em nosso meio conservador, o pastor Yago trata da importância de proteger as mulheres de abusos físicos e psicológicos, encorajar irmãs na fé a trabalhar na expansão do reino de Deus e afirmar a dignidade feminina. Sem deixar de lado a posição complementarista, este livro exalta a sabedoria, beleza e cuidado de Deus ao fazer homens e mulheres de maneira diferente e complementar.

Gabriela Bevenuto

Esposa do Pedro e mãe do Timóteo, é coautora de *Fonte para a vida* e está na internet há oito anos falando de literatura cristã e espiritualidade

Este livro é uma conversa urgente e necessária para a igreja brasileira que, nos últimos anos, tem consumido muitos livros estrangeiros sobre o papel da mulher sem uma reflexão cuidadosa, resultando, muitas vezes, na importação de grandes problemas teológicos que afetam negativamente as congregações e as famílias de nosso país.

Carol Bazzo

Mestre em Estudos Históricos Teológicos pelo Centro de Pós-Graduação Andrew Jumper, faz parte da direção da Escola Convergência e, com seu esposo, Angelo, serve na Igreja Cristã Convergência, em Monte Mor, SP

Igrejas que calam mulheres

YAGO MARTINS

MUNDO CRISTÃO

Os textos bíblicos foram extraídos da *Nova Versão Transformadora* (NVT), da Tyndale House Foundation, salvo as seguintes indicações: *Almeida Revista e Corrigida* (ARC), *Almeida Revista e Atualizada*, 2ª edição (ARA), *Nova Almeida Atualizada* (NAA) e *Nova Tradução na Linguagem de Hoje* (NTLH), da Sociedade Bíblica do Brasil; e *Nova Versão Internacional* (NVI), da Biblica, Inc.

Edição
Daniel Faria

Preparação
Matheus Fernandes

Revisão
Ana Luiza Ferreira

Produção e diagramação
Felipe Marques

Colaboração
Gabrielli Casseta
Raquel Carvalho Pudo

Ilustração e lettering de capa
Lucas Pegoraro

Capa
Jonatas Belan

CIP-Brasil. Catalogação na publicação
Sindicato Nacional dos Editores de Livros, RJ

M347i

Martins, Yago
Igrejas que calam mulheres / Yago Martins. - 1. ed. - São Paulo : Mundo Cristão, 2024.
272 p.

ISBN 978-65-5988-306-6

1. Mulheres e religião. 2. Mulheres - Vida cristã. 3. Mulheres - Igreja - Condições sociais. I. Título.

24-88476 CDD: 220.92082
CDU: 27-29:305-055.2

Gabriela Faray Ferreira Lopes - Bibliotecária - CRB-7/6643

Categoria: Igreja
1ª edição: maio de 2024

Publicado no Brasil com todos os direitos reservados por:

Editora Mundo Cristão
Rua Antônio Carlos Tacconi, 69
São Paulo, SP, Brasil
CEP 04810-020
Telefone: (11) 2127-4147
www.mundocristao.com.br

Ao presbitério da Igreja Batista Maanaim, por nunca fechar os olhos para os pecados que oprimem as mulheres e por sempre estar ao meu lado no cuidado, no amor e no serviço abnegado a mulheres em situação de violência e apagamento.

E às mulheres de nossa igreja, que têm amado o Senhor e entregado a vida em sacrifício pela causa do evangelho, mesmo tendo lidado com um passado de tormento e opressão.

Sumário

A mulher tem o potencial demoníaco mais elevado que o do homem.

Pastor Anderson Silva, sobre seu texto viral "O potencial demoníaco da mulher"[1]

[...] apenas um casal de put*s.

Pastor Douglas Wilson, sobre as teólogas Sherrene DeLong e Brooke Ventura [sem censura no original][2]

Vá para casa.

Pastor John MacArthur, sobre a evangelista Beth Moore[3]

Apresentação

Quando prefaciei o livro da Francine Walsh, *Ela à imagem dele*, pensei: "Aqui está uma obra de autora complementarista que acerta no alvo ao tratar do assunto da feminilidade, tanto nos temas específicos quanto no tom amoroso". Também cogitei que não precisávamos mais de nenhuma outra, pois aquela havia focado o essencial.

Ao ler este livro do Yago Martins, no entanto, vi que estava errada. É possível sim tocar nos mesmos aspectos, com a mesma base bíblica, mas a partir de ângulos diversos, de modo que — sem querer fazer trocadilho mas já fazendo — este *Igreja que calam mulheres* se torna um excelente *complemento* sobre feminilidade no meio evangélico brasileiro. E por isso o recomendo com entusiasmo!

Francine é teóloga, Yago é pastor — e talvez seja isso que faça a maior diferença. Enquanto Francine escreve para mulheres com doçura e cuidado femininos, como quem lida com feridas dolorosas, Yago se ergue para desafiar a própria cultura eclesiástica que fomenta o problema do silenciamento de mulheres, trazendo um discernimento calcado na experiência pastoral. Com isso, perscruta acertadamente nossa época, em que a igreja tem caído na armadilha de opor-se a uma cultura declaradamente anticristã com as armas carnais de um conservadorismo cheio de regras. Afinal, a sabedoria com que Deus nos presenteia não se constitui apenas em conhecimento intelectual dos princípios bíblicos (aspecto normativo), mas sobretudo em uma aplicação que de fato leve em conta o contexto de cada questão (aspecto situacional) e a profundidade que, no relacionamento com pessoas reais em situações reais, possibilite um equilíbrio entre firmeza e empatia (aspecto existencial). Embora essas sejam qualidades indispensáveis no exercício do pastoreio, vejo-as em falta na maioria das obras americanas publicadas aqui que tratam de feminilidade.

Para começar, muitas dessas obras simplesmente deixam de lado o problema do abuso, como se fosse inexistente. Com isso, pressupõem um ambiente eclesiástico ideal em que nenhum cristão em cargos de liderança comete erros graves contra mulheres, calando suas vozes. Ao partir desse fato para abordar os vários aspectos da vida da mulher cristã, Yago corrige essa terrível lacuna e nos torna mais aptos a enxergar a realidade de uma igreja onde há joio e trigo, bem como a de uma cultura que, por mais "feminismo" que possa defender, ainda continua bastante misógina e violenta. Casos recentes de jogadores de futebol famosos que cometeram estupro sem sofrer punição adequada apenas exemplificam o quanto poderosos podem se safar desses crimes — e em muitas igrejas mundanizadas isso também ocorre, para o escândalo de muitos, mas não para quem conhece a Palavra e sabe o que significa a presença do joio entre nós. No entanto, deve sim escandalizar quando evidentes maus frutos — má teologia e má prática pastoral, insensibilidade para o tema do abuso e da violência, minimização ou encobrimento de crimes sexuais na igreja — partem do ministério de autores e líderes conhecidos em todo o mundo, permanecendo tão invisíveis quanto as mulheres que sofrem nesses meios.

Você não precisa concordar absolutamente com todas as conclusões teológicas do autor para beneficiar-se dessa leitura. Mas, além de todas as discussões bíblicas extensas e embasadas que você verá aqui, estará à sua disposição um precioso aprendizado: o legalismo não só não funciona, mas também se disfarça de solução a ponto de atrapalhar a verdadeira solução, causando estragos incalculáveis para o Reino de Deus. Quando entendemos essa verdade e a aplicamos ao tema, passamos a enxergar sem as escamas bastante espessas do machismo disfarçado de cristianismo. O mais importante, porém, é que, assim como Francine, Yago escreve claramente com o *espírito* correto, equilibrando, de um lado, a preocupação com a obediência a Deus, e de outro, a preocupação com o bem-estar de seus leitores e ovelhas. E isso reflete o próprio Deus, cujo relacionamento conosco é isento de tensão entre santidade e amor.

De modo mais pessoal, este livro me comove porque, se já houvesse sido escrito quando eu me converti, em 1995, pouparia muita dificuldade em minha caminhada cristã. Nos anos 2000, zelosa por uma teologia mais sólida, fui de um extremo a outro: de um meio evangelical que sequer tratava dessas questões, como se só houvesse igualdade entre homens e mulheres, para um meio reformado conservador que enfatizava somente as diferenças a ponto de reproduzir padrões culturais de inferiorização da mulher. Ouvi palavras que me desencorajavam na arena pública e diminuíam o alcance de meus dons. Após muita dor, muita oração e muito esquadrinhar na Escritura sem essa interferência cultural, acompanhada de comentários bíblicos os mais variados (e não de uma só linha teológica), entendi que ambos os extremos não representam a palavra de Deus para as mulheres, e esse entendimento me trouxe alívio e alegria.

Que esta obra possa lhe proporcionar o mesmo!

Norma Braga
Doutora em Literatura Francesa, mestre em Teologia Filosófica e fundadora do Teologia & Beleza, onde ensina e oferece consultoria de imagem para mulheres

Prefácio

Gostaria de começar este prefácio com uma afirmação: o título desta obra é absurdo.

Não é preciso uma leitura prolongada da Bíblia para que isso fique claro. O Deus que a igreja representa se revela como não somente favorável às mulheres, mas também como seu Criador e principal defensor, desde as primeiras páginas do Santo Livro. "Deus criou os seres humanos à sua própria imagem, à imagem de Deus os criou; homem e mulher os criou", diz Gênesis 1.27, já no primeiro capítulo da Bíblia. Se Deus criou as mulheres à sua própria imagem, então dizer que a igreja, a Noiva do Cordeiro, cala as mulheres é absurdo.

E, no entanto, aqui estamos nós. Em oito capítulos, Yago Martins prova que, sim, muitas igrejas estão amordaçando as filhas de Deus, silenciando-as com suas doutrinas de homens e suas filosofias legalistas. E o pior: estão fazendo isso "em nome de Deus".

Gostaria de poder dizer que afirmo isso não por experiência própria, mas apenas por conhecimento teórico. Mas estaria mentindo. Eu já ouvi de líderes eclesiásticos que não deveria fazer faculdade, pois fui criada para ser esposa e mãe (e isso quando eu tinha apenas 16 anos). Já fui repreendida por pensar e opinar teologicamente, e já fui até mesmo "cancelada" na internet por ousar ensinar que o reino de Deus precisa de mulheres. Contudo, creio que o momento mais confuso pelo qual já passei, de me sentir silenciada em uma igreja, foi quando meu pastor me disse que no casamento a mulher não precisa amar, mas apenas respeitar o marido (uma resposta um tanto manipuladora para a preocupação que eu havia levado a ele de não corresponder aos sentimentos de um rapaz que estava interessado em mim).

Se eu tivesse ouvido esses líderes, não estaria hoje escrevendo este prefácio, nem teria um ministério frutífero e um casamento feliz (no qual respeito *e amo* meu marido). Infelizmente, muitas mulheres não tiveram a mesma ventura que eu e vivem hoje com seus dons tolhidos e sua liberdade em Cristo sufocada. Isso quando não chegam a uma total depressão, ou até mesmo à morte, após outros não levarem a sério suas denúncias de casamentos abusivos.

O fato de o título desta obra ser absurdo é o que a torna tão necessária. Yago traz não somente os argumentos de uma mente teológica, mas também as advertências de um coração pastoral. Ao iniciar cada capítulo com uma história real de situações que ele vivenciou como pastor, o autor nos mostra que não escreve este livro com o objetivo de convencer a academia, mas sim de abrir os olhos dos cristãos sentados nos bancos de nossas igrejas locais.

Aliás, não é primordialmente a academia teológica que precisa desse chacoalhão, nem mesmo os leigos, mas sobretudo os pastores e líderes. Se afirmamos que existem igrejas que calam mulheres, convém admitirmos que isso ou começa na liderança, ou ao menos é passivamente aceito por ela. Entretanto, deveria soar assustadora aos ouvidos de pastores e presbíteros a advertência feita pela boca do profeta Ezequiel, que ainda ecoa nos dias de hoje:

> Filho do homem, profetize contra os pastores de Israel; profetize e diga-lhes que assim diz o Soberano Senhor: "Ai dos pastores de Israel que só cuidam de si mesmos! Acaso os pastores não deveriam cuidar do rebanho? [...] Estou contra os pastores e os considerarei responsáveis pelo meu rebanho. [...] Eu mesmo buscarei as minhas ovelhas e delas cuidarei. Como o pastor busca as ovelhas dispersas quando está cuidando do rebanho, assim tomarei conta das minhas ovelhas. Eu as resgatarei de todos os lugares para onde foram dispersas em um dia de nuvens e de trevas.
>
> Ezequiel 34.2,10,11-12, NVI

Onde existe uma cultura de ignorar as mulheres e seus problemas, precisamos saber que existe também um Pastor Supremo que vê e que requererá das mãos dos líderes as feridas das ovelhas que, em vez de tratadas, são agravadas pelo descuido pastoral. O Bom Pastor não é somente aquele que cuida das ovelhas, mas também o que afugenta os lobos.

E àqueles que creem que não existem lobos nas igrejas evangélicas, e que toda a denúncia deste livro não passa de exagero, eu gostaria de trazer dados assustadores de uma pesquisa feita pelo sociólogo Brad Wilcox, em igrejas nos Estados Unidos. De acordo com a pesquisa, é entre os cristãos nominais (aqueles que apenas se declaram cristãos, mas não vivem como tais) que se encontra o maior índice de violência doméstica daquele país — 7,2% dos casos, um número mais alto que os índices dos não cristãos. Sim, você leu corretamente. O maior perigo às mulheres não são os descrentes, mas aqueles que *fingem ser* crentes. Aqueles que aparecem na igreja de vez em quando, o suficiente para ouvirem termos como "autoridade do marido", "cabeça do lar" e "submissão feminina", mas não se envolvem na comunidade de fé a ponto de compreender o coração do evangelho de Cristo por trás desses termos.

A importância deste livro que você tem em mãos provém do fato de que foi escrito por um pastor e teólogo com voz de influência na cultura evangélica brasileira atual. Veja, há poucos anos eu lancei um livro sobre feminilidade, defendendo alguns dos mesmos pontos que Yago apresenta aqui. Entretanto — e não digo isso com vitimismo, mas com um senso de realidade — poucos homens leram a obra, e ainda menos pastores. Mas, quando Yago Martins lança algo com um título tão desafiador, os pastores e teólogos escutam (quer para aprender, quer para encontrar motivos de discordância).

O que Yago defende aqui não é novo. Na verdade, é apenas o evangelho do Cristo que foi gerado e criado por uma mulher, sustentado por mulheres, defendido por mulheres e, ainda hoje, adorado por mulheres.

Quando Celso, um filósofo grego, disse que o cristianismo era uma religião de "mulheres e crianças", ele fazia uma crítica desdenhosa. E, no entanto, ele não poderia estar mais correto. Historicamente, são mais mulheres do que homens que correm para o Homem Como Nenhum Outro, aquele que desde sempre as recebeu com braços abertos e lhes abriu s portas de seu reino eterno.

Desde o Éden até hoje, Deus dá voz às suas filhas. Que nossas igrejas aprendam a fazer o mesmo.

Pelo Rei e pelo Reino,

Francine Veríssimo Walsh
Psicopedagoga, líder do ministério on-line Graça em Flor
e autora de *Ela à imagem dele* e *Bem sei que tudo podes*

Introdução

Este livro é uma humilde tentativa de fornecer uma resposta conservadora a alguns problemas teológicos e eclesiásticos comuns em círculos conservadores.

Explico. Sou um pastor de linha conservadora. Isso significa que minhas interpretações sobre as Escrituras não seguem as linhas mais progressistas (politicamente falando) ou liberais (hermeneuticamente falando). Não creio em divórcio livre, não creio em pastorado feminino, não creio que crentes possam se vestir com vulgaridade, defendo que homens são lideranças em suas famílias e que a esposa deve ser submissa a seu marido. Creio em tudo isso porque é assim que leio a minha Bíblia.

Mesmo assim, preciso reconhecer que meu grupo teológico tem seus pontos cegos — e, não raro, nossas falhas são mais bem apontadas pelo "outro lado". Cristãos de linha mais progressista têm mostrado como alguns círculos conservadores têm usado sua teologia como base para uma cultura de domínio e apagamento feminino. Muitas dessas críticas são justas e, se devidamente apropriadas pelos conservadores, podem nos ajudar a lidar melhor com a leitura bíblica e com a prática eclesiástica.

Os problemas de parte relevante das críticas de cristãos progressistas aos conservadores, no entanto, são menos as questões que apontam e mais as respostas que oferecem. Cristãos de teologia mais conservadora não devem evitar ouvir as críticas feitas pela ala mais progressista do cristianismo. O problema é que as respostas progressistas para os problemas comuns dos conservadores trazem reinterpretações do cristianismo que nós conservadores não estamos dispostos a aceitar.

O que fazer então? Para alguns, aceitar críticas é "dar munição ao inimigo". Logo, precisamos rejeitar tudo o que aponte que nossos santos têm pés de barro. Outros, infelizmente, não têm conseguido receber do remédio sem tomar também do veneno, abandonando uma teologia sadia em nome de reinterpretações do cristianismo que se arrogam proteger e defender melhor mulheres e crianças.

Este livro se propõe suprir uma pequena lacuna na grande muralha da teologia. Desejo lidar especificamente com alguns dos problemas comuns que igrejas conservadoras, como a minha, têm enfrentado em seu trato com as mulheres. Escrevi os oito capítulos a partir de problemas que envolviam minha própria congregação. Tenho pastoreado homens e mulheres em uma igreja na periferia de Fortaleza, no Ceará, desde 2015. O gabinete e a visita pastoral têm me ajudado a refinar minha teologia e guiado muito do que penso sobre homens e mulheres. Nos livros e nas redes sociais, respostas simples podem bastar. Na realidade do pastoreio, tudo se torna mais complicado. Por isso o livro trará alguns relatos pessoais. Elas sempre são reais (como em todos os meus livros), mas os nomes e os detalhes contextuais serão modificados para preservar identidades.

No entanto, este livro não é um trabalho pastoral de consolo e restauração para mulheres que foram oprimidas por igrejas que usaram a Bíblia erroneamente para limitá-las ou oprimi-las. Meu foco é discutir em nível teológico e bíblico alguns temas que, quando mal interpretados, podem ser usados como instrumento para desgraçar mulheres — que é o que acontece em muitas igrejas pelo Brasil e pelo mundo, como mostrarão alguns exemplos registrados nestas páginas. Deixo isso explícito logo de início para que ninguém se frustre quando, em busca de consolo emocional, encontre debates sobre grego ou citações de teólogos sistemáticos. Mesmo assim, estou plenamente convencido da utilidade pastoral deste livro: fornecer respostas ortodoxas, conservadoras e academicamente respeitáveis para questões que, infelizmente, têm resultado em uma teologia danosa sobretudo para o sexo feminino. Espero conseguir mostrar que a boa teologia liberta, enquanto a má teologia produz ambientes religiosos traumáticos e abusivos.

Convém mencionar que o capítulo 6 desenvolve assuntos que tratei em minha obra *Pecados aceitáveis*. Aqui, repito tudo o que digo lá, mas com ordem diferente e adições consideráveis. Se você já leu aquele livro, indico que não pule este capítulo. O desenvolvimento é novo.

Alguns agradecimentos são fundamentais. Este livro contou com contribuições preciosas de Matheus Fernandes, meu assistente de pesquisa no Instituto Schaeffer de Teologia e Cultura. Há muito do trabalho do Matheus aqui; sem seu serviço e sua perícia teológica, esta obra não existiria nesse formato. Seu trabalho vai muito além de simplesmente compilar comentários bíblicos e transcrever minhas palestras. Ele também dá o tom certo às minhas palavras e aponta desenvolvimentos importantes para minhas ideias. Obrigado, meu amigo.

Daniel Faria, meu editor na Mundo Cristão, aceitou o desafio de adiar todas as obras prontas e contratadas que eu já havia enviado à editora a fim de dar primazia a este material. Foi intenso, mas o resultado me deixou muito feliz. Cada uma de minhas palavras foi aperfeiçoada por ele, e a bagunça enorme que compunha cada capítulo foi organizada e aperfeiçoada por seu tino editorial. Sem a coragem do Daniel, este livro não existiria; sem a técnica do Daniel, este livro seria bem mais confuso (e com o dobro do tamanho). Obrigado!

Norma Braga tem sido uma boa amiga no tratamento do tema do abuso sexual nas igrejas. Alguns trechos do capítulo 3, em que lido com o tema da violência, e da conclusão, em que trato de abuso, vêm de um vídeo cujo roteiro ela me ajudou a escrever. Agradeço a parceria duradoura que tem nos gerado tantas inimizades e perseguições, mas que tem também nos ajudado a libertar crentes sinceros que demoraram a se perceber debaixo do jugo do abuso. João Guilherme Anjos, editor de outras obras minhas, também contribuiu significativamente nos temas jurídicos que compõem o capítulo 3, por isso lhe devo agradecimentos. Apesar de toda a ajuda, o livro ainda terá suas imperfeições, e elas são de minha inteira responsabilidade.

Isa tem sido uma mulher amorosa e fiel que entendeu exemplarmente seu papel de aliada complementar. Ser o cabeça de uma família se torna fácil quando preciso morrer diariamente por uma mulher que me aponta para Cristo todos os dias. Na feminilidade dela encontro força para minha masculinidade, e espero que o oposto também aconteça. Amo você.

Deus é o Autor da vida, o Criador de homens e mulheres e o Senhor da igreja. Se este livro nos ajudar a ter igrejas que respeitem melhor os elementos de complementariedade e igualdade que ele intentou para sua criação, então meu dever terá sido cumprido. Que ele nos ajude nisso.

1

Criação

A Bíblia diz que a mulher é inferior ao homem?

"Se a Bíblia diz que a mulher deve ser submissa, pastor, então tem algum motivo. Ninguém é submisso a um igual, mas a um superior. Eva foi criada para servir Adão." Eu já estava cansado daquela conversa. Gustavo era um jovem, digamos, peculiar. Desempregado e desistente da faculdade, passava o dia inteiro em fóruns na internet escondido detrás de um perfil fake. Os trabalhos que ele dava à equipe pastoral foram se tornando cada vez mais criativos. Primeiro, teve a fase antivacina. Ele acreditava que o autismo era gerado pelo alumínio contido nas vacinas da primeira infância e queria provocar uma confusão com as mães da igreja por causa disso. Depois, começou a compartilhar vídeos de assassinato de muçulmanos ("Eles estão provando um pouco do que fazem conosco na igreja perseguida", justificava). Agora, estava tratando as jovens da igreja com um tipo de grosseria que não era comum nem entre os descrentes.

A certa altura, Gustavo foi excluído da igreja (ele decidiu que não voltaria mais a congregar depois que obedecemos às regras de distanciamento social durante a pandemia, pois isso, segundo ele, era se submeter ao comunismo internacional), mas não sem antes protagonizar discursos intermináveis sobre hipergamia feminina (algo sobre mulheres só desejarem homens de *status*), sobre ser um *chad alfa* (um homem sexualmente ativo que vive despreocupado com os sentimentos das mulheres) e sobre não ser *mangina* (que quer dizer… bom, melhor não explicar). Para ele, mulheres deveriam se submeter aos homens principalmente porque eram sexualmente opressivas. Ouvi-lo tratar os homens como inerentemente superiores por cerca de vinte minutos foi uma prova de resistência, e ele não pareceu dar ouvidos às minhas explicações dos textos bíblicos que ele usava para embasar seus argumentos.

Infelizmente, aquela não seria a última vez que eu teria contato com esse tipo de interpretação bíblica machista e, cá entre nós, maluca. Interpretar a submissão apresentada nos textos bíblicos como um tipo de opressão e dominação masculina não é algo restrito a fóruns *incels* da internet ou a comentários de anônimos com fotos de anime na rede social anteriormente conhecida como Twitter. Isso também aparece em púlpitos de igrejas e em aconselhamentos de gabinete pastoral.

Em sermão intitulado "Esposa, adore seu marido", o pastor Anderson Silva, líder do movimento de masculinidade cristã Machonaria, argumenta que os textos bíblicos sobre submissão não tratam apenas de a mulher submeter-se ao homem, mas sim de ela adorar o marido. Interpretando Efésios 5.22 ("Esposas, sujeite-se cada uma a seu marido, como ao Senhor"), ele diz, dirigindo-se às mulheres: "Se você achava ruim que Deus pediu submissão a você, eu quero dizer a você que é pior do que você imagina. Deus não pediu submissão. Deus pediu adoração". Notando o espanto do público, ele repete: "Deus não quer que você se submeta ao homem. Deus quer que você adore o homem". Para ele, a expressão "como ao Senhor" significa que a mulher deve sujeitar-se ao marido entregando-lhe tudo o que entregaria a Deus — logo, adoração.

Em outro momento, Silva procura dar mais peso a seu argumento dizendo que "Deus não criou a mulher. Está lá em Gênesis. Deus não criou a mulher. Deus criou o homem". Na estranha leitura que ele faz de Gênesis, apenas o homem foi criado por Deus. Isso faria do homem o próprio Deus na terra, diferentemente da mulher, pois o "gênero masculino foi criado como Deus é. Portanto, o homem foi criado para ser Deus na terra, *sem a mulher*" (grifos meus). Na visão dele, a mulher "não foi criada para ser Deus na terra. Ela foi criada para ser auxiliadora", não possuindo, assim, "a força moral que o homem tem". E continua:

> Ser liderado pelo homem, mulher, não é somente uma prerrogativa sua. Toda a criação, se ela quer agradar ao Criador, precisa ser liderada pelo homem. É por isso que ausência masculina afeta toda a estrutura social

e espiritual também. O homem, se você me permitir essa licença, é Deus na terra. O homem, gênero masculino, é Deus na terra.[1]

Anderson Silva interpreta a parábola do semeador de modo igualmente bizarro. Ele relaciona o "homem que saiu a semear" com o sêmen masculino, o que o leva a concluir: "Deus está dizendo que a masculinidade é o centro da existência". Com base nisso, ele diz que os homens são "deuses" e convida aqueles que o ouvem a repetirem para si mesmos: "Eu sou deus". Na sequência, incentiva que os homens aceitem isso sobre a própria vida, e então se gaba: "Eu aceitei e vejo que minha vida se tornou um ponto de convergência mundial, universal. Enquanto você me admira, eu faço história". Será isso o que significa submissão bíblica?

Diante de tantas ideias e projetos sobre autoridade masculina, emancipação feminina e busca de identidade de gênero, o tema da submissão bíblica deve inevitavelmente partir de uma análise do ser humano. Aqueles que surfam nas ondas do feminismo, seguindo as ideias de Simone de Beauvoir e Judith Butler, entre outras, terão uma visão do ser humano que destoa ferrenhamente da visão bíblica. Outros, usando a Bíblia como veículo para transmitir visões de mundo particulares, seguem ideais de dominação masculina em movimentos *redpill* e MGTOW (da sigla em inglês para "Homens seguindo seu próprio caminho"). Não é de espantar que a Bíblia seja vista como machista e retrógrada. Portanto, é imprescindível analisar o que as Escrituras de fato têm a dizer sobre o ser humano para, depois, abordar o papel da mulher na sociedade, na igreja, na família e como indivíduo.

Igualitarismo e complementarismo(s)

Historicamente, o cristianismo tem entendido que o gênero é fator constitutivo de nossa personalidade. Longe de afetar apenas nossa biologia, o gênero está relacionado com parte do propósito de Deus para nós, e esse propósito não se dá de modo *unissex*. Deus escolheu nos fazer homens e mulheres por um motivo, e nós precisamos entender quem somos em nossas igualdades e em nossas diferenças. Convém, portanto, avaliar o que Deus revelou em sua Palavra para que possamos formar uma antropologia bíblica, isto é, um estudo do ser humano à luz da Bíblia.

Vivemos em uma época segundo a qual alguém *se torna* homem ou mulher, o que possibilita uma remodelação do corpo com o uso de remédios e cirurgias, para torná-lo semelhante ao corpo do sexo oposto. Assim, alguém pode se identificar ou não com seu sexo biológico. Masculinidade e feminilidade se tornaram conceitos líquidos. Sob essa ótica, seria um absurdo cultural defender que Deus nos projetou para algo a partir de nosso sexo.

Antes mesmo da ebulição das discussões sobre gênero e transexualidade, os renomados teólogos conservadores John Piper e Wayne Grudem, preocupados com o avanço dos ideais feministas no meio evangélico no início dos anos 1990, editaram uma obra aclamada por uns e controversa para outros: *Recovering Biblical Manhood and Womanhood* [Recuperando a masculinidade e a feminilidade bíblicas]. O livro se tornou basilar na defesa de padrões firmes do que significa ser homem e mulher de acordo com a Bíblia, conforme a leitura de seus autores.

De lá para cá, muitas águas passaram por debaixo da ponte da antropologia cristã, e muito se discutiu sobre as bases teóricas e as práticas eclesiásticas das comunidades complementaristas. O complementarismo é o movimento que acredita que homens e mulheres são criados à imagem e semelhança de Deus. Não há uma distinção de *valor* entre eles. Mulher e homem são iguais perante Deus, e não há um que seja superior ao outro, nem que seja mais pecador, nem que tenha mais facilidade para obter a salvação.

Porém, o complementarismo entende que há uma diferença de *papéis* entre homens e mulheres, independentemente de suas capacidades particulares. Deus designou aos homens funções específicas que não designou às mulheres, e deu às mulheres papéis específicos que não deu aos homens. Mesmo que uma mulher tenha a mesma capacidade física, intelectual e social que um homem, não significa que possa — sem ir contra a vontade de Deus — realizar determinada tarefa. Isso também vale para os homens. Mesmo que tenham a mesma capacidade física, intelectual e social que as mulheres, não quer dizer que possam executar uma dada função. Não é a capacidade que determina se alguém pode ou não desempenhar o papel, mas sim é a ordem estabelecida por Deus com base nos princípios da criação. Afinal, capacidades, por si sós, podem ser desenvolvidas, porque isso é algo proveniente da forma como homem e mulher foram criados.

Se Piper e Grudem, como complementaristas de primeira geração, cumpriram um papel importante em se opor a uma cultura que torna homens e mulheres seres intercambiáveis e sem propósito definido a partir da sexualidade, suas perspectivas acabaram sendo usadas para validar posturas de abuso e apagamento de mulheres. Obviamente, essa nunca foi a intenção de Piper e Grudem, que repetidamente envidaram esforços para realçar a importância de lideranças graciosas nos lares. Todavia, algo precisa explicar por que o complementarismo de primeira geração foi recebido como instrumento para práticas que seus pioneiros rejeitariam veementemente.

Foi então que o complementarismo viveu sua fase de ruptura. Complementaristas de segunda geração apresentaram uma variação — ou melhor, um aprofundamento e um desenvolvimento das bases do complementarismo. Embora nomenclaturas diversas tenham sido propostas, tornou-se comum falar em complementarismo amplo e complementarismo estreito.

O complementarismo amplo entende que as aplicações dos papéis do homem e da mulher se estendem para a vida cristã como um todo, em cada área da vida — por exemplo, o ensino em escolas bíblicas dominicais ou o exercício de cargos políticos ou gerenciais. Ainda que não haja uma concordância monolítica em cada uma das áreas de atuação, há um consenso de que esses aspectos bíblicos devem ser vividos de forma a manifestar o caráter cristão alicerçado nas Escrituras.

O complementarismo estreito, por sua vez, também entende que há essas diferenças, porém procura evitar estereótipos sobre masculinidade e feminilidade e sua associação com um "caráter cristão". Por exemplo, dentro do lar, em uma situação de crise financeira, complementaristas amplos diriam que exclusivamente os homens deveriam procurar novas formas de conseguir dinheiro, enquanto a mulher ficaria em casa cuidando dos filhos. Já os complementaristas estreitos estariam abertos a dizer que a mulher pode procurar um emprego para auxiliar o marido enquanto providencia um familiar ou uma babá para cuidar dos filhos. Novamente, é importante lembrar que essas nomenclaturas — seja o estreito ou o amplo — não delimitam totalmente como uma pessoa pode entender o papel de homens e mulheres nas diversas áreas da vida. Não é preciso, nem obrigatório que alguém seja estritamente complementarista estreito ou amplo. É possível alguém discordar de que mulheres sejam gerentes ou policiais, mas não ver problema em que elas dividam a renda com o marido mesmo em circunstâncias normais, que não sejam de crise.

Jonathan Leeman tem argumentado de modo muito eficaz que ambos os lados do debate complementarista têm desafios a enfrentar. Ele entende que complementaristas estreitos lutam contra os desafios de *igualdade*, enquanto os complementaristas amplos são desafiados por questões de *autoridade* e *diferença*. Ele também mostra que boa parte dessas problemáticas se deve ao fato de que olhamos demais para as instituições políticas, culturais e sociais de nossa época e baseamos nossa perspectiva bíblica desse tema como uma resposta a essas instituições.[2] É verdade que devemos estar aptos para dar respostas bíblicas ao mundo. Porém, temos olhado tanto para as questões mutáveis que nos cercam a ponto de perder de vista o que é imutável e ultrapassa as gerações. As Escrituras se tornam mais um modelo de pensamento do que a Verdade que liberta.

Claro que os complementarismos não são as únicas formas de enxergar a relação entre homens e mulheres na Bíblia. Longe de reduzir a questão a um "complementarismo *versus* femininismo", muitos cristãos genuínos e teólogos de respeito encontram nas Escrituras ideais *igualitaristas*. Assim como o complementarismo, o igualitarismo entende que homens e mulheres foram criados iguais em *valor*. A diferença é que no igualitarismo mulheres e homens também são iguais em funções — na família, na igreja e na sociedade. Portanto, para igualitaristas não há problema algum em mulheres serem pastoras, provedoras do lar ou gerentes e líderes em empresas.[3] Ainda que entendam haver limitações tanto no homem quanto na mulher, consideram que há entre os dois uma igualdade de *papéis*.

Embora ninguém se denomine dessa forma, não seria difícil classificar uma série de cristãos como adeptos do *hierarquismo*, a posição na qual as mulheres não somente são ordenadas a seguir a liderança masculina, mas também não possuem voz diante dos líderes do sexo masculino, sendo muitas vezes mantidas sob domínio machista de forma oposta ao feminismo igualitário. O hierarquismo tradicionalmente está relacionado à dominância masculina. Nesse movimento, mulheres não podem ser pastoras, diaconisas, professoras de escola bíblica dominical, nem exercer qualquer tipo de ensino público nas igrejas; também não podem exercer autoridade sobre homens em qualquer contexto civil ou cultural, assim como, consequentemente, devem permanecer caladas diante de qualquer abuso ou opressão cometida por líderes eclesiásticos ou familiares. Mulheres não seriam dotadas de papéis complementares aos dos homens; antes, seriam inferiores aos homens. Não é difícil perceber que o hierarquismo promove uma cultura de apagamento da mulher. Ao longo deste livro, apresentaremos diversos exemplos desse tipo de atitude.

Este livro se posiciona como complementarista de segunda geração, ou complementarista estreito. Procura mostrar, sob uma ótica conservadora, as diferenças entre homens e mulheres, respeitando as interpretações tradicionais do cristianismo histórico. Todavia, também procura mostrar onde temos falhado na transgressão dos limites bíblicos dessas diferenças. Uma pessoa não precisa ser igualitarista ou mesmo uma feminista moderna para celebrar pontos de igualdade entre homens e mulheres. Só precisa encontrar nos textos bíblicos o sentido exato de suas palavras. É desafiador, mas é a única forma de lidar com os sexos tal como Deus intenta.

Claro que nem todos os cristãos concordarão com cada detalhe teológico deste material. Mesmo assim, creio que, de modo geral, a maioria dos cristãos de linha conservadora encontrará aqui a fundamentação teológica necessária para dar alento a almas cansadas com a postura agressiva, opressora e, por vezes, desumana que acabou se tornando distintiva de algumas lideranças. A doutrina bíblica da Criação é, nesse aspecto, um valioso ponto de partida para iniciar o debate.

O valor da mulher na doutrina da criação

No relato da criação, alguns elementos são de extrema importância para a revelação da vontade e dos propósitos de Deus. Já em Gênesis 1.1, lemos: "No princípio, Deus criou os céus e a terra". Esse é o resumo de todo o ato criativo de Deus. "Céus e terra" é uma expressão que representa, por meio de dois extremos, a completude de tudo o que é criado. À medida que caminhamos pelos primeiros versículos da Bíblia, percebemos que Deus está trazendo à existência tudo o que há a partir do nada.

E ele o faz já distinguindo os elementos da criação. Deus não simplesmente cria a luz, ele diz: "'Haja luz', e houve luz. E Deus viu que a luz era boa, e separou a luz da escuridão" (Gn 1.3-4). Ele não somente cria os céus, mas diz: "'Haja um espaço entre as águas, para separar as águas dos céus das águas da terra'. E assim aconteceu. Deus criou um espaço para separar as águas da terra das águas dos céus" (1.6-7). O mesmo vale para a terra e o mar (1.9-10). Também é digno de nota que os três primeiros dias da criação se harmonizam com os outros três numa relação de forma (dias 1 a 3) e conteúdo (dias 4 a 6). Isto é, aquilo que era "sem forma e vazio" passa a ganhar forma e conteúdo. Deus dá forma à terra e a preenche. Há aqui um princípio de ordem. Deus criou já colocando cada elemento em seu devido lugar.

Homem e mulher foram criados iguais

Com o ser humano não é diferente. Assim relata Gênesis 1.26-27:

> Então Deus disse: "Façamos o ser humano à nossa imagem; ele será semelhante a nós. Dominará sobre os peixes do mar, sobre as aves do céu, sobre os animais domésticos, sobre todos os animais selvagens da terra e sobre os animais que rastejam pelo chão".
>
> Assim, Deus criou os seres humanos à sua própria imagem,
> à imagem de Deus os criou;
> homem e mulher os criou.

A criação do ser humano também apresenta distinção e ordem. O paralelismo do versículo 27 nos permite lê-lo da seguinte forma:

a) Deus criou os seres humanos *à sua própria imagem* (declaração geral),
b) *à imagem de Deus* os criou (reiteração);
c) *homem e mulher* os criou (especificação e diferenciação).

Em primeiro lugar, portanto, temos uma declaração geral. A palavra traduzida por "seres humanos" (*ha-adam*) na parte (a) aparece em outras traduções como "homem", mas é um termo diferente daquele usado na parte (c), que apresenta uma distinção entre os sexos especificando o "homem" (*zakar*, "macho") e a "mulher" (*nekebah*, "fêmea"). Portanto, pela análise do contexto, percebemos que a parte (a) descreve a criação da humanidade. De alguma forma, ela nos lembra Gênesis 1.1. Assim como Deus criou a totalidade das coisas que existem e nos versos seguintes isso é pormenorizado, aqui ele criou a humanidade e depois destrincha o que é a humanidade. A parte (b) reitera que toda a humanidade foi criada à sua imagem, e a parte (c) revela que a humanidade é justamente homem e mulher — criação com distinção e ordem. Homem e mulher são criados à imagem de Deus. Não há hierarquia entre eles, embora haja distinção.

Nas civilizações antigas, a mulher era muitas vezes subjugada, sendo-lhe atribuído um valor inferior ao do homem. Desde as narrativas da literatura mesopotâmica até o auge do império greco-romano, ela foi retratada como uma espécie de "homem defeituoso", descrita em mitos como oriunda de um vômito divino, uma maldição lançada sobre os homens ou até mesmo um equívoco no processo criativo. Na mitologia hindu, há relatos que sugerem a criação da primeira mulher a partir da sujeira de diferentes deuses. Na tradição grega, Hesíodo, no século 7 a.C., registrou o mito da criação da mulher mais conhecido. Pandora, a primeira mulher, foi criada como um castigo para a humanidade, uma figura que trouxe consigo males e desgraças. Contrastando com muitas dessas narrativas, o relato bíblico de Gênesis apresenta uma abordagem singular. Nele, a mulher é criada no mesmo ato criativo de Deus, dotada do mesmo reflexo da imagem divina conferida ao homem. Essa diferenciação destaca-se como um contraponto à tendência de desvalorização da mulher em outras tradições mitológicas, evidenciando uma perspectiva que reconhece a igualdade intrínseca entre homens e mulheres desde o momento da criação.

É digno de nota que Deus não solucionou a solidão de Adão com outro homem. Deus cria algo diferente, o que mostra o aspecto complementar da identidade feminina. Francine Veríssimo Walsh diz que "Deus poderia ter criado para Adão um animal que o completasse, ou até mesmo outro homem que fosse exatamente como ele. Afinal de contas, quem melhor para completar o homem do que alguém que o compreendesse por ser exatamente como ele é, certo? Bom, não é isso que vemos o Criador concluir".[4] Deus entende que a mulher seria a melhor contraparte para Adão, o que deve nos dar um senso mais elevado do papel feminino na complementude da existência humana.

A mulher também foi criada para dominar a terra

Ao término de cada dia, Deus transmitia um juízo: "e viu que era bom". Essa declaração demonstra como a criação foi criada sem pecado, sem maldade, cada elemento devidamente ordenado conforme o agrado de Deus. E, ao fim do sexto dia, depois da criação do homem e da mulher, vemos que o juízo divino é que tudo era "muito bom" (Gn 1.31), indicativo do destaque do ser humano no processo da criação.

Outro aspecto notável é o mandato que a humanidade recebe de dominar e subjugar a criação. Em Gênesis 1.26, lemos:

> Façamos o ser humano à nossa imagem; ele será semelhante a nós. Dominará sobre os peixes do mar, sobre as aves do céu, sobre os animais domésticos, sobre todos os animais selvagens da terra e sobre os animais que rastejam pelo chão.

Aqui, mais uma vez, o uso do hebraico *adam*, traduzido na NVT por "ser humano" e por "homem" em outras traduções, indica a humanidade de modo geral. Quem "dominará", portanto, é o ser humano, não o gênero masculino. Ou seja, ambos os elementos que compõem a humanidade — o homem e a mulher, conforme nos lembra Gênesis 1.27 — devem exercer domínio sobre toda a criação. Nesse quesito, ambos são igualmente agentes de Deus para representá-lo no cuidado da criação da mesma forma que Deus é seu sustentador absoluto. A questão a ser desenvolvida é como homem e mulher desempenhariam esse domínio que, na teologia, é chamado de mandato cultural.

Há, portanto, um mandato igual para os dois, para o homem e para a mulher. Ambos recebem a ordem de domínio, de governo. Homem e mulher, lado a lado, governam o mundo, dominam a terra, moldam a cultura, formam a sociedade. O que já revela que todo esforço para excluir as mulheres e restringi-las à vida doméstica, sem papel na sociedade mais ampla, é uma visão equivocada diante do que Deus estabeleceu desde a criação.

A criação do ser humano à imagem e semelhança de Deus está intimamente relacionada com o exercício de domínio sobre a terra e sua sujeição. Tem sido um consenso cada vez mais emergente desde a década de 1970 entre os teólogos que o contexto mais significativo no antigo

Oriente Próximo para o uso de "imagem e semelhança" vem da noção de domínio dos reis. A prática comum dos reis naquele tempo era erigir em terras conquistadas estátuas modeladas à sua própria imagem para representarem a autoridade de seu reinado. Essa era uma forma de demonstrar a presença de realeza, mesmo que não física, em determinado território. O rei, por sua vez, era também uma representação da divindade nacional. Esse pano de fundo mostra que os homens eram imagem e semelhança de Deus em sentido *teofânico*, isto é, como representantes da presença soberana de Deus no templo da criação. Esse argumento ganha mais força quando percebemos que os verbos usados em Gênesis 1.26-28 (*radah*, "reinar, dominar"; *kabash*, "sujeitar, subjugar"), em direta relação com a imagem e semelhança de Deus no homem, têm uma ideia de reinado e um plano de fundo imperial.[5] Nesse sentido, a mulher é responsável pelo governo da criação tanto quanto o homem, pois é dotada da mesma imagem divina.

O machismo, a opressão, a misoginia, a onda *red pill*. Tudo isso é loucura e também é hierarquismo. Homens que pensam que mulheres são mais suscetíveis ao engano e ao mal, que mulheres são menos inteligentes e que têm um papel social restrito apenas à vida doméstica, deturpam aquilo que Deus disse ser muito bom.

Criada como aliada complementar

Deus diz que faria para Adão uma "auxiliadora idônea", alguém que lhe correspondesse, alguém que fosse igual a Adão. Eva era igual a Adão. Deus tinha acabado de dizer que ele deveria cuidar do jardim e não comer do fruto proibido. Então, Eva seria ajudadora de Adão especialmente em dois fatores. Primeiro, Eva deveria ajudar Adão a governar a criação conforme estabelecido por Deus. O texto bíblico diz que "não é bom" que o homem exerça sozinho o domínio sobre a criação. Ele precisava de ajuda, e esse auxílio viria de sua esposa. Além disso, Adão não deveria comer da árvore do conhecimento do bem e do mal. Portanto, Eva deveria ajudar Adão a também manter-se em santidade, porque é mais difícil permanecer em santidade sozinho.

Será, no entanto, que essa tradução que se consagrou no Brasil é a melhor decisão? O termo "auxiliadora" tem sido interpretado por muitos como uma derivação da identidade do homem, de modo que ela existe como simples "ajudante" do homem. "Idônea", por sua vez, é um termo arcaico normalmente usado para adjetivar alguém confiável, sem corrupção, alguém "de caráter idôneo".

A primeira coisa que nos chama atenção é a declaração de Deus: "Não é bom que o homem esteja sozinho" (Gn 2.18). Tudo o que Deus havia criado até ali ele avaliou como "bom". No entanto, quando vemos a criação do homem, há algo que não é bom. Não quer dizer que se tratasse de algo pecaminoso, mas que o homem precisaria de alguém para completá-lo. Havia no homem uma carência.

James McKeown diz que a presença dos animais, "em sua sexualidade dual, macho e fêmea", teria acentuado a solidão do homem.[6] John E. Hartley, por sua vez, afirma que "Deus, o Criador, sabia que o homem por si só não poderia experimentar toda a dimensão da existência humana".[7] Então, Deus expressa sua vontade de criar uma contraparte do homem que lhe permitisse vivenciar essa sexualidade dual e, portanto, uma existência plena. Por isso Deus age, colocando o homem em um sono profundo e tirando dele uma costela para criar a mulher. Convém comparar como as principais traduções bíblicas em português descrevem a decisão divina de criar a mulher:

> Não é bom que o homem esteja só; far-lhe-ei uma adjutora que esteja como diante dele. (ARC)

> Não é bom que o homem esteja só; far-lhe-ei uma auxiliadora que lhe seja idônea. (ARA)

> Não é bom que o homem esteja só; farei para ele uma auxiliadora que seja semelhante a ele. (NAA)

> Não é bom que o homem viva sozinho. Vou fazer para ele alguém que o ajude como se fosse a sua outra metade. (NTLH)

> Não é bom que o homem esteja sozinho. Farei alguém que o ajude e o complete. (NVT)

> Não é bom que o homem esteja só; farei para ele alguém que o auxilie e lhe corresponda. (NVI)

> Não é bom que o homem esteja só; farei para ele uma aliada que lhe seja semelhante. (NVI 2023)

O hebraico descreve a mulher como a *ezer kenegdo* do homem. Como vemos acima, existem muitas possibilidades de tradução para essa expressão. Todas orbitam em torno de algo que remete a auxílio, ajuda, correspondência e semelhança. Isso nos dá uma boa orientação de como entender os termos originais.

Ezer descreve alguém que presta auxílio a outra pessoa. Talvez pensemos no auxiliador como alguém que se encontra em posição inferior ao outro, mas não é esse o sentido de *ezer*. Na verdade, várias vezes o termo é usado para descrever Deus como o *ezer* de Israel (Êx 18.4; Dt 33.7,26,29; Sl 33.20; 115.9-11; 124.8; 146.5). Portanto, não podemos deduzir que o auxiliador necessariamente é alguém em posição de serviço inferior. Rebaixar a mulher dessa forma é fruto de má teologia, péssima análise textual e uma visão de mundo destoante da realidade. Pelo contrário, conforme aponta John Hartley, "por definição, a pessoa que precisa de ajuda admite algum tipo de limitação".[8] Ora, *não era bom* que o homem estivesse e permanecesse sozinho. O homem *precisava* da mulher — e ainda precisa.

Diante disso, a tradução revisada da NVI, de 2023, apresenta uma opção bem próxima do que expomos aqui, traduzindo *ezer* como "aliada". "Aliada" transmite a ideia de alguém que está ao lado sem conotação de inferioridade. A aliada está ali para apoiar o homem prestando-lhe ajuda e salvando-o de perigos. Além disso, como vimos que *ezer* aparece em vários contextos de auxílio militar, o termo "aliada" reforça essa aplicação. Aliados lutam juntos numa guerra sem que haja hierarquia entre eles. Quando *ezer* é traduzido como aliada, a mulher passa a ser vista como companheira de guerra do homem para vencer os desafios, as tentações, os pecados e suas consequências. Juntos, homem e mulher são aliados na execução do mandato cultural e na guerra contra o pecado, para que o nome de Deus seja glorificado. A meu ver, trata-se de uma tradução muito feliz da NVI de 2023.

A mulher foi criada porque, sozinho, o homem não dominaria adequadamente a criação. Sim, o homem nomeou os animais sem a mulher, mas o domínio não se limitaria a isso. Haveria mais coisas a fazer que demandariam do homem que ele tivesse alguém junto de si, porque ele era limitado para fazer tudo por conta própria. E, se isso foi afirmado num ambiente sem pecado, quanto mais após a queda, quando o pecado deturpou todo o seu ser. A necessidade de alguém que o ajude no mandato cultural, que o socorra nas adversidades da vida e que o salve de pecar se faz ainda mais urgente. É verdade que as maldições do pecado afetam esse papel da mulher, mas quando ambos estão em união seguindo o propósito divino em piedade, esse valor da mulher deveria ganhar ainda mais destaque. Cristo nos salva, redime e capacita para que desempenhemos aquilo que, na condição de totalmente entregues ao pecado, não seríamos capazes de realizar.

E quanto a "idônea"? Em hebraico, *kenegdo* aponta para alguém que é "significativamente diferente do homem, de modo que possa contribuir de forma distinta para sua vida, ainda que seja alguém da mesma essência e do mesmo nível".[9] Segundo Hartley, "essa contraparceira ajudadora também proveria companheirismo enriquecedor. Deus fez os seres humanos para encontrarem profundo significado para a vida ao viverem juntos em família".[10]

Deus criou a mulher, portanto, para ser uma aliada contraparceira, uma aliada complementar. A atualização da NVI novamente traz uma tradução bem próxima do significado que entendemos. Apesar de "semelhante" ressaltar somente um aspecto de *kenegdo*, convenhamos que é bem mais fácil de entender que "contraparceira". Aproveitando a ilustração da guerra, a mulher seria a aliada do homem que, semelhante a ele, cobre sua retaguarda para que o inimigo não o surpreenda. Como em todo esquema tático, quem está à frente exerce determinadas funções, e quem está na retaguarda se ocupa de outras. Essas funções que distinguem homem e mulher visam justamente o santo exercício do mandato cultural e a luta contra o pecado. Ao longo deste livro, perceberemos facilmente o que resulta da falta dessa aliada contraparte, assim como os maravilhosos benefícios decorrentes de sua presença.

Em suma, não há, no relato da criação, margem alguma para rebaixar a mulher. Rebaixar a mulher só demonstra o caráter orgulhoso e autossuficiente do homem. O fato é que mesmo sem pecado Adão não se bastava. Não foi Adão que sugeriu a Deus ter uma mulher. Adão não teve opinião nem ação alguma na criação da mulher. Deus avaliou a situação e, quando manifestou sua vontade, colocou Adão para dormir. Deus anulou a vontade e a ação de Adão. Foi Deus quem decidiu que a mulher era imprescindível ao homem e a criou. Diante disso, o homem não questionou, não disse que não precisava, não a rebaixou, mas sim glorificou a Deus e exaltou a maravilha daquela criação. Em outras palavras, rebaixar a mulher é querer ser melhor que Deus.

Lembro-me de quando o perfil de Instagram da Igreja Presbiteriana de Pinheiros, de São Paulo, postou o vídeo de uma curta fala de Francine Walsh numa conferência de mulheres. Francine é autora de *Ela à imagem dele*, um excelente livro sobre a identidade feminina à luz do caráter de Deus. Naquele pequeno trecho, com base no relato bíblico da criação e na grande comissão de Jesus a seus discípulos, ela diz:

> Se apenas escutamos as vozes masculinas, criamos uma igreja completamente aleijada, incompleta de realmente cumprir seu papel no mundo. Porque a mulher — ela é o quê? Aliada necessária! Ela era necessária no mandato cultural, ela é necessária na Grande Comissão. Sem a mulher, a gente não consegue expandir o reino. Esse é o papel da mulher: aliada necessária no reino!

Trata-se de uma poderosa declaração sobre a mulher ter sido criada por Deus como aliada necessária para o homem, uma auxiliadora idônea, e também enviada para cuidar do mundo de Deus e fazer discípulos de todas as nações. Mulheres não são descartáveis, mas coparticipantes no reino. Infelizmente, essa declaração gerou comentários do tipo: "Estão querendo deformar a igreja", "Tudo aquilo em que a mulher se envolve ela destrói", "Não deixem a mulher ministrar sobre Deus, isso é coisa de Satanás", "Se a gente ouve a mulher, não só ficaremos aleijados, como sem nenhum membro. Sem utilidade".[11]

Ao que parece, na visão dos autores desses comentários, só o homem tem valor e a mulher para nada serve na igreja. Eles, que se dizem conhecedores da Bíblia, esquecem que foram mulheres as primeiras testemunhas da ressurreição de Jesus e que foram elas que falaram da ressurreição para os discípulos, que não acreditaram quando ouviram. Esquecem que a Grande Comissão foi dada a todos, inclusive às mulheres. Esquecem que Paulo lembra Timóteo de se apegar ao que ele havia aprendido de sua avó Loide e sua mãe Eunice. Mulheres podiam participar da vida da igreja profetizando e falando em línguas para a edificação do corpo de Cristo. Febe foi recomendada por Paulo e considerada por ele protetora de muitos, inclusive dele próprio.

O pior dessa história toda é que tais comentários foram feitos no perfil de uma igreja. Ou seja, não são *haters* machistas comentando; são homens machistas que se professam crentes, e que provavelmente aprendem e ensinam esse tipo de atrocidade nas comunidades de que fazem parte.

Outro escreveu o seguinte comentário: "Precisamos da mulher para expandir o reino?". Alguém, então, respondeu: "Só se for para dar à luz os homens que levam a Palavra. Só a Palavra é necessária!". Ou seja, enquanto para Jesus mulheres são fundamentais para o reino, para estes elas só servem como máquina reprodutiva. Que difícil deve ser a vida das esposas desses homens — se é que são casados; espero que não — e das outras mulheres que fazem parte de sua congregação.

Não há nenhum equívoco na fala de Francine. Deus cria a mulher para auxiliar o homem no jardim porque Deus viu que "não era bom que o homem estivesse só". À mulher também foi dado o mandato cultural de dominar e subjugar a criação. À mulher também foi dada a Grande Comissão. Mulheres podem ensinar, desde que exerçam autoridade. Mulheres podem e devem trabalhar para a expansão do reino de Deus, desde que andem em submissão. Mas submissão não é ficar caladas em assembleias. É saber quando falar e não querer se rebelar. Priscila sempre esteve junto a Áquila e participou na instrução de Apolo. Sim, a igreja fica aleijada quando mulheres não são ouvidas, porque não é bom que homens estejam sós. Mulheres são parte fundamental no reino porque Deus desejou assim. Pensar o contrário é no mínimo hierarquismo, quando não machismo inescrupuloso.

A mulher foi criada a partir do homem

Se Gênesis 1 celebra a igualdade entre homens e mulheres, Gênesis 2 já começa a explicitar algumas das diferenças entre eles. Depois de formar a terra e preenchê-la, Deus cria primeiro Adão e o coloca no centro do jardim.

> Então o SENHOR Deus formou o homem do pó da terra. Soprou o fôlego da vida em suas narinas, e o homem se tornou ser vivo. O SENHOR Deus plantou um jardim no Éden, para os lados do leste, e ali colocou o homem que havia criado. [...]
>
> O SENHOR Deus colocou o homem no jardim do Éden para cultivá-lo e tomar conta dele, mas o SENHOR Deus lhe ordenou: "Coma à vontade dos frutos de todas as árvores do jardim, exceto da árvore do conhecimento do bem e do mal. Se você comer desse fruto, com certeza morrerá".
>
> Gênesis 2.7-8,15-17

A mulher não é criada no mesmo ato criacional que Adão. Deus olha para o homem e constata que não é bom ele ficar só, por isso decide fazer-lhe uma aliada. Em Gênesis 2.19, é dito que Deus trouxe os animais e as aves a Adão para que ele lhes desse nome. Ou seja, Adão estava exercendo autoridade sobre a criação, fazendo aquilo para o qual havia sido comissionado. Estava cuidando das coisas de Deus e cultivando o jardim. Mas ele fazia isso sozinho: "O homem, porém, continuava sem alguém que o ajudasse e o completasse" (Gn 2.20).

Então, Deus cria a mulher a partir de Adão (Gn 2.21-22). Existe uma primazia criacional em Adão. No entanto, a mulher é formada a partir dele. Ou seja, ela estava em Adão antes de ser criada. Deus não devolve a Adão algo equivalente àquilo que foi tirado. Deus devolve a ele algo maior. G. K. Chesterton escreveu que o preço que o homem paga por ter uma mulher a vida toda é muito pouco comparado a ter uma mulher para a vida toda. Deus chamou vários animais até Adão e ele deu nome aos animais, mas é somente quando Deus leva a mulher até Adão que ele exprime louvor e encontra sua completude: "Esta é osso dos meus ossos, e carne da minha carne! Será chamada 'mulher', porque foi tirada do 'homem'" (2.23).

Homem em hebraico é *ish*, e mulher, *ishah*. Literalmente, portanto, o texto original diz: "Será chamada *ishah*, porque foi tirada do *ish*". Adão aqui dá nome à mulher, exercendo autoridade sobre ela. Os pais dão nome aos filhos. Adão dá nome aos animais. Deus dá novos nomes a seus filhos. O homem dá nome à mulher, como sexo. No capítulo seguinte, ele também daria nome àquela mulher específica, chamando-a de Eva (3.20).

O ato de nomear, em Gênesis 1—2 e em toda a cultura hebraica, estava relacionado à autoridade. Quando o Senhor cria, ele também nomeia. Assim o dia, a noite, o céu, o mar e a terra, uma vez nomeados por Deus, são tratados como criaturas dele, em contraste com as culturas mesopotâmicas que tratavam esses elementos como divindades.

Perceba: a mulher é criada a partir de Adão. Adão é criado do pó da terra. Ela é criada a partir da costela de Adão. Deus traz a mulher até Adão, e não o contrário. Adão dá nome à sua mulher, e não o contrário. O termo liderança não aparece aqui, mas é a melhor palavra para descrever o que acontece em Gênesis 2, ainda dentro do ambiente criacional imaculado de Deus. Aqui já constatamos o homem exercendo funções pastorais de liderança sobre sua mulher. Por isso, podemos dizer que, enquanto Gênesis 1 anula o hierarquismo, Gênesis 2 anula o igualitarismo. Se Adão e Eva tivessem sido criados simultaneamente do barro, ao mesmo tempo, nós teríamos um texto profundamente igualitarista. Deus criou Adão e Eva com diferenças apesar de suas igualdades.[12]

Pode-se desenvolver a ideia de que o igualitarismo é uma posição essencialmente progressista, mas nem todo igualitarista é um progressista feminista, por exemplo. Muitos bons teólogos são igualitaristas, porque foram teologicamente convencidos dessa posição. Agora, parece-me muito evidente que a efervescência do igualitarismo, sobretudo nas redes sociais, decorre de uma perspectiva política de esquerda. As pessoas primeiro tornam-se feministas ou progressistas, para então se tornarem igualitaristas. Isso é um problema, porque é ler as Escrituras com as lentes da política. Os que são convencidos teologicamente do igualitarismo devem receber uma contra-argumentação teológica de suas perspectivas. O igualitarismo, quando advindo de uma análise não enviesada politicamente, é uma posição teológica respeitável. É uma posição da qual não compactuo, mas é uma posição possível. No entanto, quando o debate é mais político e social do que teológico, a discussão se torna mais intrincada.

As rupturas entre os sexos vêm do pecado

Toda essa estrutura harmoniosa de liderança e submissão infelizmente foi deturpada com a entrada do pecado no mundo por causa da desobediência de Adão e Eva. A tentação que a serpente faz à mulher é sagaz.

A serpente não chega apresentando de cara o fruto da árvore do conhecimento do bem e do mal como agradável. Ela diz: "Deus realmente disse que vocês não devem comer do fruto de nenhuma das árvores do jardim?" (Gn 3.1b). A serpente faz uma pergunta que exarceba a proibição que Deus havia feito. Ela apresenta Deus como aquele que veta o desfrute de tudo o que havia de prazeroso no Éden. A proibição era somente de não comer o fruto daquela árvore. Em resposta à serpente, a mulher diz que: "É só do fruto da árvore que está no meio do jardim que não podemos comer. Deus disse: 'Não comam e nem sequer toquem no fruto daquela árvore; se o fizerem, morrerão'" (3.2-3).

G. K. Beale e Mitchell Kim notam algumas diferenças importantes entre a resposta da mulher e o que Deus tinha dito anteriormente a Adão. A primeira consiste no nome usado para se referir a Deus. Em Gênesis 2.16-17, a palavra para se referir a Deus é *YHWH*, o tetragrama, que designa o Deus que se relaciona com seu povo através de sua aliança. Em Gênesis 3.2-3, a mulher se reporta a Deus como *Elohim*, que traz uma ideia de Deus como criador, mas não enfatiza o caráter relacional de Deus. Em segundo lugar, a bênção de Deus é minimizada. Enquanto Deus enfatiza que eles poderiam comer "de todas as árvores" e Satanás enfatiza "de nenhuma árvore", Eva simplesmente trata a abundância que Deus deu de forma genérica: "das árvores do jardim". Ela também aumenta a proibição de Deus ao dizer que eles não deveriam nem tocar no fruto da árvore, e minimiza as consequências da desobediência caso comessem. Deus tinha dito que se, comesse do fruto daquela árvore, o ser humano "com certeza morrerá", ao passo que Eva reduz a ênfase ao dizer apenas "morrerão".[13]

A tragédia disso é que a mulher foi criada para ajudar o homem a permanecer em santidade, e é justamente ela a enganada pelo diabo. Para piorar a situação, Adão é omisso: "Assim, [Eva] tomou do fruto e o comeu. Depois, deu ao marido, *que estava com ela*, e ele também comeu" (Gn 3.6b, grifos meus). Adão, o líder, aquele que ouviu diretamente de Deus como eles deveriam se portar em relação à árvore do conhecimento, é omisso ao permitir a conversa, é omisso ao não ter iniciativa de se opor à serpente, e é omisso ao não corrigir Eva antes mesmo de o diabo engatar a próxima fala. Adão era responsável por pastorear sua mulher, mas aqui ele não só deixa de cuidar do jardim ao permitir a entrada do inimigo, mas também participa do pecado de sua mulher em vez de ser um instrumento para que sua mulher não pecasse. Quando comparamos a postura de Adão, que estava no Éden, com a de Jesus — o segundo Adão, o Adão por excelência — em jejum no deserto, constatamos que Jesus repreende Satanás pela Palavra, fazendo justamente o que Adão não fez.

Na sequência do relato da Queda, deparamos com um ambiente de profunda desresponsabilização. O pecado entrou no mundo, e nenhum dos dois consegue aceitar que errou. Em vez de exercerem domínio, como pastor e auxiliadora, ambos se evadem de qualquer responsabilidade diante de Deus. "Não fui eu, foi a mulher." "Não fui eu, foi a serpente." Eles não eram autônomos? Não eram responsáveis pela própria vida? A mulher, criada para auxiliar, agora tornou-se totalmente responsável? O homem, criado para pastorear, agora se exime daquilo que ele foi feito por Deus para fazer? Não é assim em nossos casamentos? A culpa não é sempre do outro ou das "circunstâncias"?

Por causa do pecado de Eva, Deus a amaldiçoa. A maldição tem duas facetas: sua fecundidade e seu relacionamento com o marido. Em primeiro lugar, ela agora passará a sentir dores no parto, isto é, por causa da entrada do pecado no mundo há uma mudança na biologia da mulher. Ela foi transformada para que agora o nascimento dos filhos se torne algo doloroso, e é de presumir que toda a questão menstrual e até o processo da perda da virgindade estivessem incluídos nessa mudança.

Em segundo lugar, Deus diz à mulher que "seu desejo será para seu marido, e ele à dominará" (Gn 3.16). A meu ver, trata-se de uma tradução ruim. A conjunção hebraica *'el* pode ser mais bem traduzida como "contra" em vez de "para". Ler a maldição como "seu desejo será contra seu marido" faz mais sentido contextualmente, e é exatamente como essa mesma palavra é traduzida em Gênesis 4.7, quando Deus diz a Caim: "O desejo dele será contra você" (NAA). Não vejo sentido para traduções diferentes da mesma conjunção em cada capítulo. Creio que "contra" cabe melhor nos dois momentos. Isso significa que, da mesma forma que o desejo de Eva é contra o marido, o desejo do pecado era contra Caim. Kenth Hudges comenta que "a mulher agora desejaria controlar seu marido, mas ela falharia porque Deus ordenou que o homem liderasse".[14] A mulher que deveria ser amada e cuidada será dominada. Receberá o mesmo tratamento dispensado às coisas, aos animais. Adão deveria dominar a criação ao lado de Eva. Agora, Adão quererá dominar Eva junto com a criação. O pecado se torna a origem da corrupção da liderança amorosa em domínio abusivo.

Complementarismo em interdepedência

Outro aspecto importante relacionado ao valor da mulher desde a criação se encontra em 1Coríntios 11.11-12:

> Entre o povo do Senhor, porém, as mulheres não são independentes dos homens, e os homens não são independentes das mulheres. Pois, embora a mulher tenha vindo do homem, o homem nasce da mulher, e tudo vem de Deus.

Mesmo que a mulher seja submissa ao marido, ambos são interdependentes em Cristo. Em Cristo não existe motivo para que se interprete esse relacionamento como guerra ou conflito. Por mais que a mulher seja criada do homem e tenha vindo a existir depois dele, em Cristo ambos estão unidos de forma plena e total em dupla dependência. Porque, assim como a mulher foi feita do homem na criação, o homem nasce da mulher durante o processo natural, e tudo isso vem de Deus.

Comentando sobre essa interdependência, Roy E. Ciampa diz que "o poder da mulher está relacionado ao fato de que todos os homens vêm de mulheres, são criados por elas e, sem as mulheres, os homens sequer poderiam vir a existir".[15] Ou seja, homens podem até ter sido criados primeiro por Deus, mas, depois de Eva, todos os homens devem sua existência às mulheres. Afinal, eles só existem porque uma mulher engravidou, sofreu por nove meses carregando-o no útero, passou pelas dores do parto e o amamentou quando ele era recém-nascido.

Portanto, do mesmo modo que é contra a ordem de Deus que mulheres queiram romper com a relação de submissão porque a mulher foi criada do homem, homens não podem romper com a ordem estabelecida por Deus por meio do abuso ou exploração da submissão porque eles nascem de mulheres. Leon Morris diz que a frase "*tudo vem de Deus* é um típico lembrete paulino da prioridade do divino", pois "a fonte, a origem de todas as coisas e todas as pessoas é Deus. Nem o homem, nem a mulher é um ser independente".[16] Mulheres são submissas ao homem por ele ter sido criado primeiro. Homens são dependentes das mulheres porque todos eles vêm delas. E ambos são dependentes de Deus porque é Deus quem dá origem a todas as coisas. Não há espaço para autonomia ou pretensa superioridade.

O potencial demoníaco de uma péssima antropologia bíblica

Uma forma útil de encerrar este capítulo é respondendo a talvez um dos piores exemplos que inundou a internet brasileira de como uma má leitura das Escrituras pode corromper nossa visão da mulher. O já citado pastor Anderson Silva, líder de um ministério que visa lidar com masculinidade a partir da Bíblia, escreveu um texto que repercutiu nas redes sociais, a ponto de ser notícia em portais de grande circulação.[17] Intitulado "O potencial demoníaco da mulher", o texto elenca pontos que, segundo o autor, mostrariam que as mulheres são donas de um potencial específico para o mal.

O título do texto já seria problemático por si só. Tanto homem como mulher possuem, após a Queda, potencial demoníaco por causa do pecado, uma vez que todo ser humano é filho do diabo se não for salvo (Ef 2.2-3). Entretanto, a questão que causou a controvérsia reside justamente nos pontos elencados para exemplificar esse potencial. O texto começa com Anderson dizendo: "Homem, ame sua mulher, lidere-a!". Não há problema algum aqui. De fato, a Bíblia ordena que a mulher se submeta a seu marido e que o marido ame sua mulher (5.22-33). Convém ter em mente, porém, que a principal característica da liderança cristã é o amor. Paulo não disse: "Maridos, liderem suas mulheres amando-as", mas disse: "Maridos, ame cada um a sua esposa, como Cristo amou a igreja. Ele entregou a vida por ela" (5.25).

Em seguida, logo no primeiro postulado do potencial demoníaco, Silva afirma que "uma mulher não amada e liderada se torna um demônio". Isso é uma declaração categórica e absoluta. No entanto, mulheres podem suplantar uma má liderança de seu marido por amor e fidelidade ao Senhor. A liderança masculina não é condição *sine qua non* para que ela vença o potencial demoníaco. Muitas mulheres vencem más lideranças justamente por causa da fidelidade ao Senhor. Mulheres crentes casadas com homens descrentes podem exercer um tipo de fé madura e sóbria, ainda que não haja boa liderança da parte do marido. Também há mulheres crentes casadas com homens crentes que apresentam pecados duradouros, e elas demonstram um tipo de piedade e amor a Deus que ajudam o marido na luta contra esses pecados que são um empecilho para uma boa liderança. A mulher tem sua fé influenciada pela má liderança de um marido, mas não determinada por ela. Uma fé genuína suplanta uma má liderança. Poderíamos reformular a frase de Anderson Silva dizendo que uma mulher mal liderada teria mais dificuldades de vencer seu potencial demoníaco, mas quando esse potencial demoníaco é vinculado de forma particular à mulher o pecado masculino acaba por receber tratamento diferente. Ora, apesar das particularidades dos sexos, ambos foram criados à imagem de Deus e afetados integral e igualmente pelo pecado. Essa dependência da mulher da liderança masculina diminuiria a autonomia de sua fé, o que daria a entender que ele é intrinsecamente dependente da forma como o homem a lidera. E isso é antibíblico.

Em seguida Silva cita Eva, Jezabel, Dalila e Herodias, as quais, segundo ele, "mostram na Bíblia o potencial vingativo, manipulador e diabólico de uma mulher que não possui um homem que a ame ao ponto de liderá-la". Não creio que o problema dessas mulheres fosse necessariamente a falta de um marido que as amasse, mas sim sua própria cobiça e uma vida de abandono a Deus. Analisando de outra perspectiva, mulheres podem ser amadas por seus maridos em uma liderança bíblica e, mesmo assim, podem abandonar a Deus em seu coração. Não pertence ao homem a capacidade de salvação, mas tão somente a Deus. Homens são instrumentos de Deus. Atribuir a manipulação, a vingança e o comportamento diabólico à falta de liderança coloca sobre o marido um peso que a Bíblia em nenhum momento coloca.

Ainda nessa linha, Anderson Silva diz que "a força moral que Deus concedeu ao homem deve ser usada no desequilíbrio emocional que a mulher enfrenta sutilmente". Trata-se de uma declaração bastante problemática. É como se a mulher não tivesse recebido de Deus força moral em sua criação. Se o homem recebeu isso de Deus, o que foi que a mulher recebeu? Não teria ela força moral para lutar contra o desequilíbrio emocional advindo do pecado? Como fica a questão de luta contra o pecado de mulheres que não são casadas? A força moral provém tanto do fato de homens e mulheres terem sido criados à imagem de Deus como da lei moral que ele implantou no coração de todo ser humano — homens e mulheres. Afirmar isso é transformar estereótipos de personalidade em definições de identidade.

Num ponto seguinte, Anderson Silva chega a afirmar que a mulher esconde sua maldade "nos índices de machismo". Ele diz: "O homem é ação! Na ação do homem, a mulher oculta a Manipulação. Quase nunca se verá a maldade da mulher!". Ele está dizendo que, na ação de machismo do homem, a mulher esconde o mal dela — a manipulação. É como se o machismo fosse mais explícito e criticado, ao passo que supostamente se faz vista grossa à manipulação feminina. E ele continua: "Se a mulher tivesse recebido de Deus, a mesma força física do homem, vocês veriam do que a filha de Eva seria capaz". A todo momento ele compara a mulher com o homem de forma a rebaixar quem a mulher é. Ele toma uma característica predominantemente masculina — a força física — e rebaixa a mulher diante disso. Ao que parece, a mulher não prestaria nem mesmo se adquirisse ou tivesse recebido características mais comuns aos homens.

O próximo argumento é que "o homem não esconde quem é, a mulher é especialista em ocultação. Raramente se descobre a traição de uma mulher, por exemplo!". Talvez Anderson Silva tenha escondido da memória ou da consciência o episódio em que Davi encobriu seu pecado com Bate-Seba de tal modo que foi necessário um profeta com a revelação de Deus para desvelar o que ele havia feito. Especificamente, Silva dá um exemplo de traição da mulher. Ou seja, enquanto o homem age de forma explicitamente violenta, a mulher ocultaria sua traição ou manipulação. Isso é uma tremenda bobagem.

Em *O grito de Eva*, a jornalista Marília de Camargo César registra o relato de Mara (nome fictício), cujo marido "era militar da Marinha e pesava 130 quilos. Quer saber como ele me batia? Eu sou pequena, ele era um homem forte. Ele me encostava no canto da parede e dava um soco na minha barriga. Só que, ao mesmo tempo, fazia cócegas em mim e eu ria. As pessoas passavam no quintal onde a gente morava e achavam que eu estava brincando — mas estava era levando um soco".[18] Ou pensemos ainda em casos como o de Rachel Denhollander, advogada e ex-ginasta que foi a primeira de mais de quatrocentas mulheres a denunciar Larry Nassar, médico esportivo acusado e preso por abuso de ginastas nos

EUA. Sobre as reações comuns à denúncia de abusos dentro de igrejas, ela comenta:

> Quando me apresentei como vítima de abuso, essa parte de meu passado foi empunhada como arma por alguns dos presbíteros para desacreditar ainda mais minha queixa e dizer, com efeito, que estava impondo minha perspectiva e que faltava clareza a minha avaliação. [...]
>
> Quando irrompeu o escândalo de Penn State, líderes evangélicos proeminentes se apressaram em pedir prestação de contas, em pedir mudanças. Mas, quando aconteceu em nossa comunidade, a reação imediata foi difamar as vítimas ou dizer coisas por vezes ostensiva e comprovadamente falsas sobre a organização e sobre o líder da organização. Houve uma recusa total em levar as evidências em consideração. Elas não importavam.[19]

Homens têm um potencial demoníaco para esconder murros com cócegas, encobrir abusos com poder eclesiástico e manipular acusações contra eles descredibilizando a vítima e os acusadores de forma suficientemente sutil para prosseguirem durante anos nessas práticas terríveis e, quando descobertos, lançarem um manto de desconfiança sobre o que as vítimas dizem. Se concordarmos com Anderson Silva, nossa tendência será sempre a de desconfiar de mulheres que passaram por coisas terríveis, pois, segundo ele, o potencial demoníaco delas manipula até quando são esmurradas e violentadas.

Como se não fosse suficiente, em uma live, ao se propor explicar sua declaração, ele disse:

> A mulher tem o potencial demoníaco mais elevado do que o homem, pois a maldade do homem você vai ver em breve, a da mulher, você nem sempre verá. Como se expressa menos agressivamente, a mulher tem tempo de construir a maldade interna emocional. [...] A gente tem que voltar lá atrás para perguntar qual foi a participação da mulher na criação desse ecossistema. [O homem] responde sozinho pelo crime que cometeu, porém o evangelho não tira dela a responsabilidade moral doutrinária de participar com sua manipulação e sua agressão emocional subjetiva na construção do ecossistema que produziu a violência. [...] Esses homens foram construídos para esse ato de violência mediante a persona maligna que essa mulher tem.[20]

Não vemos esse tipo de antropologia em Gênesis 1—3, nem em nenhum outro lugar da Bíblia. Trata-se, mais uma vez, de criar uma gradação de gravidade de pecado entre o homem e a mulher defendendo que a mulher é potencialmente mais demoníaca que o homem. Isso é antibíblico, porque as Escrituras igualam os potenciais demoníacos de homens e mulheres. Essa construção do ato de violência do homem nada mais é do que o resultado de uma antropologia sexista, segundo a qual, "se você deseja ser o homem que foi criado para ser, você precisa ser batizado pelo ódio, pela barbárie e pela violência".[21] Quando se pensa assim, a "violência santificada" de Anderson logo se transforma em violência perpetrada.

Com algum esforço, é possível tentar reformular o que ele disse. Em alguns casos de violência doméstica, de fato há mulheres que ajudam a construir para si um ambiente de violência. Em que sentido? Por meio de constante insubmissão, dureza de coração, obstinação, falta de arrependimento. Diante disso, o homem perde totalmente a razão e responde com violência, uma manifestação pecaminosa e criminosa. Nesses casos, a mulher é uma vítima da violência, mas apresenta pecados que também precisam ser tratados. "Yago, você está dizendo a mesma coisa, mas usando outras palavras." Não. No texto, Anderson mostra que a mulher tem uma manipulação intrínseca, uma forma de esconder que lhe é particular. Isso certamente não é verdadeiro. Sob essa ótica, a violência do homem parece encontrar um tipo de justificativa no caráter demoníaco feminino, que não somente não é igual ao do homem — o que seria a forma bíblica de caracterizar o pecado —, mas é pior. Com isso, Anderson está dizendo que o potencial demoníaco da mulher, que se manifesta em manipulação e dissimulação, é pior que o potencial demoníaco do homem que agride a mulher e abusa dela. Isso só perpetua uma visão depreciativa da mulher, ensinando homens cheios de ódio e violência a repetirem as mesmas coisas.

Caminhando para a conclusão, Silva diz: "Quem se expõe pode ser mais facilmente transformado". É por isso, segundo ele, que os índices de transformação de homens de seu ministério "ATROPELAM" as transformações no ministério voltado para mulheres. Ele diz: "Mulher orgulhosa é ORGULHOSA, VINGATIVA E MANIPULADORA". Novamente, ele cria uma gradação de fé e uma condição de pecado e santidade que está antropologicamente condicionada ao gênero da pessoa. Pelo texto dele, parece que o homem é mais facilmente transformável e está mais perto de Deus, visto que demonstra uma disposição maior para se expor e ser transformado.

"Quando você convence um homem que ele está errado, ele muda", afirma Silva. Eu não sei que tipo de utopia de homens maravilhosos é essa em que ele vive. Na minha experiência pastoral eu já convenci vários homens de seus pecados e eles não se arrependeram nem foram transformados. Muitos homens dentro do ambiente de igreja são convencidos de seus pecados e não mudam porque não possuem o Espírito Santo de Deus. Ele também diz que "a mulher quer ser Deus desde o jardim". Ora, e o homem não? Adão também não comeu do fruto? Adão também não desejou aquilo que a serpente disse que o fruto poderia dar? Silva diz: "Eva não pecou por omissão, mas por orgulho". E Adão pecou pelo quê? Quer dizer que o único pecado de Adão foi a omissão e o consentimento em comer do fruto? Não houve orgulho no coração de Adão? Ele continua: "O poder seduz mais a mulher que o homem". De novo, isso é uma antropologia misógina. É colocar uma carga de pecado diferente na mulher que no homem. Contraria tudo o que lemos na antropologia bíblica. Isso é loucura. É machismo. É heresia. E isso é pregado como a verdadeira masculinidade bíblica não só em redes sociais, mas no púlpito de muitas igrejas. Em uma cultura em que homens já torcem o evangelho para seus próprios interesses partidários, ideológicos, financeiros e pessoais, não precisamos de vozes que distorçam o evangelho para rebaixar a mulher a algo menos do que Deus a criou, ou a algo pior do que o pecado já causou.

Por fim, ele conclui: "A cultura verá apenas a fotografia de um ato covarde de um homem agredindo uma mulher (ação injustificável)" — o tom do texto é tão terrível que ele precisa deixar óbvio que é injustificável que o homem bata em uma mulher — "ninguém verá os meses de tortura emocional, relacional e psicológica que essa mulher exerceu para enlouquecer o comportamento deste homem". Isso significa que, a partir de agora, quando eu precisar intervir num caso de agressão, devo chegar à casa do casal abraçando o marido e deixando que ele chore em meu ombro todas as mágoas da tortura psicológica, emocional e espiritual que ele passou antes de fechar a mão e esmurrar a esposa?

Devo consolá-lo porque o roxo do olho e o lábio ferido da esposa são facilmente percebidos, mas ninguém está vendo seu coração dilacerado pelas garras da manipulação demoníaca da sua esposa?

É claro que ninguém acredita que mulheres são seres imaculados, incapazes de adultério, insubmissão, contenda ou seja lá o que for. A questão é que não importa o que tenha supostamente motivado uma agressão. A Bíblia diz que a mulher deve ser tratada como vaso mais frágil (1Pe 3.7), e uma vez que ela é fisicamente mais vulnerável, não se questiona se houve erro da parte da mulher. Nada justifica a agressão. Trata-se primeiro o injustificável, e depois volta-se a preocupação para o possível pecado dela, quando a mulher estiver sarada da violência que sofreu. Palavras como as de Anderson Silva ensinam homens a enxergarem suas mulheres de forma inferior, mais inclinadas ao pecado e, portanto, responsáveis diretas pelo mal produzido pelo homem. É lamentável que isso tenha saído das mãos de um pastor evangélico. E é fundamental proteger o coração contra esse tipo de visão.

Quatro perigos para complementaristas

Creio que ninguém resumiu melhor os perigos de uma visão bíblica conservadora referente à vida conjugal do que Gavin Ortlund. Em artigo intitulado "Quatro perigos para complementaristas",[22] ele aponta quatro formas pelas quais o complementarismo pode ser mal aplicado na vida do casal.

O primeiro ponto a evitar é o estereótipo de papéis de gênero. Em culturas complementaristas, pode haver uma confusão entre o que é masculinidade e feminilidade e suas expressões particulares. Apesar de os princípios fundamentais não mudarem, elementos particulares podem variar, e isso na verdade pode ser algo que revela a multiforme expressão da graça de Deus. Aqui se pode pensar na divisão de trabalho em casa, quem cozinha e quem lava a louça, ou nos estereótipos de que homens gostam mais de esportes ou que mulheres são mais falantes, entre outros. Cada casal deve avaliar cuidadosamente, à luz da Bíblia, como aplicará os princípios básicos de liderança e de auxílio dentro de seu casamento. É óbvio que durante a caminhada haverá erros na aplicação do básico e o casal precisará de ajuda para corrigir. Uma coisa, porém, é o cuidado pastoral e o auxílio de irmãos e irmãs na fé, e outra bem diferente é gente "metendo o bedelho" e tentando determinar padrões culturais de conduta como verdades absolutas.

Em segundo lugar, há o perigo de não distinguir patriarcalismo e hierarquismo. É importante que nos diferenciemos desses movimentos. Não é machismo acreditar que o ministério pastoral é dado somente aos homens, mas certamente existem machistas que encontram nisso um alento. Cuidado. Há muito chauvinista se justificando atrás de teologia complementarista.

Em terceiro lugar, há o perigo de viver obediência sem viver beleza. "Tudo bem, eu vou viver de acordo com isso tudo, porque fui convencido pela Palavra de Deus. Mas que coisa horrorosa!" Deus preparou algo belo para nós e devemos abraçar a beleza daquilo que ele fez.

E, em último lugar, há o perigo de não celebrarmos as contribuições das mulheres na vida da igreja, na teologia, na expansão do reino, em todas as coisas. Trata-se de um perigo real, que precisa ser vencido com o todo da teologia, e não apenas com partes selecionadas dela. A mulher deve ser tratada com honra. Se ela não está sendo honrada, suas contribuições tampouco serão celebradas, resultando numa distorção do que é o verdadeiro complementarismo.

2

Submissão

A Bíblia diz que a mulher deve obedecer ao homem em tudo?

“Ele me chamou de vadia, pastor. Depois disse que me xingava assim porque eu não queria ser submissa.” Acho que ela notou meus olhos arregalados. Em geral, procuro não expressar muita reação quando casais começam a narrar emocionados as brigas da semana, mas desta vez eu não consegui. Ouvir a Bíblia ser usada para justificar agressões verbais me pegou de surpresa.

“É isso mesmo, pastor. Eu não consigo acreditar que ser submissa a meu marido significa ter de ficar calada enquanto ele me xinga de tudo quanto é nome só porque não fiz alguma coisa do jeito dele.” Olhei para o marido, mas ele permaneceu de cabeça baixa. Pela primeira vez, depois de vários encontros, ele não tentou se defender.

Há quem entenda submissão de forma agressiva, grosseira e até demoníaca. Para muitos, a submissão feminina no casamento equivale a uma postura de apagamento e subserviência muda. Chamou atenção da mídia — cristã e secular — o sermão em que o pastor Aldery Nelson Rocha, da Assembleia de Deus Ministério Belém, proferiu no púlpito da igreja um conselho bizarro sobre como as mulheres deveriam manter o casamento: “Você quer manter seu casamento, não teima com seu marido, mulher. Se ele disser ‘rasteja aí’, rasteja!”. Sua frase foi seguida de um audível grito de “aleluia!”, em voz masculina.[1]

Uma página famosa de "masculinidade bíblica" elencou características que os homens devem buscar em uma moça antes de namorar com ela. Algumas dessas características, pretensamente oriundas de "princípios bíblicos", incluem coisas como preservar a cor do cabelo natural, usar vestidos, deixar o homem tomar todas as decisões e outras bobagens machistas. De longe, porém, o pior item da lista é o que afirma que ela não deve "pedir para outra pessoa avaliar se o que você [o namorado] disse é certo". Ou seja, o homem pode dizer o que quiser e a mulher tem de acatar. Se ela desconfiar minimamente que algo não é bíblico, ela não pode consultar mais ninguém. Isso é escancarar a porta para o abuso.[2]

A mesma página chegou a postar um texto intitulado "Mulheres satisfeitas sexualmente são as que mais traem seus cônjuges", aplicando o tema da submissão à sexualidade feminina. O título, por si só, já soa absurdo. Não contraria apenas o senso comum (é óbvio que estar satisfeito sexualmente diminui a vontade de satisfação no pecado) mas também a teologia de Paulo sobre satisfação sexual (ele diz que homens e mulheres são mais tentáveis ao pecado quando estão sexualmente insatisfeitos). É de se perguntar, contudo, o que esse título visa produzir em quem o lê. Que efeito esse texto procura gerar? Ora, uma vez que nenhum homem quer ser traído sexualmente pela esposa, o texto parece indicar que se deve manter a esposa sexualmente insatisfeita para garantir a fidelidade conjugal — o que configura claramente um pecado contra a teologia do casamento e um ato de maldade contra as mulheres de Deus que confiaram sua sexualidade ao marido.

Essa mesma página, interpretando equivocadamente 1Coríntios 7, afirma que mulheres cristãs não podem negar sexo ao marido sob nenhuma circunstância, quando na verdade o texto bíblico ensina que os cônjuges devem garantir a satisfação um do outro em uma rotina sexual saudável — o que é muito diferente de fazer sexo obrigatoriamente sempre que o outro quiser. Tanto mulheres como homens podem, por algum motivo, estar momentaneamente indispostos ao sexo, e o cônjuge precisa entender isso. Em geral, homens devem aprender a refrear mais seus impulsos e mulheres a ser mais abertas, mas isso não implica fazer da mulher um objeto de satisfação sexual masculina. O marido deve amar sacrificialmente a esposa e entender quando ela não está num momento propício para o sexo. Em vez disso, a tal página de "masculinidade bíblica" argumenta que "a mulher cristã *deve ser* submissa ainda que o marido não a trate com o amor que ela espera. Não ser bem tratada não libera o cônjuge das obrigações que Deus estabeleceu. Não existe a condição *se*".

A submissão é uma doutrina complementarista segundo a qual o homem deve ser amoroso e sacrificial, e a mulher, submissa a essa liderança em amor. Porém, quando alguém diz que a mulher não pode negar sexo e que ela tem de ser submissa ainda que o marido não a trate com amor, não se trata mais de submissão bíblica. Trata-se, na verdade, de justificar o estupro marital.

Submissão, palavra maldita

Uma busca em dicionários de língua portuguesa apresentará definições de submissão que, para muitos ouvidos, não soarão exatamente agradáveis. Eis algumas acepções do termo:

- Disposição a obedecer ou aceitar o controle de alguém.
- Obediência irrestrita.
- Condição de quem se sente obrigado a obedecer a uma regra.
- Condição de quem se submete a outrem de modo servil; subserviência.

Se submissão significar isso, então é possível que as feministas tenham suas justificativas para condenar o modelo bíblico do relacionamento conjugal. "Se nascemos livres, não se compreende bem como acabamos submetidos, porque significaria que renunciamos à liberdade" — é o que diz a filósofa francesa Manon Garcia, proponente de uma releitura do feminismo clássico.[3] Para ela, a submissão é como um consentimento aos padrões heteronormativos e heterossexistas. A submissão seria mais uma renúncia ao combate do que à liberdade feminina. É como se as mulheres aceitassem o que lhes foi imposto e vivessem assim porque se beneficiam em algum nível com o que recebem quando adaptam seu comportamento à ordem patriarcal. Ela diz que "não se submeter requer uma energia enorme". Para não se submeter é preciso lutar contra a maré, e nem todas as mulheres estariam dispostas a tanto. Garcia se apoia na filósofa francesa Simone de Beauvoir para incentivar as mulheres a reunir forças e lutar contra essa maré.

Em outras praias, contudo, existem marés artificiais produzidas por aqueles que alegam usar dos princípios bíblicos a fim de defender a submissão como uma forma de autoritarismo. São homens que extrapolam o conceito bíblico no intuito de explorar suas esposas e outras mulheres que, na visão deles, também devem se submeter a todo homem de modo geral. Nesse caso, as mulheres seguem a maré pensando que estão obedecendo a Deus — e, em algum nível, pode ser mesmo o caso —, mas navegam por um mar revolto, com tempestades e ondas que comprometem a estrutura de sua identidade feminina.

Paulo e Pedro, inspirados pelo Espírito Santo, mostram que o conceito bíblico de submissão não corresponde ao pensamento de Garcia e de outras pensadoras feministas, nem ao de homens que entendem submissão como autoritarismo. A submissão bíblica, pelo contrário, é viver em liberdade, e a liberdade de Cristo. Analisemos, então, o que a Bíblia tem a dizer sobre o assunto.

A submissão feminina em Efésios 5

Apesar de Colossenses 3.18 e Tito 2.5 também serem textos paulinos sobre submissão, o mais conhecido deles é Efésios 5.21-24, uma vez que abarca todo o conteúdo contido nessas outras passagens:

> Sujeitem-se uns aos outros por temor a Cristo. Esposas, sujeite-se cada uma a seu marido, como ao Senhor. Pois o marido é o cabeça da esposa, como Cristo é o cabeça da igreja. Ele é o Salvador de seu corpo, a igreja. Assim como a igreja se sujeita a Cristo, também vocês, esposas, devem se sujeitar em tudo a seu marido.

Um texto como este pede um olhar cuidadoso. Em primeiro lugar, cabe lembrar que, no grego, o verbo comumente traduzido por "sujeitar-se" (*hupotasso*) significa seguir, obedecer, colocar-se debaixo das diretivas de outro.[4] Em geral, ele descreve a relação de ordem ou arranjo de uma pessoa com outra que está acima dela, como o caso de soldados que se submetem a oficiais de escalão superior.

Segundo, os debates acadêmicos já se dividem quanto a decidir a que trecho pertence o versículo 21, "Sujeitem-se uns aos outros por temor a Cristo". Uma opção é entendê-lo como a conclusão de Efésios 5.18-20 (acréscimos meus):

> Não se embriaguem com vinho, pois ele os levará ao descontrole. Em vez disso, sejam cheios do Espírito, cantando salmos, hinos e cânticos espirituais entre si e louvando o Senhor de coração com música. Por tudo deem graças a Deus, o Pai, em nome de nosso Senhor Jesus Cristo. [Portanto,] Sujeitem-se uns aos outros por temor a Cristo.

Paulo está contrapondo, no verso 18, o encher-se de vinho com o encher-se do Espírito Santo. No grego, o verbo usado na expressão "sejam cheios" rege os versos 19 a 21, de modo que os verbos seguintes são todos particípios presentes que desenvolvem o verbo traduzido por "sejam cheios". Isto é, uma pessoa é cheia do Espírito quando executa as ações descritas pelos particípios: cantando, louvando, dando graças. Como "sujeitem-se" é um particípio presente, entende-se que ele faz parte desse trecho, e o verso 22 abriria uma nova seção dentro do capítulo.

O problema é que, no grego, o verso 22 não contém verbo. Literalmente, o texto seria traduzido como: "As esposas aos próprios maridos como ao Senhor". As mulheres o quê aos próprios maridos? Essa ausência de verbo dá a entender que a ideia da submissão vem do verso 21, abrindo a possibilidade de que o verso 21 esteja vinculado ao trecho seguinte, 5.21-33. Frank Thielman comenta:

> A falta de um verbo explícito não é desimportante. Ele vincula a conexão entre 5.21 e 5.22, e mostra que Paulo descreve em 5.22 como esposas podem viver as instruções da submissão que em 5.21 ele deu para todos. Crentes deveriam se submeter uns aos outros, ele diz, e as esposas, no que lhes compete, deveriam se submeter ao marido.[5]

Peter O'Brien sugere encarar o verso 21 como uma espécie de dobradiça que vincula as duas seções. "Os crentes cuja vida foi cheia pelo Espírito de Deus serão marcados pela submissão dentro das relações divinamente ordenadas", ele argumenta. "Ao mesmo tempo, o verso 21 introduz um novo tópico de 'submissão', que é agora desenvolvido através da família (5.22—6.9), particularmente em 5.22-33".[6]

Assim, o verso 21 estaria apontando uma submissão mútua por todos aqueles que são cheios pelo Espírito Santo, ao passo que os versos seguintes aplicariam isso às relações entre marido e mulher, pais e filhos, e senhores e escravos. Ao acrescentar "uns aos outros", Paulo estaria reforçando essa ideia da reciprocidade da submissão, como se cada cristão considerasse o outro superior a si e se submetesse a ele em amor.

A ideia de sujeição, portanto, não deveria ser estranha para nós cristãos, pois todos somos chamados por Deus a nos sujeitarmos. Filhos são sujeitos a seus pais, empregados a seus patrões, membros da igreja à sua liderança. Nós nos sujeitamos mutuamente em amor, respeito e misericórdia, porque consideramos os outros superiores a nós mesmos (Fp 2.3). Ser submisso não é "coisa de mulher". Ser submisso é coisa de crente.

Com isso em mente, analisemos as palavras de Paulo: "Esposas, sujeite-se cada uma a seu marido, como ao Senhor". Ele não diz a mesma coisa aos homens, porque, por mais que nos sujeitemos mutuamente, existem modos de sujeição que são específicos para cada relação. Isto é, por mais que exista sujeição mútua, alguns tipos de sujeição são, por assim dizer, de mão única. A nosso ver, portanto, o verso 21 trata de um princípio geral de submissão, mas que não é recíproco. O trecho de 5.22-33 dirá como se dá esse princípio de submissão em cada um dos casos descritos. O'Brien diz que "a palavra não descreve uma relação 'simétrica', já que sempre tem a ver com uma relação ordenada na qual uma pessoa está 'acima' e a outra 'abaixo'". Ele usa como exemplo Gálatas 6.2, em que a exortação para que levemos o fardo uns dos outros "não significa que '*todos* devem trocar fardos com *todos* os outros', mas que '*alguns* que são mais aptos deveriam ajudar a suportar os fardos de *outros* que são menos capazes'".[7] A submissão, nesse caso, é unidirecional, sem reciprocidade. Cada esposa se submete a seu marido, assim como os filhos a seus pais e os escravos a seus senhores.

Submissão por temor a Deus

Essa submissão deve ser praticada "por temor a Cristo". O fato, contudo, é que perdemos o assombro diante de Deus, aquela reverência profunda como a de Moisés quando Deus se revelou a ele (Êx 3.6), a de Isaías quando viu as abas das vestes de Deus enchendo o templo (Is 6.1,5), ou ainda a de Ezequiel, que caiu com o rosto em terra ao contemplar o resplendor da glória de Deus (Ez 1.28). Vivemos compulsivamente numa busca hedonista carnal e terrena, e qualquer ideia de algo que contrarie essa obtenção de prazer imediato e individualista se torna algo a ser evitado. A submissão é por temor ao Senhor porque sua obra pela igreja é assombrosa. É o assombro diante do amor gracioso de Cristo que leva os crentes à submissão.

A esta altura podemos retomar o que Manon Garcia disse sobre a submissão ser um consentimento ao patriarcado. Com base no relato bíblico, constatamos que a submissão não é um consentimento heteronormativo, mas um combate que os crentes lutam uma vez que estejam em conformidade com a vontade de Deus por serem cheios pelo Espírito Santo. De fato, é uma submissão impossível para pessoas que não são habitadas pelo Espírito. O que Garcia chama de submissão nada tem a ver com o que a Bíblia entende como submissão. Com isso não estamos dizendo que toda relação entre descrentes será caótica e autodestrutiva, ou que toda relação entre crentes será perfeita. Descrentes são seres humanos criados à imagem de Deus e possuem a lei de Deus em seu coração para exercer algum discernimento moral. Portanto, os princípios criacionais e morais de Deus podem influenciar suas ações e condutas. É por isso que vemos casamentos duradouros e mutuamente gratificantes entre descrentes, e o mesmo se dá em relacionamento entre pais e filhos ou patrões e empregados. A questão é que não se trata de uma submissão guiada pelo Espírito Santo. Serão princípios éticos, morais, sociais e culturais que regularão essas relações, o que possui seu valor e por vezes servem até de exortação para que crentes em pecado sejam levados ao arrependimento. O que é distinto no crente é que ele pode conduzir as relações descritas em Efésios 5.22—6.9 na certeza de que não está só. Ele não é guiado somente por padrões sociais, mas sobretudo pelo Espírito Santo, que nos enche para que saibamos como nos submeter.

Como acontece a submissão?

Em Efésios 5.22-24, encontramos o foco de nossa discussão: o que é e como deve se manifestar a submissão bíblica. Como já mencionamos, o verso 22 não contém verbo no grego original, o que nos leva a "tomar emprestado" o verbo do verso 21. Aqui ele ganha uma força imperativa, direcionando a mulher a se colocar sob a autoridade do marido.

Convém notar que o rumo que Paulo toma aqui difere do de Colossenses 3.18, em que a motivação para a submissão da esposa ao marido é porque é a atitude apropriada para os crentes em Cristo. Aqui, no entanto, Paulo alude a um tipo de relação intrínseca aos papéis do homem e da mulher. Arthur G. Patzia comenta que "esposas são chamadas à submissão por uma razão diferente, a saber, a ordem divina criacional que parece estar no cerne de toda a passagem".[8] Alguns acreditam que as ordens sobre submissão feminina são nada mais que Paulo lidando com problemas de sua cultura da mesma forma que lidava com a escravidão, ou seja, dizendo aos crentes que aceitem as relações sociais problemáticas de seu tempo, mas sem necessariamente validá-las. Nesse caso, as esposas deviam se submeter porque elas já eram, de todo modo, submissas no mundo romano. No entanto, esse é um caminho argumentativo pouco consistente. O que Paulo faz com a escravidão? Ele a proíbe e a critica. Em 1Coríntios 7.21, o apóstolo diz que se o escravo conseguir ficar livre, que aproveite a oportunidade. Quando escreve Filemom 1.16, ordena que o dono de escravo receba o escravo fugitivo não mais como escravo, mas como irmão em Cristo. No caso da autoridade masculina, ele não faz isso. Embora qualifique essa autoridade associando-a ao amor de Cristo pela igreja, ele ainda assim repete e valida o mandamento, algo que ele em nenhum momento faz com a escravidão.

Outro elemento digno de nota é que as mulheres se submetem "cada uma a seu marido". A Bíblia não defende que toda mulher deva ser submissa a todo homem. A relação de submissão é para com *o próprio marido*. Sim, existe uma relação de submissão às autoridades instituídas e aos líderes da igreja. Não obstante, são relações diferentes e, portanto, submissões diferentes. Os homens também devem se submeter a seus líderes eclesiásticos e às autoridades governamentais — da mesma forma que as mulheres. Aqui estamos tratando especificamente das relações no âmbito familiar. Presidentes, governadores, prefeitos, pastores, presbíteros, nenhum deles faz parte do núcleo familiar da mulher; o marido, sim. Portanto, a submissão a ele é diferente e exclusiva. Outros homens não podem demandar nem impor isso a uma mulher casada.

O modo da submissão é "como ao Senhor". Alguns têm inferido dessa formulação que a esposa deve tratar o marido como se ele fosse seu senhor. Mas não é o que o texto diz. "Como ao Senhor" indica que a esposa se submete ao marido *semelhantemente* à maneira como ela se submete a Cristo. Por fim, Paulo faz uma correlação entre o marido e Cristo que justifica a submissão da esposa: "Pois o marido é o cabeça da esposa, como Cristo é o cabeça da igreja. Assim como a igreja se sujeita a Cristo, também vocês, esposas, devem se sujeitar em tudo a seu marido" (Ef 5.23-24). Nas devidas proporções, o marido está para Cristo como a mulher está para a igreja. Dizer que o marido é o cabeça da esposa não implica, contudo, que ele detém poder total e absoluto sobre ela. Nas palavras de John Stott:

> A submissão demandada é para com a autoridade de Deus delegada a seres humanos. Se, portanto, eles fazem mal-uso de sua autoridade dada por Deus (p. ex., ao ordenar o que Deus proíbe ou proibir o que Deus ordena), então nosso dever é não mais submeter-nos conscientemente, mas conscientemente recusar-nos a fazê-lo. Pois submeter-se em tais circunstâncias seria desobedecer a Deus.[9]

Kent Hughes fala da responsabilidade que recai sobre marido por ser comparado a Cristo:

> A dignidade aqui atribuída ao homem reside não em qualquer capacidade ou qualidade que lhe seja própria, mas no ofício conferido a ele por meio de seu casamento. A esposa deveria ver seu marido revestido dessa dignidade. Sobre ele, porém, recai a responsabilidade pela esposa, pelo casamento e pela casa. Sobre ele recai o cuidado e a proteção da família; ele a representa ao mundo exterior; ele é seu sustentáculo e conforto; ele é o senhor da casa.[10]

Até esse ponto em Efésios, Paulo nos ensinou que Jesus derramou seu sangue por nós (1.7), nos iluminou para que conheçamos as riquezas da glória de nossa herança (1.18), nos encheu de plenitude porque ele é o cabeça da igreja (1.23) e nos deu vida quando estávamos mortos (2.1), para que andássemos nas obras preparadas por ele (2.10). Ele nos edificou para sermos morada do Espírito de Deus (2.22), e por seu intermédio temos acesso com confiança a Deus (3.12). Seu amor supera todo entendimento (3.19), e em sua graça (4.7) ele nos conduz para que sejamos maduros, moldados à sua imagem (4.12-14), com uma nova natureza justa e santa (4.24). Ele se entregou por nós em amor (5.2), para que tenhamos condições de deixar nossos pecados para trás (5.3-17).

Ora, o marido não tem poder para fazer isso tudo, mas ele deve emular tudo isso porque é o cabeça da esposa como Cristo é o da igreja. O marido não é eterno como Jesus, mas luta para que seu casamento se mantenha até a morte. Ele não tem poder para arrancar dela o pecado ou salvá-la caso ela seja descrente, mas ele a instrui em todos os caminhos a fim de santificá-la pelo poder da Palavra mediante o Espírito Santo. Ele não tem poder para enchê-la da plenitude de Deus, mas é capacitado por ser cheio pelo Espírito para enchê-la das promessas reveladas, das verdades consoladoras e da esperança revigoradora que há nas Escrituras. Ele não pode conferir à esposa diretamente confiança em Deus, mas por meio de sua vida ele pode fortalecer as convicções dela sobre Deus. Ele não dá acesso direto ao Pai, mas ora, clama, intercede, ensina que o Pai está acessível pela fé em Cristo. Ele é amoroso e gracioso. Ele ajuda a esposa a se despojar da velha natureza, abandonar seus vícios e viver em obediência a Deus. Ele faz de seu lar um lugar de habitação de Deus. Ele se entrega por ela. Isso é ser cabeça da esposa. E é por isso que a submissão é justificada.

Uma liderança salvadora

Em Efésios 5.23, Paulo diz que "o marido é o cabeça da esposa, como Cristo é o cabeça da igreja. Ele é o salvador de seu corpo, a igreja". Em certo sentido, portanto, e tendo em mente as devidas proporções, poderíamos dizer que o marido, ao exercer uma liderança à semelhança da de Cristo com a igreja, é o "salvador" de sua esposa. A mulher se sujeita ao marido porque a liderança do marido é uma liderança salvacional. Assim como Cristo salva o corpo da igreja — ele nos salva do pecado — o marido salva o corpo da mulher. O homem precisa trabalhar e trazer recursos para dentro de casa, e na hora do aperto é ele quem fará o necessário para poder prover para a família. É verdade que a mulher também pode trabalhar e trazer recursos para casa, como veremos no capítulo 8. Para a mulher o trabalho é uma possibilidade, mas para o homem a provisão é um comissionamento da parte de Deus, porque o homem é o salvador do corpo da mulher ao trazer provisão para o lar.

O marido também é instrumento de Deus para a santificação de sua esposa. Não por meio de gritos e agressividade, porque a ira do homem não produz justiça de Deus, mas sim por meio do uso piedoso da Palavra. Uma das principais funções do homem como líder da casa é corrigir o pecado em sua família. Não me refiro a abrir livros teológicos para debater temas intelectualmente complexos. Refiro-me a um coração espiritual que leia as Escrituras no intuito de conhecer a vontade de Deus e aplicá-la, para que a esposa seja apresentada de forma santa e incorruptível.

Cabe, porém, não extrapolar a analogia. Mulher e homem são uma só carne, mas isso não quer dizer que a esposa é o corpo do marido assim como a igreja é o corpo de Cristo. O que Paulo quer dizer é que todo homem em condições normais de saúde mental ama o próprio corpo, e é assim que o marido ama a esposa. A comparação direta é com a liderança de Cristo. Jesus é o foco do exemplo máximo de liderança. Tendo visto tudo o que ele fez por amor à igreja, maridos imitam essa liderança.

O que é ser o cabeça da esposa

O marido é o cabeça da esposa como Cristo é o da igreja. O que Cristo fez como cabeça da igreja já foi descrito anteriormente, e é justamente esse modelo de amor que o marido deve ter pela esposa. O'Brien diz que "o padrão [dos maridos] é o Senhor Jesus, cuja liderança foi demonstrada em seu amor pela igreja e ao dar-se por ela para apresentá-la sem falhas a si mesmo".[11] No capítulo 8, abordaremos mais detalhadamente o significado de "cabeça". Por ora, cabe acompanhar Bryan Chapell, que nos lembra que "o termo 'cabeça' é uma expressão de serviço" e "não conota superioridade espiritual ou pessoal no sentido que garanta ao marido o direito de governar arbitrária, egoísta, orgulhosa ou caprichosamente".[12]

Então, em Efésios 5.25-29, Paulo volta sua atenção para os homens:

> Maridos, ame cada um a sua esposa, como Cristo amou a igreja. Ele entregou a vida por ela, a fim de torná-la santa, purificando-a ao lavá-la com água por meio da palavra. Assim o fez para apresentá-la a si mesmo como igreja gloriosa, sem mancha, ruga ou qualquer outro defeito, mas santa e sem culpa. Da mesma forma, os maridos devem amar cada um a sua esposa, como amam o próprio corpo, pois o homem que ama sua

esposa na verdade ama a si mesmo. Ninguém odeia o próprio corpo, mas o alimenta e cuida dele, como Cristo cuida da igreja.

Assim como Jesus morreu por sua igreja, o homem deve entregar a própria vida pela esposa. Que distantes da liderança amorosa de Cristo estão aqueles maridos que se irritam e brigam com a esposa se o jantar não estiver aquecido quando chegam à noite em casa. Quão longe estão do amor de Jesus os maridos que exigem adoração à sua esposa "como ao Senhor" pela justificativa de que "é o que está no texto". Quão separados de Cristo estão os maridos que, com a cabeça cheia de lascívia e pornografia, maltratam e violam o corpo da esposa exigindo o ilícito, o imoral, o odioso por Deus.

Maridos possuem a grande responsabilidade de ser o cabeça da esposa exercendo uma liderança sacrificial que emule o amor de Cristo. Dessa forma, ele revelará Cristo para o mundo e o glorificará, cumprindo seu propósito no casamento. Essa é uma das belezas do complementarismo. Deus demanda coisas diferentes do homem e da mulher, mas são coisas que exigem igualmente sacrifício e entrega. Um lar é sólido quando uma mulher se submete a um homem que se entrega sacrificialmente por ela.

Mulheres e homens foram criados à semelhança de Deus. Ambos pecaram e, sem Cristo, estão igualmente sob a ira de Deus. A fé que salva, a morte e a ressurreição de Jesus são para salvação e esperança da glória de ambos. Tanto um como a outra recebem em sua salvação o mesmo Espírito que os faz poder clamar "Aba, Pai". Ambos desfrutarão da união com o Senhor nas regiões celestiais e da vida eterna no novo céu e na nova terra. Não há, portanto, qualquer razão bíblica para fazer da submissão um instrumento de abuso.

A submissão de Sara em 1Pedro 3

Paulo não é o único autor do Novo Testamento a lidar com o tema da submissão feminina. Um texto muito citado — e mal interpretado — é o do apóstolo Pedro, ao incentivar as esposas a uma vida de sujeição ao marido no mesmo espírito de Sara a Abraão:

> Da mesma forma, vocês, esposas, sujeitem-se à autoridade de seu marido. Assim, mesmo que ele se recuse a obedecer à palavra, será conquistado

por sua conduta, sem palavra alguma, mas por observar seu modo de viver puro e reverente.

Não se preocupem com a beleza exterior obtida com penteados extravagantes, joias caras e roupas bonitas. Em vez disso, vistam-se com a beleza que vem de dentro e que não desaparece, a beleza de um espírito amável e sereno, tão precioso para Deus. Era assim que se adornavam as mulheres santas do passado. Elas depositavam sua confiança em Deus e se sujeitavam à autoridade do marido. Sara, por exemplo, obedecia a Abraão e o chamava de senhor. Vocês são filhas dela quando praticam o bem, sem medo algum.

1Pedro 3.1-6

Esse texto é intrigante. Pedro diz que Sara tratava Abraão por "senhor", uma demonstração profunda de respeito e submissão. Isso quer dizer que esposas devem chamar seu marido de "senhor"? Não creio que seja o caso. O termo grego *kyrios* é famoso por ser atribuído a Jesus no Novo Testamento, traduzido normalmente como "Senhor", com inicial maiúscula. É de algum conhecimento o fato de que esse mesmo termo era usado para o imperador romano, de modo que ao tratar Jesus como único *kyrios* os primeiros cristãos estavam se opondo diretamente a essa designação comum de César. Paulo designa Jesus como nosso *kyrios* pelo menos 220 vezes, e não parece ter sido uma escolha casual do termo. Ou seja, ao dizer que Jesus é *kyrios*, Paulo estava fazendo uma declaração doutrinária e teológica, mas também política e social. O imperador não seria verdadeiramente divino, e ele não receberia devoção.[13]

O que é menos sabido nos círculos evangélicos é que a designação *kyrios* também era usada para os homens que lideravam suas casas. Uma jovem teria seu pai como seu *kyrios*, e quando se casasse, seu marido se tornaria o novo *kyrios* sobre ela.[14] Assim, quando Paulo estabelece Jesus como nosso único *kyrios*, ele também está se opondo ao modelo romano de autoridade absoluta do marido sobre a esposa. Homens seriam líderes em suas casas, não como o *pater familias* do mundo greco-romano, mas como Jesus para sua igreja.

Em minha leitura desta passagem, Pedro está estabelecendo uma relação entre um contexto antigo e um contexto contemporâneo, mas sem necessariamente ordenar uma repetição na *forma* do que Sara fazia. Ele recomenda, na verdade, o *sentido* da ação de Sara. Não se trata de replicar com exatidão um comportamento antigo, mas de compreender o princípio por trás dele. As mulheres não estão sendo incentivadas a chamar o marido de senhor, mas a tratar o marido com respeito, assim como Sara tratava com respeito Abraão. Desse modo, quando as esposas "praticam o bem, sem medo algum", elas se tornam filhas de Sara.

Por vezes imaginamos que todo ato de obediência se dá diante de uma ordem autoritária. A liderança ensinada pela Bíblia, porém, é amorosa e cuidadosa. Em 1Pedro 3.7, lemos:

> Da mesma forma, vocês, maridos, honrem sua esposa. Sejam compreensivos no convívio com ela, pois, ainda que seja mais frágil que vocês, ela é igualmente participante da dádiva de nova vida concedida por Deus. Tratem-na de maneira correta, para que nada atrapalhe suas orações.

Não é por acaso que Pedro e Paulo sempre apontem o papel tanto do marido como da esposa ao tratar do relacionamento conjugal. Eles nunca abordam os deveres da mulher sem também abordar os deveres do esposo. Não pode haver desarmonia na estrutura conjugal criada por Deus. Ambos possuem responsabilidades particulares nessa relação. Se por um lado a mulher deve obediência ao marido, por outro o marido deve honra à esposa. Não existe, na Bíblia Sagrada, qualquer justificativa para normalizar uma cultura de abuso ou opressão nos casamentos cristãos. Em todo ensino sobre submissão feminina as responsabilidades masculinas são igualmente enfatizadas, para que não haja abuso nessa relação. Diante da submissão da mulher, sempre deve haver por parte do homem uma postura de amor, zelo, sacrifício e honra.

Autoridade de comando e autoridade de conselho

A meu ver, Jonathan Leeman foi muito feliz ao classificar didaticamente os tipos de autoridade que encontramos nas Escrituras. Ele diferencia a *autoridade de comando* da *autoridade de conselho*. Ainda que ambos os tipos de autoridade estejam capacitados para dar ordens, "apenas aqueles com autoridade de comando possuem o poder de fazer cumprir".[15] Um exemplo de autoridade de comando é o governo civil, que dispõe de leis, polícia, prisões, multa e até mesmo "a espada" (Rm 13.1-7) como meios para fazer cumprir sua autoridade. Semelhantemente, a igreja possui a disciplina eclesiástica, no exercício do poder das chaves do reino (Mt 18.15-20). Pais também possuem a "vara" como forma de fazer os filhos obedecerem. Essas são autoridades com poder de comando: "O estado manda o criminoso para a prisão. O pai disciplina o filho. A congregação excomunga o membro".

Agora, que mecanismo um marido — ou um pastor, ou um professor — possui para que a esposa — ou os membros da igreja, ou os alunos em uma sala de aula — sigam suas ordens? Na verdade, não existe meio algum, porque se trata de autoridades de conselho. "Maridos e pastores possuem verdadeira autoridade, porque Jesus responsabilizará as esposas e os membros da igreja no último dia", escreve Leeman, porém "os maridos e pastores não possuem tal direito moral de Deus (autoridade) para fazer cumprir suas decisões." Existe, portanto, uma clara limitação na autoridade dos maridos que protege as esposas de avanços violentos e abusivos.

> Isso molda radicalmente a natureza da autoridade complementar e previne abusos. Maridos devem conviver com as esposas de maneira compreensiva. Pastores devem pregar com grande paciência. Em ambos os casos, eles devem amar, ser gentis, cortejar. Eles lideram pelo ensino e pelo exemplo, mas também devem ser os melhores ouvintes e compreensivos. O objetivo nunca é forçar decisões. Decisões forçadas por parte de esposas ou membros da igreja de pouco valem. Em vez disso, o objetivo em ambos os casos é extrair decisões tomadas por amor e até mesmo por atração. O cuidado amoroso do marido deve ser atraente para a esposa. A santidade de um presbítero deve ser atraente para um membro.[16]

Sendo assim, como devemos entender a declaração de Paulo de que as esposas devem se submeter "em tudo" ao marido (Ef 5.24)? Obviamente, isso quer dizer que a esposa deve seguir a liderança do marido em tudo o que estiver alinhado à Palavra de Deus. Por sua vez, embora não sejam legisladores de suas esposas, os maridos de fato devem liderá-las no caminho de obediência aos mandamentos do Senhor. Submissão bíblica não significa obediência servil, já que uma mulher nunca deve seguir seu marido no pecado. Cristo somente é sua autoridade suprema, e o Espírito Santo ilumina sua consciência para o que é certo e errado. Submissão tampouco significa não poder discordar do marido ou tentar convencê-lo de caminhos diferentes. Uma mulher submissa também é uma mulher que contribui com o marido e, se necessário, discorda dele, especialmente quando a direção dele desvia-se dos caminhos do Senhor. É assim, aliás, que ela pode cumprir o papel de aliada idônea para o qual foi criada. Como ela auxiliará o marido se não puder chamar sua atenção para erros e pontos cegos? Submissão nunca será apagamento e letargia diante do homem, mas parceria em complementariedade para a glória de Deus.

A esposa se submete ao marido em todas as áreas da vida nas quais ele a lidera como cabeça à semelhança de Cristo. O marido tem a responsabilidade de guiar sua esposa em amor servil desde a mais simples dúvida bíblica às mais terríveis noites escuras da alma que ela venha a enfrentar. O marido lidera a mulher em tudo para preveni-la de perigos, abusos, tentações, preocupações terrenas e pecados. Em tudo, absolutamente tudo o que compreende a vida da família, o marido deve ser o cabeça da esposa, que voluntariamente se submete a ele. Por isso, diante da pergunta: "Quem manda no lar?", a única resposta correta é: "Jesus". A autoridade do marido sobre a esposa se dá como uma autoridade de conselho e pastoreio, focada em levar a esposa à obediência ao Cristo que ele também obedece.

O marido é o sacerdote do lar?

É comum entre os complementaristas a afirmação de que o marido é o sacerdote do lar, uma vez que caberia a ele, como cabeça à semelhança de Cristo, exercer a tarefa de cuidar da esposa e dos filhos como Jesus, nosso Sumo Sacerdote, cuida de seu povo. No Antigo Testamento, cabia ao sacerdote apresentar os sacrifícios do povo — inclusive os seus próprios — a Deus, para que houvesse um relacionamento santo entre eles.

O primeiro sacerdote de que temos notícia na Bíblia é Melquisedeque (Gn 14.17-24). As Escrituras o revelam como sacerdote do Deus Altíssimo. Apesar de ser uma figura por vezes obscura, apresentada rápida e drasticamente, ele sem dúvida detém autoridade especial. Depois que Abraão vence uma guerra contra Quedorlaomer e outros reis, Melquisedeque se encontra com Abraão e o abençoa. Abraão então lhe dá o dízimo dos despojos que havia conseguido na guerra, o que sinaliza a condição elevada do sacerdote. Em Hebreus 7, entendemos que a ordem sacerdotal de Melquisedeque era superior à ordem levítica, que só apareceria séculos à frente na história da salvação. Davi escreve que o Messias seria de uma nova casta sacerdotal, um sacerdote para sempre "segundo a ordem de Melquisedeque" (Hb 7.17; ver Sl 110.4).

Séculos mais tarde, com a instituição da lei através de Moisés, Deus instituiu que Arão e seus filhos fossem separados como sacerdotes (Êx 28.1). Eles precisavam passar por um ritual de separação e purificação para poderem servir como sacerdotes. Por intermédio deles, o Senhor se revelaria ao povo de Israel como seu Deus. O papel dos sacerdotes era fazer sacrifícios pelo povo e por si próprios como mediadores para o perdão de pecados. Os homens iam até o sacerdote com suas ofertas para que o sacerdote fizesse o sacrifício a Deus.

É verdade que o exercício sacerdotal não era exclusividade de Israel. Outras nações também dispunham dessa figura em seus cultos religiosos. O diferencial do povo de Deus é que todos os israelitas deveriam se tornar luz para outras nações ao se tornarem uma nação de sacerdotes. Por meio da fidelidade à aliança, todo o povo, não só os sacerdotes, teria acesso a Deus. Em Êxodo 19.5-6, o Senhor fala ao povo através de Moisés: "Agora, se me obedecerem e cumprirem minha aliança, serão meu tesouro especial dentre todos os povos da terra, pois toda a terra me pertence. Serão *meu reino de sacerdotes*, minha nação santa" (Êx 19.5-6, grifos meus).

Por imeio da aliança, portanto, no plano escatológico de Deus, Israel se tornaria uma nação inteira de sacerdotes para os povos. É o que aponta, por exemplo, o profeta Isaías:

> Estrangeiros serão seus servos;
> alimentarão seus rebanhos,
> lavrarão seus campos
> e cuidarão de suas videiras.
> *Vocês serão chamados de sacerdotes do Senhor*,
> ministros de nosso Deus.
> Das riquezas das nações se alimentarão
> e se orgulharão de possuírem os tesouros delas.
>
> Isaías 61.5-6 (grifos meus)

Portanto, Israel como nação deveria se tornar sacerdote para as outras nações. O problema é que o povo não andou em fidelidade ao Senhor, e até mesmo os sacerdotes estavam atraindo a ira de Deus sobre si por causa de seus pecados. No último livro do Antigo Testamento, tomamos conhecimento de que Deus precisou levantar o profeta Malaquias para exortar os sacerdotes de seu povo ao arrependimento:

> "Ouçam, sacerdotes! Este mandamento é para vocês. Escutem-me e decidam honrar meu nome", diz o Senhor dos Exércitos, "pois, do contrário, enviarei maldição sobre vocês. Amaldiçoarei até mesmo as bênçãos que receberem. Na verdade, já as amaldiçoei, pois vocês não levaram a sério minha advertência. Castigarei seus descendentes, esfregarei em seu rosto o esterco dos sacrifícios que vocês ofereceram em suas festas sagradas e os lançarei no monte de esterco. Assim, vocês saberão que enviei este mandamento para que minha aliança com os levitas continue", diz o Senhor dos Exércitos.
>
> "O propósito de minha aliança com os levitas era dar vida e paz, e foi o que lhes dei. Para isso, era necessário que me temessem, e eles demonstraram grande temor por mim e reverência por meu nome. Transmitiram ao povo a verdade das leis que receberam de mim. Não mentiram nem enganaram; andaram comigo, vivendo de modo pacífico e justo, e desviaram muitos do pecado.
>
> "As palavras do sacerdote devem guardar o conhecimento de Deus, e o povo deve buscar o sacerdote para receber instrução, pois ele é mensageiro do Senhor dos Exércitos. Mas vocês, sacerdotes, se desviaram dos caminhos de Deus. Suas instruções fizeram muitos caírem em pecado. Vocês quebraram a aliança que fiz com os levitas", diz o Senhor dos Exércitos. "Por isso fiz que vocês fossem desprezados e humilhados diante de todo o povo, pois não me obedeceram, mas mostraram parcialidade na aplicação de minha lei."
>
> Malaquias 2.1-9

O pecado dos sacerdotes foi tamanho que Deus chegou a dizer que esfregaria esterco na face deles! O povo não se portou como um reino de sacerdotes, e os sacerdotes foram amaldiçoados por Deus a ponto de sua descendência ser amaldiçoada.

Nos Evangelhos, então, é narrada a história de Jesus, o Messias rejeitado pelo povo e morto numa cruz, mas que ressuscita, ascende aos céus e agora está assentado ao lado do Pai como nosso grande Sumo Sacerdote. Ele é um sacerdote diferente dos antigos sacerdotes, porque é da ordem de Melquisedeque e não precisa fazer sacrifícios por si, porque embora tenha sido tentado em todos os aspectos não pecou em nenhum momento. E seu sacerdócio, ao contrário do da Antiga Aliança, será eterno. Ele cumpre a profecia de Malaquias e estabelece em si esse sacerdócio sem fim.

Toda essa contextualização acerca do sacerdócio bíblico visa preparar-nos para entender nosso papel hoje como sacerdotes. Ecoando Êxodo 19.5-6, o apóstolo Pedro diz à igreja cristã: "Vocês, porém, são povo escolhido, *reino de sacerdotes*, nação santa, propriedade exclusiva de Deus. Assim, vocês podem mostrar às pessoas como é admirável aquele que os chamou das trevas para sua maravilhosa luz" (1Pe 2.9, grifos meus). Fundamentalmente, Deus está cumprindo na igreja o que não cumpriu em Israel por causa do pecado. Agora, com a Nova Aliança em nosso coração e o Espírito Santo habitando em nós, todos que estamos em Cristo exercemos uma função sacerdotal no mundo. Isso não quer dizer que a igreja necessariamente substituiu Israel — isso é assunto para outro livro. Ainda assim, a igreja recebe de Deus essa bênção que teria sido dada a Israel, se Israel tivesse sido fiel à aliança. Hoje, como igreja, todos somos sacerdotes do Deus vivo para o mundo. A igreja é um instrumento de Deus para trazer as pessoas até ele a fim de que tenham seus pecados perdoados. Não precisamos mais de mediadores ou intercessores, pois todos temos acesso direto a Deus por meio de nosso grande sumo sacerdote, que é Jesus Cristo.

Isso significa que todo crente é um instrumento de Deus para cumprir seus propósitos no mundo. Ou seja, se você é crente em Cristo Jesus, você é um sacerdote do Senhor. Cada cristão pode, por causa do Espírito Santo que foi derramado nele, se aproximar de outros e pregar para que esses outros se aproximem de Deus. Homens e mulheres filhos de Deus, salvos em Cristo e habitados pelo Espírito Santo são sacerdotes do Deus vivo.

Em que sentido, então, o marido seria o sacerdote do lar? Em geral, a argumentação é que o marido, como cabeça, tem a responsabilidade de instruir sua casa na Palavra de Deus. Consequentemente, é comum dizer que ele é o sacerdote por ser a autoridade no lar que, mediante a Palavra, santificaria sua casa. Assim como os crentes instruem aqueles que não são crentes na Palavra para que eles conheçam o Senhor, o marido faria isso objetivamente em casa. Greg Morse comenta que os homens, como sacerdotes no lar, devem "interceder pela família diante de Deus", pois essa "é uma herança poderosa a se deixar para nossas crianças. Quer diante delas, quer reservadamente, temos o alto privilégio de labutar em oração a Deus em favor delas".[17] Harold Vaughan, por sua vez, compara o marido com o sacerdote da seguinte forma:

> No Antigo Testamento, sacerdotes eram responsáveis por ofertar sacrifícios, ensinar o povo, servir como juízes na resolução de controvérsias, manter o fogo aceso no altar e cuidar do tabernáculo. O sacerdote agia como um tipo de mediador entre Deus e o povo. [...] Então, em certo sentido, maridos como sacerdotes atuantes, devem GUIAR suas casas a Deus. Deus trabalha através de canais de liderança na casa e na igreja também.[18]

Todas essas responsabilidades do homem são conceitos bem estabelecidos na teologia complementarista. A questão que merece reflexão especial é quanto a terminologia "sacerdote do lar" ignora ou não o fato de a esposa também ser uma sacerdotisa com base no princípio do sacerdócio universal dos crentes. Em outras palavras, em que sentido o marido é um sacerdote diferente da mulher? Afinal, maridos e esposas recebem as bênçãos e responsabilidades de 1Pedro 2.9. Ambos são sacerdotes.

Na teologia sistemática costuma-se designar termos para facilitar o entendimento de alguns conceitos que não aparecem delineados no texto bíblico — por exemplo, vontade decretiva, vontade preceptiva, Trindade, tripartição da lei e, no caso em questão, sacerdócio do marido. Nem sempre tais termos se harmonizam perfeitamente com outros conceitos bíblicos e, não raro, podem causar mais confusão do que clareza. A ideia de sacerdócio do marido é de fato necessária, quando o texto bíblico já o declara o "cabeça da esposa"? Afinal, o conceito de sacerdócio universal não significa que a mulher também é uma sacerdotisa? Cristo não desfez toda a diferenciação entre sacerdotes e o restante do povo? Em que aspectos, então, o marido seria um sacerdote diferente da mulher?

Para todas essas perguntas, a resposta sempre gravitará em torno de algo como o marido possuir a autoridade de guiar a família na Palavra. Qualquer que seja a tentativa de resposta, porém, mais correto e apropriado seria simplesmente dizer, com base bíblica, que o marido tem a autoridade e responsabilidade de guiar a família na Palavra. O fato de ele ser o cabeça da esposa já estabelece essa autoridade. Portanto, a ideia de "sacerdócio do marido" me parece desprovida de significado, ao tomar apenas parte do conceito fundamental e não acrescentar nada significativo às doutrinas da masculinidade bíblica e da responsabilidade do marido no lar.

Além disso, o termo pode levar ao abuso. Por não ter uma definição diferenciada do que já está estabelecido biblicamente, homens mal-intencionados podem explorar o termo para se diferenciarem de suas esposas e se colocarem como detentores das chaves de acesso a Deus. Ora, se com termos bem definidos biblicamente já existe a deturpação, quanto mais com um termo que somente tangencia uma função tão investida de responsabilidades. Se o marido já abusa de seu papel como cabeça da esposa, arrogar-se o sacerdote do lar muitas vezes servirá apenas para obstruir o relacionamento direto dela com Deus. É claro que não se trata de algo exclusivo desse caso; qualquer doutrina pode ser corrompida pelo pecado do ser humano. A questão aqui é repensar o conceito popular de sacerdócio do marido e deixar de aceitar as coisas sem a devida ponderação bíblica.

Além disso, uma visão deturpada da autoridade pastoral acaba afetando a visão que muitos homens e mulheres têm da autoridade marital. Em um mundo religioso onde pastores por vezes são tratados como semideuses sobre as igrejas, como evitar que maridos se vejam como autoridade suprema sobre suas mulheres? Eu já participei de ambientes de fé em que as ordens dos pastores eram tidas como absolutas, mesmo quando desalinhadas dos princípios bíblicos. Em um dos cultos neopentecostais que frequentei no início de minha caminhada de fé, o pastor disse que quem obedecesse a ele obedeceria a Deus, e ordenou na mesma hora que ofertássemos todo o dinheiro de que dispúnhamos, inclusive o que usaríamos para pagar o transporte de volta. Meninas começaram a doar suas bonecas, homens começaram a entregar seus sapatos. Essa é a autoridade bíblica que um pastor possui? Não há necessidade de muita sofisticação teológica para saber que não.

Crentes devem ser submissos a seus pastores, mas eles não são sacerdotes, isto é, não são os meios pelos quais chegamos a Cristo. Pastores são servos da igreja para cuidado e ensino, para exortação e encorajamento. Não são pessoas mais próximas de Deus a quem devemos submissão irrestrita.

Também convém lembrar que há limites para a submissão eclesiástica, assim como haverá na submissão conjugal. Se o Estado resolver aumentar impostos, os cidadãos precisam se submeter, porque o Estado possui uma espada que nos obriga a obedecer ainda que consideremos seus mandos injustos (Rm 13.1-7). O mesmo não se aplica aos líderes eclesiásticos ou familiares. Se um pastor decide cobrar que os fiéis doem todos os seus pertences em nome da fé em uma campanha, ele está abusando da autoridade que Deus lhe deu. É, mais uma vez, a diferença entre autoridade de comando e autoridade de conselho. Os líderes eclesiásticos têm autoridade para orientar os membros nos princípios bíblicos, mas não têm a prerrogativa de extrapolar sua autoridade bíblica ordenando o que se deve ou não fazer de modo abusivo, amplo e controlador. Essa diferenciação é fundamental para evitar ambientes de abuso na igreja e no lar. Tanto pastores quanto maridos que não fazem essa diferenciação estão se encaminhando para sofrer uma cobrança severa da parte de Deus.

O famoso guarda-chuva da família

É muito provável que você já tenha visto ou ouvido falar do modelo do guarda-chuva na organização familiar. Assim como um guarda-chuva protege da chuva quem está debaixo dele, no guarda-chuva familiar há diferentes níveis de proteção envolvendo a família. Nele, o guarda-chuva da mulher protege os filhos, o guarda-chuva do marido envolve o da esposa representando seu cuidado e liderança sobre a mulher e os filhos, e acima dele está o guarda-chuva de Cristo como autoridade máxima e absoluta sobre a família.

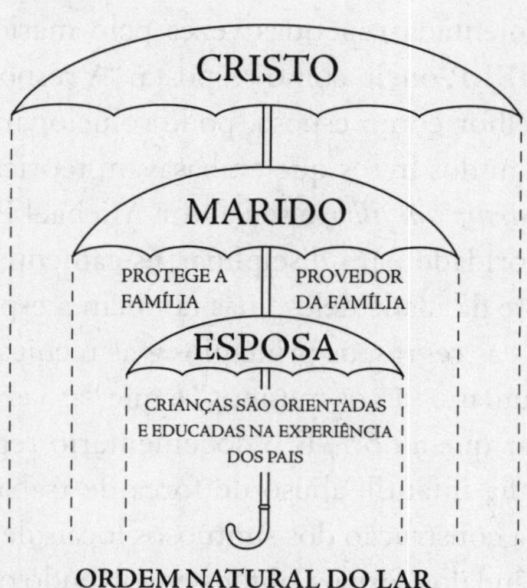

ORDEM NATURAL DO LAR

Como toda ilustração que representa um ensino bíblico, ela tem suas limitações e pode acabar deturpada por falsos mestres, como foi o caso de Bill Gothard, o criador da ilustração. Gothard foi um líder religioso americano fundador do programa de educação Instituto dos Princípios Básicos de Vida (IBLP, na sigla em inglês), que defendia o uso dos princípios bíblicos para desenvolver a sociedade e fugir das armadilhas de Satanás. Na visão de Gothard, a família é justamente a base da sociedade, e para transformar esta é preciso fortalecer aquela. O IBLP se expandiu rapidamente. Pais participavam de congressos, adquiriam materiais de ensino e mandavam seus filhos a centros de treinamento. Não tardou, porém, para que o instituto se tornasse centro de abusos sexuais, físicos e psicológicos, além de variados tipos de exploração, subjugação e objetificação dos que estavam sob o guarda-chuva de outro.

Os ensinos de Gothard deturpavam o princípio da autoridade-submissão. Todo o amor, cuidado e sacrifício delineados pelas Escrituras foram substituídos por uma obediência irrestrita à liderança do IBLP e ao marido/pai. Afinal, sendo ele a autoridade sobre a família, desobedecer-lhe seria desobedecer ao próprio Deus. O documentário *Felicidade aparente*, de 2023, mostra detalhes da cultura de autoridade abusiva formada pelo criador do esquema do guarda-chuva familiar. Um dos entrevistados chegou a declarar: "Eles transformaram cada pai em um líder de seita e criaram uma franquia de abusos espirituais, físicos, emocionais e psicológicos".

Entre os depoimentos registrados no documentário, consta o de uma mulher que foi violentada repetidas vezes pelo marido e, ao procurar seus mentores do IBLP, ouviu como resposta: "A responsabilidade é sua. Se você se sair melhor como esposa, pode solucionar os problemas de seu casamento". Um dos livros que embasavam teoricamente o programa chamava-se *Instruir um filho*, e seu autor, Michael Pearl, defende que o marido tem autoridade para disciplinar fisicamente não só os filhos, independentemente da idade deles, mas também a esposa. Em entrevista, Pearl disse que "as regras, os princípios e as técnicas para treinar um animal e um ser humano são os mesmos" e que "às vezes, o terror psicológico é mais eficaz que a dor". E o documentário registra muito mais: casos de pornografia infantil, abuso de força de trabalho de crianças e adolescentes para a construção dos suntuosos locais de reunião do IBLP, e uma série de escândalos sexuais, alguns envolvendo o próprio Gothard

— que, aliás, ensinava que se uma mulher fosse violentada e não clamasse a Deus, seria igualmente culpada do estupro.

Tudo isso é mais que terrível. É demoníaco. Satanás sempre deturpa a Palavra de Deus. Um cristianismo que não pensa nas doutrinas que são ensinadas, e em como são ensinadas, corre o risco de tornar-se um culto pessoal, uma seita, algo muito distante do cristianismo do reino de Deus pregado por Cristo, Paulo, Pedro e todos os escritores da Bíblia. Gothard tomou o princípio do guarda-chuva, isolou os elementos da autoridade e obediência e os usou como meio de abuso em larga escala.

Eu respeito os irmãos que não rejeitam completamente a ilustração do guarda-chuva, mas acredito que é uma forma inapropriada de representar as relações de liderança e submissão da vida familiar. No meu entendimento, esse esquema está muito mais próximo do hierarquismo do que do complementarismo, já que dissolve os demais traços do casamento, dando a impressão de que a autoridade é a única ou a principal característica da relação familiar. (Além de que é um esquema meio sem sentido. Se você tem um guarda-chuva maior, qual a necessidade dos guarda-chuvas de dentro? A chuva já cairia para fora.) Norma Braga, referindo-se a uma outra ilustração usada recorrentemente, postou em suas redes sociais que "igualitaristas têm toda razão de reclamar: a mulher precisa ser submissa em cada coisinha, mas o exemplo dado ao homem que precisa estar disposto a se sacrificar por ela é tomar um tiro — uma situação que é obviamente uma exceção". De fato, muitas vezes há uma ênfase maior no que é submissão do que no que significa ser o guarda-chuva que protege, cuida, ama e nutre a esposa.

O propósito do casamento é que marido e mulher sejam *uma só carne* de modo que suas diferenças de papéis trabalhem para essa união. Tudo o que os ensinos de Gothard transmitiam era separação. Homem e mulher já se casavam divorciados. Em vez de a família ser a *principal* área de atuação da esposa, nos ensinos da IBLP a família era a *única* área de atuação. Quando o ensino correto é propagado, homens e mulheres aprendem como aplicar os princípios e desenvolvimento de seus papéis, fazendo que todas as áreas da vida colaborem para a exaltação do casamento, que é a melhor representação do relacionamento entre Cristo e a igreja.

Um bom esquema precisa servir como resumo competente daquilo que deseja representar. Sabendo que toda a seita de Gothard foi construída em cima de uma cultura de submissão abusiva, seria no mínimo complicado aceitar esse resumo como uma representação fiel dos parâmetros bíblicos de casamento.

Em um ambiente em que essas deturpações ocorrem há tempos, o trabalho pastoral será árduo. "De certo modo, a espécie humana tem uma habilidade extraordinária para tomar o melhor ensino e transformá-lo nos piores fins", escreveu Richard Foster, lembrando que nada "tem feito mais para manipular e destruir as pessoas do que um ensino deficiente sobre a submissão".[19] Ainda assim, cremos que o Deus que chama os seus também é capaz de livrá-los de apriscos liderados por lobos. Cremos que Deus leva os que lhe pertencem a pastos verdejantes onde há boa doutrina. Precisamos orar pelos que estão sofrendo com deturpações do evangelho e pregar para que a verdade que liberta chegue até eles. Cremos em um Deus justo e misericordioso. Ele tem poder tanto para consolar e curar corações quebrantados por abusos, como para julgar aqueles que abusam de seus filhos. Cristo morreu pela igreja. Seu amor foi sacrificial, e sua justiça será implacável. Ai daqueles que deturpam seus ensinos e se escondem sob uma autoridade forjada em mentiras. Ai daqueles que violentam sua igreja, sua noiva, aquela por quem seu grande amor se manifestou numa cruz. Ele enxugará as lágrimas dos que carecem de consolo e trará lágrimas e ranger de dentes àqueles que agiram com violência e impiedade.

Teologia ou ideologia?

No fim das contas, o que significa o homem ser o líder do lar e a mulher ser submissa ao marido? Não encontramos nas Escrituras nenhum manual detalhado de liderança e submissão. Longe de ser um problema, é uma bênção o fato de Deus ter criado seres humanos diferentes e feito de cada casamento um lugar de beleza particular. Francine Veríssimo Walsh diz que

> cada casamento é composto por um homem e uma mulher que são diferentes de todos os outros ao seu redor. Dessa maneira, Paulo nos dá diretrizes gerais — todo marido é o cabeça e ama sacrificialmente; toda esposa é o corpo e se submete em amor e respeito. Mas a forma específica de como isso se dará depende de cada casal.[20]

Cada casal tem as próprias características, e cada cônjuge tem a própria personalidade. Ainda assim, sempre caberá à esposa seguir a liderança amorosa de seu marido, e caberá ao marido amar e guiar a esposa. E ambos farão isso para a glória de Deus, com cuidado, fidelidade e sacrifício.

O problema é que muitos preferem seguir outros modelos para a vida no lar. Muitos querem regras rígidas: o homem manda, a mulher obedece, e ponto final. Isso acaba criando uma cultura mais ideológica do que teológica. Os modelos de submissão e liderança que constatamos ao nosso redor são muitas vezes, infelizmente, mais uma casca vazia de costumes e regras do que um modelo biblicamente fundamentado. Jesus criticou os fariseus porque eles se apegavam às aparências da lei e ignoravam o que era interno. Eram meticulosos nas ofertas de endro, hortelã e cominho, mas ignoravam o amor, a justiça e a misericórdia. Muitas vezes, culturas ditas conservadoras correm o risco de tomar apenas o que é externo — submissão feminina, autoridade masculina, valorização da fertilidade — sem recorrer às forças balizadoras que transformam isso em algo espiritualmente bom. O cristianismo apresenta a liderança masculina, a submissão feminina e um ambiente de fertilidade e cuidado dos filhos de forma equilibrada, respeitando os limites de cada um. Não se pode tomar a casca disso e ressaltar um ponto em detrimento do outro. A liderança se torna abuso, a submissão se torna consentimento acrítico e o ambiente familiar entra em colapso. O palco até pode mostrar um espetáculo, mas os bastidores e camarins são um verdadeiro show de horrores.

Isso acontece quando a teologia é corrompida em ideologia. É justamente isso que Manon Garcia critica a respeito da submissão. Ela, em sua ideologia, critica um modelo teológico que foi pervertido em outra ideologia. Quando nossa conduta não possui bases bíblicas, mas é simplesmente a reprodução daquilo que aprendemos nas redes sociais ou na cultura de modo geral, o que temos é ideologia, não teologia, ainda que essa ideologia esteja mascarada por ideais bons e justos em nome de Deus. A imagem do homem másculo que trabalha fora e chega em casa para ser recebido pela mulher recatada que passou o dia limpando a casa e preparando o jantar é uma ideologia, que nada tem a ver com a busca por um relacionamento análogo ao de Cristo e a igreja. É justamente por isso que Garcia chama mulheres ao combate. Ela quer combater uma ideologia impondo outra ideologia. Essa tentativa de síntese para a solução das incongruências nunca terá um ponto final. É um esforço interminável, que exige remodelação constante, porque os modelos e pressupostos antropológicos, ontológicos, epistemológicos e filosóficos não advêm do padrão bíblico para a análise do que é o ser humano. É como se várias pessoas se juntassem para tentar consertar uma máquina e começassem a juntar peças cada uma em seu canto, sem jamais consultar o manual à sua frente.

René Girard, em sua tese sobre as origens do desejo humano, propõe que os desejos não são autônomos, mas provêm da imitação — a *mimesis*, como ele designa — daqueles que estão inseridos em nosso grupo social, ou daqueles que, distantes, nos admiram. O modelo familiar, o desejo por uma família bíblica, pode não passar de uma *mimesis* que contínua e indefinidamente copia um outro, e depois é copiado, e assim por diante. "Tudo é uma cópia de uma cópia de uma cópia", como diria Tyler Dunder, personagem de *O clube da luta*. Girard defende que essa *mimesis* contínua levará tanto a uma crise — porque nunca se chega a algum lugar definitivo — como a uma culpabilização e um sacrifício de terceiros — exteriores ao processo mimético — pelas crises internas do grupo copiador. O grupo aponta um culpado e faz dele a razão para suas crises. É exatamente isso o que fazem os seguidores de ideologias. A culpa é sempre do machismo, do feminismo, de um grupo político, do "sistema". A culpa é da mulher, da serpente, do outro, de Deus. Ao mesmo tempo, esse culpado se torna a "solução" para a crise. Ao excluí-lo, ao afastá-lo do convívio, ele se torna o bode expiatório que leva para fora do arraial toda a crise da comunidade. Assim, um político ataca a moral do outro, um ideólogo monta um espantalho do outro, um grupo desmoraliza o outro, e até a igreja pode, como grupo social, se isolar em suas famílias perfeitas, em seus retiros e comunidades fechadas, a fim de excluir as influências mundanas.

A solução proposta por Girard é que tomemos ciência desse processo e nos ausentemos dele deliberadamente, deixando o ciclo mimético para trás. A solução proposta pelas Escrituras vai além: é Cristo, o cabeça por excelência, o perfeito sumo sacerdote e o cordeiro da expiação. Crer nele e imitá-lo não gera crises, mas harmonia, porque fomos criados à sua imagem e semelhança e, na salvação, somos feitura dele, criados para as boas obras que ele nos preparou de antemão. Podemos imitá-lo porque ele é perfeito, e ele a ninguém copia. Ele é único. Ele é o modelo. Ele é o padrão. Tudo o que diverge dele e do que ele estabeleceu é inútil, é correr atrás do vento, é se perder na confusão do mundo, e é uma luta na qual nenhum dos lados vence. Andemos no temor de Cristo, portanto, porque só assim desfrutaremos dos benefícios de seu amor.

3

Violência

A Bíblia justifica e encobre o abuso contra mulheres?

"Se um marido bate na esposa, eu não vou procurar a polícia", o professor me disse com o queixo apoiado sobre o punho fechado, à maneira do Pensador de Rodin, exceto que o cotovelo estava apoiado sobre a mesa do escritório, e não sobre o joelho. Era uma noite agitada, mas o assunto inevitável fervilhava nos corredores da instituição. "Talvez eu procure, mas não acho que o Estado deva se meter em assuntos da família ou da igreja."

Aquela conversa começou em razão de todo o burburinho gerado pelo relatório de 394 páginas sobre encobrimento de abuso sexual na Convenção Batista do Sul (SBC, na sigla em inglês), nos Estados Unidos. Após muitos relatos de vítimas terem sido desconsiderados pela liderança e pelo comitê executivo da SBC durante décadas a fio, foi enfim empreendida uma investigação independente e o relatório veio a público em 22 de maio de 2022.[1] Nele consta que mais de setecentos pastores e líderes haviam cometido abuso e acobertamento ao longo de duas décadas. Entre outras revelações, descobriu-se que a denominação já possuía uma lista de 585 possíveis agressores sexuais, mas nenhuma ação havia sido tomada para compartilhar esses materiais fora de um grupo seleto ou para abordar a possibilidade de que os indivíduos acusados fossem afastados de seus ministérios nas igrejas da SBC.

Albert Mohler, atual presidente do Seminário Teológico Batista do Sul, disse que aquela era a hora do acerto de contas do Senhor e que a convenção precisava encarar a realidade.[2] Russell Moore, teólogo de renome que abandonou a denominação após constatar a má vontade do comitê em buscar a verdade, resumiu a questão em artigo para a *Christianity Today*. À época, diziam que ele estava errado em chamar os casos de abuso sexual na convenção de "crise". "Eles estavam certos", escreveu Moore. "Eu estava errado ao chamar o abuso sexual na Convenção Batista do Sul de crise. Crise é uma palavra muito pequena. É um apocalipse."[3] Segundo ele, durante anos os líderes do comitê executivo haviam dito que era impossível implementar um banco de dados com o nome dos possíveis abusadores (para evitar que predadores sexuais se mudassem silenciosamente de uma igreja para outra), mas a verdade é que esse banco de dados já existia — não, porém, para proteger as vítimas ou possíveis novas vítimas, mas para prevenir escândalos.[4]

Não era a primeira vez que conversávamos sobre o assunto. O relatório havia motivado aquela conversa porque o professor e eu já havíamos discutido outras vezes a respeito daquele tema, mas por causa de denúncias envolvendo outros personagens de nosso meio teológico. Um desses casos, que ganhou a mídia americana e gerou burburinho na comunidade teológica brasileira, foi o das acusações de encobrimento de violência doméstica e abuso sexual envolvendo a Grace Community Church (GCC), de John MacArthur Jr. Alega-se que a GCC deixou de comunicar à polícia pelo menos três casos de abuso sexual: o de Paul Guay em 1979, o de Albert Alegrete em 1982 e o de David Gray em 2001. Os três eram líderes na igreja: Guay era pastor, Alegrete e Gray eram professores de escola bíblica. O caso de Gray foi o primeiro a vir a público, no ano de 2022. Segundo os relatos, a esposa, Eileen, contatou a liderança para denunciar o marido, que abusava fisicamente dos próprios filhos pequenos a ponto de deixar um deles mancando. Em vez de contatar a polícia, como exigia a lei do estado da Califórnia, os pastores a teriam considerado "louca". Ela denunciou o marido à polícia em 2003, solicitando sua retirada de casa. Ela diz que, ao pedir o divórcio, foi intimidada repetidamente pela igreja para que voltasse atrás e permitisse o retorno de Gray à casa; como ela se negou, MacArthur anunciou sua exclusão — enquanto ela estava na igreja, sentada, sem acreditar nas palavras duras que estava ouvindo. Após as investigações, foi descoberto que o marido também abusava sexualmente das crianças. Hoje ele está preso, sujeito a cumprir no mínimo 21 anos de reclusão, podendo ser perpétua. No entanto, a igreja é acusada de ocultar os fatos e contar aos membros que David Gray foi preso injustamente, pedindo colaborações em dinheiro para um ministério de evangelismo que ele começou na prisão. Há evidências de que, mesmo após a condenação por abuso sexual, o próprio John MacArthur continuou apoiando publicamente o ministério de Gray, como se ele fosse um missionário na prisão.[5]

O outro caso, que também inundou o debate sobre encobrimento de abusos no Brasil e continua gerando muita polêmica nos Estados Unidos, é o de Douglas Wilson. Ele começou a ganhar vulto por uma série de livros sobre masculinidade, feminilidade, casamento e criação de filhos, que também foram publicados no Brasil. Os relatos envolvendo Wilson são os mais comprovados e documentados de todos os que envolvem um único indivíduo: há um relatório de quinhentas páginas, de autoria de Rachel L. Shubin, com numerosas cópias de documentos oficiais, sobre os dois casos de abuso com que ele lidou como pastor[6] e várias fontes reunidas em um só lugar.[7]

O primeiro caso envolve um homem chamado Jamin Wight. Em 2005, Natalie Greenfield foi seduzida aos 13 anos e abusada emocional e sexualmente aos 14 por Jamin Wight, de 23 anos. Ambos eram membros da Christ Church. À época, os pastores Douglas Wilson e Peter Leithart (também escritor conhecido no Brasil) acompanharam o rapaz e acreditaram em seu arrependimento. Wilson não negava o crime, mas só chamava o caso de "relacionamento", e repetia, em entrevistas e em seu blog, que ela era grande para a idade, vinte centímetros mais alta que Wight. Natalie relatou que Wight alternava afeto com violência, verbal e física. Na igreja, não foi amparada como vítima (sequer recebeu "um abraço", conforme conta). Wilson chegou a pleitear com o juiz uma pena menor e a retirada do nome de Wight da categoria de "ofensor sexual" — com sucesso, para grande consternação da família da vítima. Tempos depois, Leithart se arrependeu por ter se deixado manipular por Wight, pedindo desculpas públicas a Natalie. Wilson, porém, nunca reconheceu seu erro, nem se retratou, mesmo quando Jamin Wight, anos depois, já casado e com filhos, apareceu nos jornais por ter tentado estrangular a esposa diante dos filhos pequenos. Em vez disso, Wilson escrevia contra Natalie em seu blog, e em resposta ela fazia palestras contando sua história e falando contra ele na internet. Em 2023, Natalie cansou da "guerra" e pediu desculpas por ter feito dele um inimigo pessoal — ela diz que fez isso porque precisava encontrar paz no coração, mas ele não retribuiu o pedido. Até hoje não há evidências de que acredite ter errado.

O segundo caso envolve outro membro da igreja, Steven Sitler, que já vinha cometendo abuso contra crianças pelo menos desde 2005. Conforme aponta o relatório de Rachel L. Shubin, Wilson tomou conhecimento, mas demorou meses para contar o fato à igreja antes da prisão do criminoso, deixando-a vulnerável ao abuso, e ainda pleiteou com o juiz uma pena menor, assim como havia feito com Wight. A liderança o acompanhou até entender que ele estava pronto para se casar, quando houve mútuo interesse entre Sitler e outra moça na igreja. Mesmo tendo ele já sido provado um pedófilo incurável pelas autoridades estatais, a liderança da igreja concluiu o oposto, em forte oposição ao parecer psicológico oficial. Diante da argumentação do pastor, o juiz permitiu que Sitler se casasse, mas com uma condição: se tivessem filhos, a esposa seria nomeada tutora do próprio marido, responsável por vigiá-lo, pois o pai jamais poderia exercer a paternidade: não podia pôr a criança no colo, nem a elogiar, nem ficar sozinho com ela. Deveria se manter longe, morando em outro local — um casamento cuja disfuncionalidade não foi reconhecida pela igreja; pelo contrário, na cerimônia oraram para que Deus lhes desse muitos filhos. Após o casamento, o casal teve um filho e ela descumpriu seu papel, permitindo por meses o acesso do marido ao bebê. Após a situação ser descoberta pela lei e Sitler ser afastado de casa, ele confessou ter se sentido atraído pelo próprio filho bebê — se abusou da criança, ninguém jamais saberá, mas tudo concorreu para que ela ficasse desprotegida. Ao ser indagado se faria novamente o casamento, Wilson responde enfaticamente que sim. Novos casos e novas denúncias continuam a surgir.[8]

Como igrejas devem lidar com casos de abuso sexual em suas lideranças ou mesmo de violência doméstica em sua membresia? A postura correta é realmente evitar a polícia? O exemplo de pastores conservadores respeitados por tantas pessoas deveria nortear o modo como outros pastores lidam com temas tão sensíveis? Para responder apropriadamente, alguns conceitos precisam ser esclarecidos — e outras histórias terríveis necessitam ser narradas.

Facilitação e encobrimento

Nem todo pecado é crime. O adultério, por exemplo, desqualifica um ministro, mas ninguém chama a polícia ao descobrir que o pastor possui uma amante. É o tipo de caso que deve ser tratado pela igreja. Outros pecados, porém, são atos criminosos. A importunação sexual, o estupro, a pedofilia, a violação sexual e outras formas de abuso físico precisam envolver não apenas atitudes eclesiásticas, mas também as devidas instâncias legais. Quando uma igreja decide lidar com crimes sexuais de pastores ou membros apenas internamente, incorrem em grave pecado contra as vítimas e contra aqueles que serão vitimados futuramente pelo criminoso impune.

É por uma falha nesse processo que surge em muitas igrejas uma postura de acobertamento. Abusadores são uma minoria que usa sua posição privilegiada para identificar e alvejar possíveis presas entre os membros (adultos fragilizados emocionalmente e crianças), mas os facilitadores (ou *enablers*, no termo popularizado em inglês) são mais numerosos, e sem eles o abusador não conseguiria agir. Os facilitadores são pessoas de influência que, por inação ou ação deliberada, impedem o reconhecimento, a contenção e a punição dos abusadores, deixando-os livres para continuarem a busca de novas presas.

O facilitador é o mau pastor de Ezequiel 34: pode até ser convertido, mas está em um estado de sonolência culposa. Deveria cuidar das ovelhas, mas não cuida, e por discernir pobremente o mal é enganado pelo abusador e acaba se tornando seu cúmplice. Movido por medo, covardia, comodismo e/ou ganância, ele falha em proteger as ovelhas, e no final se torna um tanto quanto parecido com o lobo.

Veja, por exemplo, o caso de C. J. Mahaney, pregador calvinista americano de linha carismática. Tornou-se conhecida a história de Nathaniel Morales, professor de pré-adolescentes na Covenant Life Church que molestou sexualmente três meninos na década de 1980. As vítimas e suas famílias procuraram a liderança para pedir ajuda, mas alegam que os pastores não acionaram a polícia. Joshua Harris, pastor no mesmo ministério, hoje desviado da fé, contou há alguns anos que a mentalidade da igreja era de que essas acusações precisavam ser assunto interno e espiritual.[9] Com isso, Morales ganhou tempo para, saindo da igreja, tornar-se pastor e continuar os abusos. A Sovereign Grace Ministries (SGM), fundada por Mahaney, foi objeto de uma ação coletiva de onze pessoas em 2012 — não só pelo caso de Morales — que acusou os líderes, inclusive Mahaney, de deixar de notificar casos semelhantes à polícia, entre 1983 e 1991. A ação cível foi julgada improcedente em 22 de maio de 2013 com base na prescrição dos crimes acusados, mas Morales foi denunciado por uma vítima e acabou sendo condenado em maio de 2014 a quarenta anos de prisão. O próprio cunhado de Mahaney, Grant Layman, testificou no tribunal que todos os pastores da Covenant Life Church sabiam da história.

No site oficial da Sovereign Grace Ministries, há um comunicado sobre a falha da igreja em levar o caso de Morales à polícia. "Entendemos quão diferente é agora a compreensão de nossa cultura sobre predadores infantis e abuso sexual", afirma o comunicado, que reconhece que "não comunicar imediatamente as reclamações às autoridades foi um grave erro de julgamento". Em seguida, a declaração: "No momento em que escrevemos hoje, acreditamos que o abuso deveria ter sido denunciado independentemente das circunstâncias, da lei aplicável e dos requisitos de denúncia".[10]

Aqui, o encobrimento do pecado colaborou para o surgimento de novos casos de abuso. Isso mostra a importância de crimes serem sempre comunicados às forças civis o mais breve possível, a fim de evitar novas vítimas. A abordagem das instituições religiosas em relação a crimes sexuais cometidos por membros ou líderes desempenha papel crucial na proteção da comunidade e na busca por justiça. O encobrimento não apenas perpetua o sofrimento das vítimas, mas também cria um ambiente propício para a repetição dos abusos.

A cultura de proteger a reputação da igreja em detrimento da segurança das vítimas permitiu que Nathaniel Morales continuasse a causar danos mesmo após as denúncias iniciais. Trata-se de um exemplo contundente das consequências devastadoras e duradoras do acobertamento do pecado. A lição é clara: a responsabilidade de reportar crimes sexuais deve transcender as fronteiras eclesiásticas. É imperativo que as instituições religiosas ajam em conformidade com a lei civil, colaborando plenamente com as autoridades para garantir que os perpetradores sejam responsabilizados por seus atos. Somente através dessa abordagem transparente e justa será possível romper a cadeia de abusos e proteger efetivamente as ovelhas do rebanho.

A mensagem que emerge desses episódios é que a integridade moral da igreja não pode ser preservada à custa da segurança e do bem-estar das vítimas. O verdadeiro papel da comunidade de fé é ser um refúgio para os oprimidos, um farol de justiça e compaixão. Até porque o crime sexual não é somente um pecado contra Deus e contra a vítima; também é um pecado contra a igreja e as autoridades civis.

O envolvimento da polícia

Como visto no capítulo anterior, todo cristão é chamado a se submeter a diversas autoridades. O filho se submete aos pais, o cidadão se submete ao governo, a esposa se submete ao marido, o empregado se submete ao patrão, os membros da igreja se submetem aos presbíteros, e todos os cristãos se submetem uns aos outros e a Cristo. Uma mesma pessoa, portanto, pode se encontrar em diferentes níveis de submissão. A esposa, por exemplo, é submissa a seu marido, mas ambos são submissos à lei civil. Quando o marido agride a esposa, ele está indo contra a autoridade que Deus pôs sobre ele. A submissão da esposa ao marido não é maior que a submissão dela a Deus. Além disso, o fato de ela ser vitimada pelo marido precisa chegar ao conhecimento de autoridades civis, porque ele deve submissão às autoridades civis.

Os capítulos 12 e 13 da carta de Paulo à igreja em Roma formam uma unidade maravilhosa nas Escrituras. Em Romanos 12.17-21, a seção final do capítulo, deparamos com um texto contra a vingança, e já no começo de Romanos 13 lemos que Deus é vingador por meio do Estado, que traz a espada nas mãos para exercer essa vingança divina. Por isso, todos devem ser submissos ao governo instituído. Paulo está dizendo claramente nessa porção que não nos vingamos, mas antes entregamos nossa vingança a Deus, que muitas vezes retribui o mal fazendo uso da lei civil. O marido agressor não tem de receber o ódio da esposa, mas sua denúncia. Ele tem de receber o perdão, mas também um processo legal. Tem de receber a mão da polícia, o poder que Deus concedeu ao Estado para dar proteção à vítima e para punir o agressor da forma autorizada por Deus. O marido não é a autoridade final sobre a vida da esposa. Cristo é.

Por isso, esposa, da mesma forma que você deve submissão a seu marido, você deve submissão à lei civil. Você deve pedir ajuda. Você não está indo contra seu marido ao fazer isso. Pelo contrário, está amando seu marido, porque não está deixando que ele viva no pecado impunemente. Está dizendo a seu marido que o comportamento dele não pode continuar assim. Você está usando o Estado para trazer seu marido para mais perto de Deus, porque ele precisa cumprir seu papel de submissão às autoridades.

Existe um tipo de "anarquismo cristão de conveniência" no qual questões morais que envolvem crimes não são levadas à justiça porque são interpretadas como assunto interno da vida eclesiástica. Se você acompanhou as atitudes de algumas igrejas durante a pandemia de covid-19, sabe que muitas mantiveram suas portas abertas sem qualquer prática de isolamento, fornecendo certificados para que os crentes não se vacinassem e dizendo que o governo não deveria se meter nas reuniões da igreja. Essas comunidades acreditam que o governo não pode se imiscuir na esfera eclesiástica nem mesmo em questões de saúde pública. Muitos levam isso ao nível do crime — como no caso do abuso sexual. Trata-se, porém, de uma conduta de quem está se metendo na esfera do governo. Quando a igreja está diante de um crime, ela não tem direito de limitar o tratamento daquele ato à esfera da disciplina. Ela precisa trazer os agentes do governo, como instrumentos de Deus para a justiça. Se um pai estupra a filha ou se um pastor abusa de uma jovem, o governo também deve ser chamado a intervir. Do contrário, a igreja invadirá uma jurisdição que Deus deu a outro instituto social.[11]

Muitas igrejas, contudo, relutam em falar sobre intervenção policial em casos de violência doméstica porque imaginam que seria um escândalo. Porém, o escândalo muito maior é a igreja ser omissa. Escândalo maior é ter uma mulher apanhando do marido e deixar isso debaixo dos panos. As mulheres cristãs têm todo o direito de procurar ajuda civil em caso de agressão e violência doméstica. Isso é um tanto óbvio, mas é importante repetir as obviedades, porque muitas vezes em ambientes de domínio físico já há domínio psicológico há bastante tempo. Todo tipo de mentira é jogado na cabeça da esposa para que ela não busque ajuda, não denuncie, não ligue para a polícia.

Igrejas adotam essa postura ou tratam isso como questões de regimento exclusivamente interno alegando que cristãos não podem levar outros ao tribunal. Para isso, usam como base estas palavras de Paulo em 1Coríntios 6.1-8:

> Quando algum de vocês tem um desentendimento com outro irmão, como se atreve a recorrer a um tribunal e pedir que injustos decidam a questão em vez de levá-la ao povo santo? Vocês não sabem que um dia nós, os santos, julgaremos o mundo? E, uma vez que vocês julgarão o mundo, acaso não são capazes de decidir entre vocês nem mesmo essas pequenas causas? Não sabem que julgaremos os anjos? Que dizer, então, dos desentendimentos corriqueiros desta vida? Se vocês têm conflitos legais, por que levá-los para fora da igreja, a juízes que não fazem parte dela? Digo isso para envergonhá-los. Ninguém entre vocês tem sabedoria suficiente para resolver essas questões? Em vez disso, um irmão processa outro irmão diante dos descrentes!
>
> O simples fato de terem essas ações judiciais entre si já é uma derrota para vocês. Por que não aceitar a injustiça sofrida? Por que não arcar com o prejuízo? Em vez disso, vocês mesmos cometem injustiças e causam prejuízos até contra os próprios irmãos.

Lembremos que parte considerável dos problemas da igreja em Corinto derivava de um mau exercício da liberdade cristã. Essa suposta liberdade visava a satisfação pessoal e contaminava diversas áreas da vida. No caso em questão, irmãos levavam uns aos outros ao tribunal para assuntos que poderiam ser resolvidas na igreja. No caso de abusos, porém, devemos nos perguntar se é algo a ser lidado *somente* pela igreja, em seu regimento interno.

Pheme Perkins aponta que "Paulo sutilmente diminui a significância dos casos em questão — isto é, os casos em que irmãos levavam outros ao tribunal — do genérico *pragma* (questão de tribunal) para *elachista* (coisas triviais; 6.2) e *biotika* (coisas da vida diária; 6.3)".[12] Ou seja, cristãos estavam indo aos tribunais em razão de coisas triviais, do dia a dia. Sabe aquelas situações em que um membro tem um desentendimento com outro? Eram essas as questões sinalizadas aqui. Ao que tudo indica, não eram ofensas de escândalo público, mas "coisas da vida diária". Abuso, contudo, não é assunto trivial. Não é um desentendimento ocasionado por um irmão que está devendo dinheiro a outro. Isso pode ser resolvido na igreja. Imagine uma situação em que um membro tenta furtar o celular de outro e é pego em flagrante. Furto é crime previsto pela lei, mas é de certa forma trivial. Se o objeto furtado for devolvido, o caso não precisa ser levado à justiça. A igreja pode tratar disso internamente e trabalhar para que os envolvidos se reconciliem. Paulo junta a perspectiva de uma realidade escatológica de vida — que será realizada na volta de Cristo — a essa demanda eclesiástica presente. Usando um argumento do maior para o menor, Paulo faz uma pergunta retórica: "Não sabem que julgaremos os anjos? Que dizer, então, dos desentendimentos corriqueiros desta vida?" (1Co 6.3).

No caso dos coríntios, a união da igreja vinha sendo prejudicada por causa de questões sociais. Nesses tribunais, não raro havia influências, subornos e chantagens que beneficiavam os que detinham mais poder ou dinheiro. O lado mais fraco geralmente perdia e era prejudicado injustamente. No caso do abuso, a união da igreja é prejudicada sob o pretexto de preservar a integridade da igreja e evitar a difamação dos descrentes, mas ao fazer isso casos sérios são tratados como coisas da vida diária e, assim, sua gravidade é desprezada. A unidade é ameaçada em nome da aparência de santidade.

Os cristãos não estão acima da lei. Esse é o teor, aliás, dos comentários de Paulo em Romanos 13.1-5. Deus deu jurisdição às autoridades governantes para executarem a ira sobre os que fazem o mal em casos criminais. Com assuntos triviais, porém, a maneira de lidar é diferente. É por isso que Paulo muda o tom nesse ponto de sua carta aos coríntios, de modo que eles se sintam envergonhados pelo que estão fazendo. Ir ao tribunal com um irmão cristão por causa de uma questão trivial já é uma derrota para ambas as partes. Para aqueles cristãos, era melhor estar certo do que estar unido. Ganhar a causa estava acima de preservar a unidade da igreja. É por isso que Paulo diz que é preferível, dentro da ética cristã, sofrer o perjúrio ou a injustiça. Uma vez que Cristo foi injustiçado em favor dos cristãos, eles deveriam preferir sofrer a perda em casos triviais a levar uns aos outros ao tribunal. E, mesmo que o caso em disputa seja levado à igreja, nem sempre a parte lesada será plenamente restituída. Porém, se a igreja consegue mediar o perdão, é melhor sair perdendo, mas preservando a unidade do corpo. A ética cristã preza pela unidade, porque Cristo morreu para nos fazer um só corpo.

Bem diferente é um caso de abuso familiar, pelo simples fato de que abuso físico e sexual é crime. Uma mulher que apanha do marido não pode buscar vingança com as próprias mãos. Em geral, uma mulher não consegue sobrepujar a força física do marido abusador. Portanto, deve entregar a justiça nas mãos de quem é mais forte: Deus e o Estado, por meio de quem Deus executa sua justiça (Rm 12.19; 13.4). Em caso de abuso, a denúncia é o meio pelo qual a mulher pode se defender de seu abusador. Sabe aquela história de *or-ação* (oração + ação)? De que oramos, mas não ficamos inertes e, em vez disso, agimos conforme a vontade de Deus? A mulher ora para Deus livrá-la do abuso, por isso denuncia o marido para que Deus aja por meio do Estado; e ora para Deus tratar o marido, por isso comunica o caso à liderança da igreja para que Deus aja por meio dos pastores e presbíteros no intuito de que o marido se arrependa. Essas duas *or-ações* não são mutuamente exclusivas; na verdade, é exatamente o contrário disso.

Questões jurídicas

Infelizmente, em minhas andanças pelo país e em mesas de conferências, já ouvi muita gente argumentar que violência e abuso são assuntos internos da igreja e que, portanto, não há necessidade de chamar a polícia. Caro leitor, isso vem do diabo. É uma conduta perigosa, que põe a vítima em situação de vulnerabilidade e o agressor em condição de impunidade. De fato, já ouvi até defesas jurídicas de que pastor não pode denunciar casos de abuso, com base em interpretações irresponsáveis do artigo 207 do Código de Processo Penal, que diz o seguinte: "São proibidas de depor as pessoas que, em razão de função, *ministério*, ofício ou profissão, devam guardar segredo, salvo se, desobrigadas pela parte interessada, quiserem dar o seu testemunho" (grifos meus).

O argumento é que o mencionado artigo proíbe "ministros" religiosos de serem testemunhas em casos de crime que porventura ouçam no gabinete pastoral. Esse raciocínio, porém, não está correto. Não sou formado em direito, mas pessoas da área jurídica me ajudaram a entender que essa interpretação está errada por alguns motivos.

Em primeiro lugar, a proibição do artigo 207 do Código de Processo Penal tem como destinatário o Estado-juiz, ou seja, a norma ali exposta gera uma obrigação ao Estado e um direito ao ministro religioso, para que ele não seja obrigado a depor indevidamente.

Contudo, a jurisprudência do Superior Tribunal de Justiça e do Supremo Tribunal Federal e a doutrina penalista são firmes ao interpretar que esse direito não é absoluto, pois não há que se conceber o sigilo profissional de prática criminosa. Segundo o Superior Tribunal de Justiça, "o ordenamento jurídico tutela o sigilo profissional do advogado, que, como detentor de função essencial à Justiça, goza de prerrogativa para o adequado exercício profissional. Entretanto, referida prerrogativa não pode servir de esteio para impunidade de condutas ilícitas".[13]

Ainda sobre um correto entendimento desse artigo, o STJ já se pronunciou dizendo o seguinte: "O padre, o pastor, o médico, o psiquiatra e qualquer outro que deva guardar sigilo como decorrência de suas atuações devem depor em relação a fatos que tenham presenciado pessoalmente".[14]

Na doutrina, temos uma importante lição de Eugênio Pacelli, que escreve: "Evidentemente, quando da confissão assim obtida se puder extrair fundado receio da prática de crimes futuros, não se poderá exigir o silêncio absoluto da testemunha, devendo ela diligenciar junto às autoridades a adoção das providências cabíveis, mantido, porém, o segredo em relação aos fatos passados".[15] Ou seja, ainda que se argumente pela proibição de um pastor testemunhar sobre crimes que tenha presenciado ou dos quais tenha obtido confissão, o entendimento doutrinário deixa clara a obrigação de comunicar às autoridades a suspeita de cometimento de crimes futuros.

Portanto, se um pastor, ou qualquer ministro religioso, tiver conhecimento de abusos sexuais semelhantes ao que narramos, que são crimes na legislação brasileira, precisa comunicá-lo às autoridades, pois o histórico é invariável quanto à reincidência dos abusadores.

Aqui, cabe um esclarecimento adicional: os pastores não são proibidos de testemunhar em casos de abuso de que tenham tomado conhecimento em função do ministério pastoral. Esse é um entendimento equivocado do artigo 207. Por outro lado, eles também não são legalmente obrigados (eles são obrigados moral e biblicamente). Apenas determinadas pessoas que exercem função pública são obrigadas a comunicar crimes, mas pessoas comuns do povo, entre as quais os pastores, não são obrigados por lei a comunicá-los. É o que se extrai dos artigos 5 e 27 do Código de Processo Penal.[16]

Disciplina eclesiástica

Além do crime sexual ser um pecado que perpassa a esfera civil, é também, obviamente, um pecado eclesiástico. Longe de ser um pecado pessoal, ele envolve a vida de toda a igreja. O marido peca contra a comunidade quando se comporta de modo violento. A mulher deve se sentir livre para pedir ajuda de sua comunidade de fé. Ela deve ter confiança para falar com aqueles que podem colaborar para que essa situação de violência cesse. A igreja deve ter os olhos voltados para os fracos.

Em Tiago 1.27, lemos que “a religião pura e verdadeira aos olhos de Deus, o Pai, é esta: cuidar dos órfãos e das viúvas em suas dificuldades”. A igreja vai na direção de órfãos e viúvas porque eles se encontram em situação de mais vulnerabilidade. A igreja precisa estar de olho naquelas mulheres que podem estar sob algum tipo de risco. Sabe aquela mulher que cai ou bate o rosto na escada com frequência demasiada? Ou cujo marido demonstra agressividade pública para com ela? A igreja precisa estar atenta para isso, porque muitas vezes o pedido de ajuda vem silente — com um olhar, com um gemido. Precisamos ir em direção a elas. Quando a ajuda é requisitada, é fundamental que a igreja, de forma atenta e cuidadosa, entre na vida dessa família a fim de ajudar aqueles que estão em sofrimento. Assim a igreja age como Deus age.

O salmista diz que o Senhor faz justiça aos oprimidos (Sl 146.7). É pai dos órfãos e defensor das viúvas (Sl 68.5). Ele ordena que seu povo salve os oprimidos e resista ao opressor (Jr 22.3). Jesus consistentemente enfatizou que veio para libertar os oprimidos (Lc 4.18) e agiu com as mulheres com respeito e honra. De igual modo, a igreja deve cuidar de suas mulheres e exercer prontamente a disciplina eclesiástica contra maridos agressores e abusadores.

O conhecido texto de Mateus 18.15-20 é fundamental nesse aspecto, ao descrever alguém que é repreendido em seu pecado, confrontado pela igreja e, na falta de arrependimento, excluído da comunidade. Também 1Coríntios 5 trata de pecados que “nem mesmo os pagãos praticam”. Pode parecer polêmico o que vou afirmar, mas existem pecados e pecados. Alguns pecados, como o de 1Coríntios 5, cobram uma atitude mais célere da igreja na disciplina daquele que cometeu a ofensa, principalmente pecados que até os ímpios não praticam costumeiramente. Violência doméstica não é o tipo de pecado que é comum a crentes, porque não é comum nem mesmo entre descrentes — apesar dos números terríveis, não é a prática normal da maioria dos casamentos. É um tipo de pecado, portanto, que exige um processo de disciplina mais sério. Não sejamos ingênuos: abusadores são rápidos em pedir desculpas. Não é de desculpas que precisamos, mas de mudança radical e imediata de comportamento. Isso é o que mostra arrependimento genuíno.

O abuso doméstico precisa ser tratado com a maior gravidade, e a disciplina eclesiástica deve se dar com mais celeridade, sobretudo em caso de falta de arrependimento comprovado. A igreja não pode tratar da mesma forma um casal de namorados que se toca de forma inapropriada e um homem que abusa de crianças. São dois tipos de pecados que ofendem a Deus, mas a igreja lida com os dois pecados de forma diferente.

Infelizmente, não são poucos os pastores que desprezam o sentido de disciplina eclesiástica e tratam a violência como um tipo de pecado que se resolve com paciência e oração. Na visão desses pastores, a postura correta diante de casos de violência doméstica é "orar e esperar". Sim, as Escrituras nos instruem a orar pelo pão de cada dia (Mt 6.11), mas também nos ensinam a ser diligentes em nosso trabalho, de modo que quem escolhe não trabalhar não deveria ter pão à disposição (2Ts 3.10-12). A oração não exclui a necessidade de inteligência, sabedoria, diligência e ação. Diante do mal, oramos — mas também fugimos. Em Atos, a igreja fugiu da perseguição quando teve oportunidade. Em casamentos violentos, a mulher deve, com muita oração, encontrar meios de escapar do vilipêndio contra a própria vida.

Muitos de nós conhecemos mulheres que ouviram do pastor um simples "vamos orar por ele, irmã", depois de relatar brigas físicas em casa. Um caso se tornou público em 2023, quando a cantora gospel Sara Mariano foi assassinada pelo marido.[17] Em áudios compartilhados com pessoas da igreja antes de ser assassinada, ela já dava indícios de ter contado sobre posturas de violência do marido. Narrando sobre sua oposição ao interesse do marido em comprar ilegalmente uma arma, por não confiar nele, ela diz que ele "já destrói tudo sem arma" e que frequentemente "vira um monstro". Sua atitude, infelizmente, foi de permanecer em casa, dizendo que não queria "tomar decisão precipitada". Uma irmã, que ela identifica apenas como "da Universal", ao ouvir alguma das histórias de seu casamento, teria prometido que "ele não vai tocar em você não, porque Deus não vai deixar, em nome de Jesus". Sara Mariano então diz: "Eu já entreguei a Deus e Deus tem que resolver".[18] Infelizmente, foi assassinada e teve o corpo carbonizado.

O que é ainda mais intrigante é que seu marido e confesso assassino, antes de cometer o crime, chegou a entrevistar uma irmã em Cristo e tocar no tema da violência doméstica. Ele pergunta:

> Quando ele [o marido] bate na mulher, a senhora aconselharia as mulheres que estão assistindo a esse podcast que, se alguma delas, o marido bateu, xingou, botou o dedo na cara, ameaçou, espanca, não deixa ela sair de casa, amarra ela dentro de casa, bate. A senhora aconselha ela o quê? "Vá pro joelho, minha filha"? [*sic*]

A entrevistada responde: "Pastor, eu sou muito radical. Quando o cara bate, é 190", fazendo referência ao número de telefone de emergência da polícia. Ao que o pastor responde: "Não é monte, não?". Na prática pentecostal, subir em montes para oração é um hábito devocional. Sua pergunta significa que a mulher deveria orar, em vez de denunciar o marido. A entrevistada sabiamente retruca: "Não, é um monte de viatura na porta para pegá-lo". Ele insiste: "Mas se já chamou o pastor, e o pastor disse que é melhor orar?", e a irmã responde: "Se o pastor mandar orar com meu marido me espancando, vou ligar pro 190 e mandar o pastor ir junto".[19] O assassino queria que a postura de mulher que apanha fosse a de oração, não a de pedir ajuda.

Em seu livro *O grito de Eva: A violência doméstica em lares cristãos*, a jornalista Marília de Camargo César registra uma entrevista com Regina, professora evangélica que sofria violência do marido. A certa altura, Regina diz o seguinte:

> Eu pedia a Deus que mudasse a situação, que fizesse o Cláudio mudar. O pastor ensinava que as esposas tinham que orar pelos maridos, para Deus converter o coração deles. Uma senhora foi se aconselhar com o pastor, contar para ele que o marido batia nela. Ela saiu da reunião chorando, porque ele tentou convencê-la de que o jeito dela afrontava o marido e ele se sentia diminuído, por isso batia nela. Entendeu? Foi como dizer que

a culpa era dela por apanhar. Eu tinha certeza de que, se falasse para ele como era nosso relacionamento, provavelmente a receita seria a mesma: "Ore por ele, irmã, até Deus transformar o coração do seu marido".[20]

Oração é importante, mas a oração sozinha pode ser uma atitude tola quando Deus espera que não apenas oremos, mas também ajamos. As mulheres devem estar livres para pedir ajuda da polícia e para pedir ajuda da igreja. Por fim, também devem estar livres para se apartar da violência. Falaremos sobre divórcio no próximo capítulo, mas já resumo aqui: se o marido bate na esposa, ela pode se separar e seguir sua vida fora daquele casamento. Muitas mulheres acreditam que, porque Deus odeia o divórcio, elas devem continuar apanhando caladas. Nada pode ser mais falso.

A normalização da violência física

Um dos cronistas brasileiros mais famosos do século passado dizia que mulher gosta de apanhar. É o tipo de ideia que se propaga em círculos machistas e misóginos, nos quais a mulher não é valorizada ou é tratada como um objeto que merece ou gosta de participar de algum nível de violência. Durante a pandemia de covid-19, no ápice do isolamento social, estima-se que houve aumento de mais de 50% no número de denúncias de violência doméstica apenas no Rio de Janeiro.[21] Observe que não é um aumento na *violência doméstica*, mas um aumento nas *denúncias de violência* sofrida. Uma pesquisa do Fórum Brasileiro de Segurança Pública e do Decode Pulse identificou um acréscimo de 431% dos relatos de briga de casais no período de isolamento no Brasil.[22] Isso é um aumento de quase cinco vezes dos relatos de briga de casal durante esse período de isolamento.

O abuso doméstico não se dá apenas no nível físico. Há violência verbal: xingamentos, humilhações, subjugações através das palavras. Há violência sexual: coação à intimidade física contra a vontade da esposa. Há violência psicológica: uso de artifícios para isolar a esposa da vida comum de modo que ela se sinta coagida e forçada a comportamentos que não são de sua vontade até chegar à violência física de fato. Infelizmente, aquilo que normalizamos em nosso casamento deriva muitas vezes de nosso contexto familiar e religioso, mais que dos princípios da Palavra de Deus. Uma jovem que aconselhei no processo de divórcio me disse: "Cresci vendo meu pai espancando minha mãe. Quando meu marido me empurrava para dentro do quarto e trancava a porta por horas, eu ficava feliz porque pelo menos não tinha apanhado". Para ela, aquela terrível violência era aceitável, já que não era tão terrível quanto a que havia testemunhado em casa ao longo da vida. Mas a violência sempre é multifacetada.

Alguém poderia escutar isso e questionar: "Pastor, mas isso acontece também em nossas igrejas?". Infelizmente, acontece. E não raro as igrejas lidam muito mal com contextos de violência conjugal, por vezes colaborando na criação de uma cultura de normalização da violência doméstica embasada em interpretações equivocadas das Escrituras.

Como mulheres escaparão de culturas opressivas se muitos acreditam que a violência e o ódio caracterizam o homem? Em um de seus sermões sobre masculinidade bíblica, o pastor Anderson Silva encoraja seus ouvintes a cultivarem ódio dentro de si. Caso contrário, o homem "vai continuar sendo um zé-ruela". Após zombar de canções cristãs emotivas, ele diz: "Você não vai encontrar a raiz da sua violência. Você não vai encontrar a raiz da sua barbárie". Por algum motivo, ele acredita que encontrar a própria violência e barbárie é algo cristão. E chega a ser ainda mais explícito:

> Se você deseja ser o homem que foi criado para ser, você precisa ser batizado pelo ódio, pela barbárie e pela violência. Se você não encontrar isso dentro de você, você jamais vai conseguir ser um homem. Você precisa encontrar dentro de você o desejo de matança. Agressividade, violência, ódio, você precisa achar dentro de si mesmo. Por isso que Jesus purificou o templo. Aquilo é violência santificada. Ódio purificado. Barbárie santificada. Só quando você encontra dentro de você ódio, violência e barbárie, você vai conseguir encontrar o seu nome.

E conclui dizendo que não confia em homem que sorri demais. "Pesquisas comprovam", ele diz, "que sorriso demais é testosterona baixa."[23] Acaso um sermão como esse condiz com o espírito do Sermão do Monte, em que Jesus nos chama a promover a paz e a não nutrir ódio no coração? Será que tais palavras demonstram o fruto do Espírito expresso por Paulo em Gálatas 5.22-23, centrado no amor, na paz e na bondade?

O Novo Testamento justifica uma cultura de abuso e violência?

Se eu fizesse uma enquete, é pouco provável que alguém levantasse a mão e dissesse que de vez em quando um tapa bem dado faz a diferença para um bom casamento. Pelo contrário, via de regra, defende-se que o marido não deve bater na mulher. Entretanto, nem sempre as coisas foram assim. Nem sempre se acreditou que o corpo da mulher não deveria ser vilipendiado fisicamente.

Pense em toda a cultura do período do Novo Testamento. Não se trata de textos escritos no século 21, para uma igreja de nosso tempo. São textos que sem dúvida nenhuma se aplicam a nós e à nossa realidade, mas foram escritos originalmente no século 1 d.C. a pessoas da Ásia Menor. Naquele ambiente, havia justificativas recorrentes para o abuso do marido sobre a esposa. O que hoje chamamos de abuso, na época era comportamento corriqueiro. Nas famílias patrícias, dentro da cultura greco-romana, na qual e para qual o Novo Testamento foi escrito, os chefes familiares — os membros mais velhos, geralmente o avô ou bisavô, considerados o *pater familias* — tinham o dever de proteger a honra da família e de disciplinar qualquer membro da família que lhes desobedecesse, fossem os filhos, os escravos ou as esposas. O *pater familias* possuía o *patria potestas*, a autoridade absoluta sobre os membros da família. Os pais detinham autoridade para escolher a carreira dos filhos, vendê-los como escravos, determinar qual religião a família seguiria e até o direito sobre a vida e a morte, chamado *ius vitae nescique*, dos filhos e mulher (em alguns casos).[24] Não muito antes do final do primeiro século da era cristã, o imperador Augusto introduziu leis que proibiam o marido de matar a esposa por adultério. Nero, o famoso imperador, segundo alguns cronistas, chegou a matar sua mãe, Agripina, a Jovem, e suas duas esposas, Claudia Otávia e Pompeia Sabina. Ainda no terceiro século, Tertuliano relatou que as mulheres cristãs enfrentavam violência de maridos pagãos (*Ad uxorem* 2,4-5). E a violência verbal e física contra a esposa era algo recorrente na vida familiar das mais altas classes do império romano. Não era, portanto, coisa apenas da "ralé".

É justamente nesse contexto, em que o marido poderia disciplinar e até matar a própria esposa, que Jesus encarnou. Ele tratou as mulheres de forma diferente da que era considerada normal em sua época, o que inspirou o apóstolo Paulo a escrever sobre casamento e alertar: "Maridos, que cada um de vocês ame a sua esposa e não a trate com amargura" (Cl 3.19), isto é, com ressentimento e raiva que impedem o perdão e a alegria conjugal. E, escrevendo aos efésios, o apóstolo instrui:

> Evitem o linguajar sujo e insultante. Que todas as suas palavras sejam boas e úteis, a fim de dar ânimo àqueles que as ouvirem.
>
> Não entristeçam o Espírito Santo de Deus, o selo que ele colocou sobre vocês para o dia em que nos resgatará como sua propriedade.
>
> Livrem-se de toda amargura, raiva, ira, das palavras ásperas e da calúnia, e de todo tipo de maldade. Em vez disso, sejam bondosos e tenham compaixão uns dos outros, perdoando-se como Deus os perdoou em Cristo.
>
> Efésios 4.29-32

Afinal, como teremos uma família que vive em paz e alegria se deixamos sair de nossa boca palavras sujas e ofensivas? Como teremos um casamento nos padrões de Deus se nossas palavras não representam edificação e graça? Devemos transmitir graça com as palavras, não abuso ou domínio, e graça que provém do Senhor — sempre dando o que o outro não merece e transmitindo o bem mesmo quando não se é correspondido. Não devemos entristecer o Espírito Santo proferindo palavras de gritaria, blasfêmia, de ira, de amargura e de maldade dentro do contexto conjugal. No casamento, nosso comportamento deve ser de compaixão e perdão, porque foi perdão e compaixão que encontramos em Cristo.

Para a cultura daquela época, isso tudo era simplesmente absurdo, e é precisamente nesse contexto que Paulo diz mais à frente, em Efésios 5.25,28-30:

> Maridos, ame cada um a sua esposa, como Cristo amou a igreja. Ele entregou a vida por ela [...]. Da mesma forma, os maridos devem amar cada um a sua esposa, como amam o próprio corpo, pois o homem que ama sua esposa na verdade ama a si mesmo. Ninguém odeia o próprio corpo, mas o alimenta e cuida dele, como Cristo cuida da igreja. E nós somos membros de seu corpo.
>
> "Por isso o homem deixa pai e mãe e se une à sua mulher, e os dois se tornam um só." Esse é um grande mistério, mas ilustra a união entre

Cristo e a igreja. Portanto, volto a dizer: cada homem deve amar a esposa como ama a si mesmo, e a esposa deve respeitar o marido.

Num contexto em que o marido poderia matar a esposa, o cristão tem como código de ética morrer pela esposa. Ele dá a própria vida em favor da vida da esposa. Em vez de se achar com direitos sobre ela, agora ele se entende em débito com ela a ponto de morrer em seu lugar. Assim também o marido deve amar sua esposa como ama o próprio corpo. Ora, em vez de vitimar o corpo da esposa a fim de defender o seu, em vez de abusar do corpo da esposa a fim de encontrar prazer para o seu, agora ele tem de cuidar do corpo da esposa como cuida do próprio corpo.

E é também nesse contexto que o apóstolo Pedro escreve:

> Da mesma forma, vocês, maridos, honrem sua esposa. Sejam compreensivos no convívio com ela, pois, ainda que seja mais frágil que vocês, ela é igualmente participante da dádiva de nova vida concedida por Deus. Tratem-na de maneira correta, para que nada atrapalhe suas orações.
>
> 1Pedro 3.7

O papel do marido é *honrar* a esposa, não humilhar nem vitimizar. Certa vez, fui pregar numa igreja e ganhei um quadro. O quadro era um retrato meu e infelizmente achei horroroso, mas, sem jeito, agradeci e o levei comigo. Ao chegar em casa, coloquei-o no canto mais escondido do escritório, porque para mim aquilo era uma vergonha. Então, resolvi dar o quadro para minha mãe, e ela colocou na sala dela para todo mundo ver assim que entrar. Colocamos em destaque o que é importante para nós. Por outro lado, há coisas que escondemos. As esposas devem ser motivo de honra para os maridos.

O primeiro motivo pelo qual as esposas devem ser honradas é por serem o vaso mais frágil. Existe uma fragilidade exposta acerca da mulher, e acredito que o texto esteja falando de algo físico. Dentro do contexto da cultura greco-romana, a Bíblia ensina que a mulher deveria ser tratada com honradez física. O corpo dela deve ser cuidado. O segundo motivo é que ela é co-herdeira da mesma graça de vida. Ela não tem uma salvação de nível inferior. Homens e mulheres recebem a mesma redenção, por meio da mesma obra de Jesus, e vão para o mesmo céu mediante a mesma graça pela mesma fé. Como poderia o marido não tratar com honra a esposa?

Por fim, também o apóstolo Tiago escreve:

> Às vezes [a língua] louva nosso Senhor e Pai e, às vezes, amaldiçoa aqueles que Deus criou à sua imagem. E, assim, bênção e maldição saem da mesma boca. Meus irmãos, isso não está certo! Acaso de uma mesma fonte pode jorrar água doce e amarga? Pode a figueira produzir azeitonas ou a videira produzir figos? Da mesma forma, não se pode tirar água doce de uma fonte salgada.
>
> Se vocês são sábios e inteligentes, demonstrem isso vivendo honradamente, realizando boas obras com a humildade que vem da sabedoria.
>
> Tiago 3.9-13

Uma série de passagens bíblicas nos lembra que o modo como falamos, agimos e tratamos os outros representa a realidade de nosso relacionamento com Deus, e isso se aplica diretamente ao contexto de casamento. O modo como você, marido, fala com sua esposa não pode conter palavras que machuquem, firam ou subjuguem, mas sim palavras que edifiquem, honrem, incentivem e ajudem sua família. O modo como você trata fisicamente sua esposa não é de acordo com a cultura romana — em que o marido tinha direito sobre o corpo dela para feri-la ou machucá-la —, mas se colocando como sacrifício por ela tratando-a como vaso mais frágil.

O que nossa cultura diz sobre casamento? Há quem diga que é normal uma briga física vez ou outra — "em briga de marido e mulher, ninguém mete a colher", afirma um ditado popular. É algo que "só acontece de vez em quando, mas na verdade ele é tão bonzinho, pastor, até já voltou atrás". É só uma vez até serem duas e duas até serem três. Nossa cultura diz muitas coisas sobre a relação entre marido e mulher. Porém, o que nossa cultura diz importa muito pouco. O que importa é aquilo que deixamos que a Palavra de Deus diga a nosso coração.

Infelizmente, nem todo pastor compreendeu isso. Criou polêmica nas redes sociais um trecho de sermão em que um pastor da Igreja Presbiteriana do Brasil diz que estava no supermercado fazendo a feira, quando viu uma mulher "dando uma esculhambada no marido". O pastor diz que estava "torcendo para o cara reagir" e, em seguida, faz um teatrinho:

"Sai daí, deixa eu dar um tapa nessa mulher". A congregação e o pastor riem. Ele então pergunta: "Você acha que mulher gosta de homem banana? Você acha que a mulher se sente segura se ela não tiver um marido que lidera, que dá segurança, que dá tudo que a mulher precisa?". E arremata: "Estou falando de marido e mulher, os papéis da Bíblia, da Palavra de Deus". É espantoso que ele interprete os papéis de marido e mulher da Bíblia como dar um tapa na mulher em caso de uma discussão no supermercado.[25]

Sim, o tom brincalhão do pastor no púlpito pode indicar que sua expressão foi apenas uma piada infeliz. Porém, esse tipo de gracejo encontra morada em corações que já desejam usar as Escrituras como base para a violência. Chegou até mim o caso de um casal que enfrentava muitos desafios no casamento, a ponto de escalar para a violência física. Se já não se tratasse de um problema sério, o marido ainda justificava suas posturas usando uma teologia da submissão. Em uma das mensagens, a esposa disse: "Ele agora fica gritando comigo, dizendo que sou escrava dele, que ele manda em mim, que Deus deu essa autoridade para ele". De onde um marido tira que Deus lhe deu autoridade para tratar a esposa como escrava? Certamente não foi das Escrituras.

Não existe nada nas Escrituras que dê a mínima margem para que o marido abuse verbalmente da esposa, ofendendo, xingando, humilhando. Não há nenhum lugar nas Escrituras que permita que o marido tente abusar psicologicamente da esposa e tratá-la como um objeto que lhe pertence, ou que tente isolá-la da própria família, de amizades, da comunidade, do pastoreio, a fim de dominá-la e usá-la como ele bem quiser. Não há nada nas Escrituras que dê o menor espaço para que homens usem e abusem sexualmente de suas esposas, forçando-as a fazer o que não querem e quando não querem. E certamente não há nada nas Escrituras que possibilite qualquer entendimento de que o marido se sinta no direito de agredir fisicamente sua mulher — ou a mulher de outro que discute com o próprio marido no supermercado.

A Bíblia obriga que as mulheres se casem com seus abusadores?

Críticos radicais do cristianismo e alguns grupos conservadores são tão extremos que por vezes acabam se tornando parecidos. Esse fenômeno de "afinidade entre extremos" se dá, por exemplo, na leitura de Deuteronômio 22.28-29, passagem que alguns afirmam ensinar que uma mulher estuprada deveria se casar com seu estuprador. De fato, essa passagem tem sido usada para justificar abusos repetidos na vida de mulheres vítimas de crimes sexuais. Será essa a leitura correta? Vejamos o que diz o texto bíblico:

> Se um homem tiver relações com uma moça virgem, mas que não esteja prometida em casamento, e eles forem descobertos, o homem pagará ao pai da moça cinquenta peças de prata. Uma vez que ele humilhou a moça, se casará com ela e jamais poderá se divorciar.

Nessa tradução da NVT, não fica explícito que a moça em questão teria sido violentada. Vejamos, porém, o que dizem duas outras populares traduções:

> Se um homem se encontrar com uma moça sem compromisso de casamento e a violentar, e eles forem descobertos, ele pagará ao pai da moça cinquenta peças de prata. Terá que casar-se com a moça, pois a violentou. Jamais poderá divorciar-se dela. (NVI)

> Se um homem encontrar uma moça virgem, que não tem casamento contratado, e a pegar à força, e tiver relações com ela, e eles forem apanhados, então o homem que teve relações com ela pagará ao pai da moça cinquenta barras de prata; e, uma vez que a humilhou, terá de recebê-la por esposa; não poderá mandá-la embora durante a sua vida. (NAA)

Nas versões NVI e NAA, o texto parece de fato afirmar que uma moça estuprada deve se casar com seu estuprador. Porém, há questões muito sérias de tradução (e de contextualização) aqui a ser consideradas. Nessa seção da Lei, Moisés está lidando com casos de imoralidade sexual. Ele apresenta quatro casos, na seguinte ordem: 1) uma relação sexual entre um homem e uma mulher casada; 2) uma relação sexual entre um homem e uma mulher prometida; 3) uma relação sexual entre um homem e uma mulher não prometida; e 4) o caso em questão acima. Analisar cada um dos três primeiros casos nos ajuda a entender o sentido do quarto e último.

No primeiro caso, lemos: "Se um homem for flagrado cometendo adultério, ele e a mulher terão de morrer. Desse modo, vocês eliminarão o mal do meio de Israel" (Dt 22.22). Trata-se de um caso clássico de adultério. No texto, não há indicação de violência envolvida. A palavra *shakab* ("adultério"), quando não acompanhada de outra palavra ou contexto que indique violência ou algo forçado, indica apenas um encontro sexual consensual. Ambos foram surpreendidos enquanto faziam sexo e, portanto, ambos deveriam morrer. Perceba que o estado civil do homem não importa. Ele é culpado de adultério mesmo se for solteiro e a mulher, casada. Esse é um caso da Lei que protege o casamento. Homens não deveriam sair por aí se deitando com qualquer mulher fora do casamento, porque se elas fossem casadas ele seria culpado. Igualmente, a mulher é culpada de adultério porque se deitou com ele.[26]

No segundo caso, lemos o seguinte: "Se um homem encontrar uma moça virgem, prometida em casamento, e tiver relações sexuais com ela dentro da cidade, levem os dois para a porta da cidade e executem-nos por apedrejamento. A mulher é culpada porque não gritou por socorro, e o homem deverá morrer porque humilhou a esposa de outro homem. Desse modo, vocês eliminarão o mal do seu meio" (Dt 22.23-24). Semelhantemente, temos um caso de fornicação e adultério. Para fins legais, quando um homem e uma mulher eram prometidos em casamento, eles já eram considerados casados mesmo sem a consumação do casamento. O texto indica que a moça não resistiu ("não gritou por socorro"), mesmo em um lugar onde ela poderia ser socorrida por quem ouvisse seu protesto ou sua resistência à agressão. O fato de ela não gritar indica que consentiu com o ato. É um tanto óbvio, mas é preciso dizer que não é sensato dizer: "Mas se o abusador sedar, tapar a boca, impedir que ela grite, ameaçar de morte se ela fizer algo?". O ponto aqui é que o texto quer mostrar que a mulher não ofereceu resistência, não tentou fugir, não tentou se desvencilhar do homem. Logo, é algo consentido. Aqui também é usado o hebraico *shakab* para indicar o encontro sexual. Portanto, ambos deveriam ser apedrejados publicamente a fim de servir de exemplo para que aquilo não se repetisse na comunidade. Se ela tivesse gritado — ou oferecido qualquer demonstração de resistência —, somente o homem seria considerado culpado, e somente ele seria morto.

O caso seguinte fala diretamente sobre estupro. Em Deuteronômio 22.25-27, lemos: "Mas, se o homem encontrar a moça prometida em casamento no campo e a violentar, somente o homem deverá ser morto. Não façam nada à moça; não cometeu crime algum que mereça a pena de morte. É tão inocente quanto uma vítima de homicídio. Uma vez que o homem a violentou no campo, deve-se presumir que ela gritou, mas não houve quem a socorresse". Esse, de fato, é um caso de violência. A palavra traduzida na NVT por "violentar" combina dois termos hebraicos, *chazaq* ("agarrar, tomar, capturar") e *shakab*, indicando que há violência envolvida. Outro elemento contextual que reforça a violência é a analogia com o assassinato de outra pessoa. A moça foi vítima assim como uma vítima assassinada. Isso reforça que estupro é equiparado a assassinato. Portanto, a moça foi forçosamente tomada pelo homem e teve relações sexuais com ele. Não há consentimento. Esse é um caso de estupro. Ela não pecou. Ela é a vítima. Somente o homem deve ser punido, e punido com morte. Perceba o quanto Deus abomina o estupro. Deus não só valoriza a mulher, mas preza tanto sua integridade a ponto de estabelecer uma lei que puna com a morte qualquer homem que a estupre.

Por fim, chegamos ao nosso caso, Deuteronômio 22.28. Já temos alguns pontos em mente: Deus abomina o adultério, a fornicação e o estupro. Voltar atrás ou estabelecer uma lei que atenue qualquer nível de abominação desses três pontos seria um contrassenso.

Outra coisa importante a fazer é comparar algumas traduções disponíveis em português. Como vimos acima, a NAA e a NVI favorecem em sua leitura um ato violento, ao usar os verbos "pegar à força" e "violentar", respectivamente. Já a tradução da NVT (e também da ARC: "pegar nela") podem tanto significar um ato violento como indicar que houve insistência do homem, sem que tenha havido relutância da moça. O termo hebraico usado aqui é *taphas*, "pegar, agarrar", que não necessariamente indica uso de força; poderia ser interpretado metaforicamente como "tocar" ou "se aproveitar", o que poderia sinalizar uma sedução.[27] Seria caso semelhante ao descrito em Êxodo 22.16-17:

> Se um homem seduzir uma moça virgem que não esteja comprometida e tiver relações sexuais com ela, pagará à família dela o preço costumeiro do dote e se casará com ela. Mas, se o pai da moça não permitir o casamento, o homem lhe pagará o equivalente ao dote de uma virgem.

O trecho de Deuteronômio, portanto, ecoaria o de Êxodo. Não há pena capital para o homem, porque nem casamento, nem noivado foram comprometidos. Trata-se de um caso de sedução, mesmo que algumas traduções apontem para estupro. Outro elemento contextual que indicaria o consenso seria o fato de o homem e a mulher serem "descobertos". Perceba que no caso 3, o estupro claro, não há menção de que ambos "foram descobertos", como se a mulher tivesse participação ativa no ato. Aqui, sim. O plural indicaria que ambos estavam comprometidos em se esconder e que a mulher seduzida consentiu com o ato. Sendo ela uma virgem não prometida em casamento, isto é, noiva, ela seria rejeitada na sociedade. Portanto, o homem teria de se casar com ela e não poderia se divorciar. Como comenta Fabiano Prado:

> a mulher não é tratada como aquela moça vítima de estupro, que, como o texto bíblico esclarece, "*não tem culpa*" (v. 26) e que, inclusive, '*gritou*' por socorro (v. 27). Enquanto naquele caso somente o homem é culpado, aqui trata-se de uma situação em que ambos são "*apanhados*" (v. 28), não havendo qualquer referência à mulher como uma vítima, ou como quem não tem envolvimento na imoralidade sexual.[28]

Isso parece fazer muito sentido. No caso anterior, em que claramente se trata de um estupro, há indicadores de que a mulher é vítima do homem. Aqui, não. Não há menção de que ela tenha gritado ou que não tenha culpa. Esse seria um caso de fornicação, mas que, diferentemente dos dois primeiros casos — nos quais a mulher é ou casada ou noiva — aqui ela não é. Por isso a penalidade é diferente. Assim, Deuteronômio 22.28-29 não seria um caso de estupro, mas de uma relação consensual em que a moça foi levada pelo homem, teve relações com ele e ambos foram descobertos. Tanto o homem quanto a mulher são responsabilizados pelo ato: o homem pela sedução e a mulher pelo consentimento.

Criando uma cultura anti-abuso nas igrejas

A cultura em que vivemos nos ensina como nos comportar socialmente e como pensar. Há coisas que são consideradas certas, e coisas que são consideradas erradas. Palavras tidas como normais em uma região podem ser encaradas como chulas em outra parte do país. Longe de querer relativizar as coisas, o fato é que tais diferenças nos mostram que a forma como as pessoas se organizam gera um tipo específico de comportamento e de convicções. É mais do que óbvio que todas essas manifestações, expressões e convicções culturais precisam passar pelo crivo das Escrituras. Como dizem Scot McKnight e Laura Barringer: "A cultura nos *sociabiliza* para aquilo que é considerado comportamento apropriado. Para cristãos, isso se aplica a nossas igrejas, bem como a sociedade de modo mais amplo".[29]

A forma como, direta e indiretamente, somos instruídos na igreja molda nosso comportamento e determina nossas medidas de avaliar o que é certo e o que é errado. Essa cultura se desenvolverá de modo positivo, se a Palavra, o amor bíblico e o Espírito Santo guiarem sua formação. "Quando a cultura de uma igreja é arraigada na compaixão, cria um ambiente de segurança, proteção e abertura."[30] Nesse tipo de cultura eclesiástica, quando houver um caso de abuso — afinal o pecado ainda existe —, a mulher terá mais convicção de que seu problema será devidamente tratado tanto interna quanto externamente. Em contrapartida, em uma igreja cuja cultura é tóxica, em que os líderes abusam de sua autoridade, mulheres abusadas não encontrarão espaço para solucionar seus problemas e se encontrarão duplamente abusadas: pela liderança e pelo marido.

McKnight e Barringer nos apontam três formas de identificar igrejas tóxicas.[31] O primeiro ponto é o narcisismo da liderança. Narciso é o belo homem da mitologia grega que contemplou sua imagem nas águas de um rio, apaixonou-se por si mesmo e, ao tentar obter para si a imagem pela qual se apaixonou, acaba se afogando e morrendo. Líderes narcisistas são homens apaixonados pela imagem que forjaram para si. São atraídos e fascinados por essa imagem. Tudo o que possa atrapalhar ou contrariar essa imagem é como alguém que joga uma pedra no rio de Narciso e desfaz a imagem do líder. Essa pessoa se torna uma inimiga, ou no contexto eclesiástico, uma pecadora, alguém que vai contra o enviado do Senhor e merece ser repreendida. O líder narcisista tenta transmitir segurança, embora seja frágil como o espelho que reflete sua imagem. Para eles, tudo é uma questão de controle, e uma vez que sua autoimagem e a reputação da igreja "são entrelaçadas de modo tão próximo, a raiva é uma reação comum a críticas, quer essas críticas realmente sejam expressas, quer o pastor apenas se sinta criticado".[32] Esse líder responde às críticas repreendendo, envergonhando, humilhando aquele que o critica.

O segundo ponto é o poder de intimidação. Líderes podem usar a desculpa da autoridade para impor medo sobre a congregação. Quando isso se combina com o narcisismo, tem-se a pólvora e o fogo para destruir uma igreja. "Quando outros líderes da igreja se tornam cúmplices do abuso de poder pelo pastor, uma sombra assustadora se projeta sobre o restante da igreja e os membros relutam em se pronunciar."[33] Os membros cedem à opressão, porque estariam indo contra Deus. Analogamente, uma mulher pode acabar cedendo ao poder de intimidação de um marido abusador. Em uma igreja tóxica, isso avilta a gravidade e a dor do pecado. Os líderes não são confiáveis para que ela peça ajuda. Pior ainda, podem aumentar sua sensação de culpa ao dizer que é ela que está provocando isso em seu marido. O abusador se torna a vítima, e a vítima é desumanizada.

A terceira forma de identificar uma igreja tóxica é pela criação de narrativas falsas. O pastor narcisista e intimidador detém o poder da narrativa. Vale o que ele diz. Quando surgem críticas contra ele ou seu ministério, a primeira coisa que ele faz é desacreditar os críticos, muitas vezes demonizando-os — afinal, a palavra do pastor é a palavra de Deus. Ir contra ele é ir contra o próprio Deus, e quem faz isso é Satanás. Sob essa ótica, quem irá discordar dele? Ele pode ainda questionar o intelecto e sanidade dos críticos ao lançar sementes de dúvidas sobre o acusador e levá-lo a questionar suas próprias convicções e lembranças, uma prática conhecida como *gaslighting*.[34] É um meio sutil de desestabilizar o acusador, semelhante ao que a serpente fez no Éden quando questionou Eva: "Deus realmente disse que vocês não devem comer do fruto de nenhuma das árvores do jardim?" (Gn 3.1).

Outra forma de manipular narrativas é transformar o agressor em vítima. Em vez de incentivar o perdão e o arrependimento, narcisistas e seus bajuladores criam uma narrativa na qual o abusador/agressor é desresponsabilizado por seus atos e se torna vítima. "Veja, seu marido trabalha tanto para prover para o lar. Ele se estressou no trabalho, e tudo o que queria quando chegasse em casa era o jantar na mesa esperando por ele. Em vez disso, você estava assistindo doramas na Netflix. Acha isso certo? Seu pecado fez você se cansar do homem que Deus lhe deu porque fica idealizando amores irreais na televisão. Esse seu roxo vai passar, mas e a ferida na alma de seu esposo?"

Algumas igrejas também recorrem ao silenciamento e à supressão da verdade, não raro usando de ameaça, intimidação e da própria Bíblia contra o crítico. O líder acusa seu crítico de causar divisão no corpo, de promover falso testemunho, a fim de abafar tanto os casos de abusos familiares como os abusos eclesiásticos. "Quando a verdade é suprimida e o silêncio é mantido, agressores podem continuar a abusar de outros e feri-los", escrevem McKnight e Barringer. "A vítima e aqueles que a silenciam são os únicos que sabem o que aconteceu. Quando o silêncio e a supressão se tornam falsas narrativas, mostram que as vítimas não importam e que não vale a pena revelar os atos dos abusadores."[35]

Cabe mencionar ainda os falsos pedidos de desculpas. Há falsidade nas desculpas, porque não há confissão de pecados nem arrependimento. Pelo contrário, continuam condenando a vítima, apresentando vários malabarismos retóricos para justificar os comportamentos e tranquilizar a consciência dos ouvintes. "Agimos com a melhor das intenções, mas as coisas fugiram de nosso controle. Também somos seres limitados, mas nunca tivemos a intenção de fazer mal algum." Isso não é um pedido de perdão. É apenas uma desculpa esfarrapada.

Numa cultura de narcisistas empoderados, homens abusadores encontram o ambiente perfeito para agirem como bem quiserem com suas esposas. Numa cultura em que membros temem contrariar, criticar ou apontar os pecados dos mesquinhos, por pensarem que estarão agindo contra Deus, mulheres apanharão caladas sob um véu de submissão antibíblica perante uma autocracia travestida de liderança.

Lidando com casos atípicos

Antes de terminar, quero lidar com dois casos anormais. O primeiro é o das falsas denúncias de violência. Na minha vida pastoral tive de lidar pelo menos uma vez com isso. Pode de fato acontecer. Geralmente acreditamos nos vulneráveis, e às vezes é melhor errar ao tomar cuidado com o fraco do que fazer vista grossa e a pessoa sofrer mais. Mas tudo precisa ser olhado com muito cuidado. Se há uma denúncia de abuso pela mulher e o homem nega, é preciso averiguar a situação atentamente. Em Provérbios, lemos que "falar sem antes ouvir os fatos é vergonhoso e insensato" (Pv 18.13). Em qualquer denúncia de violência, os dois lados precisam ser ouvidos. Em caso de negação do homem, ele deve ser colocado contra a parede. É importante que a mulher sempre abra boletim de ocorrência em casos de agressão, porque isso ajudará no processo de comprovação desse tipo de comportamento do marido. Sim, é lamentável que a mulher tenha de provar que está apanhando. Em contrapartida, muitas mulheres prejudicam outros por causa das falsas denúncias. Muitas dessas falsas denúncias são motivadas por disputa pela guarda da criança. Quando há divórcio, algumas mulheres falsamente denunciam o outro para tentar acelerar o processo de divórcio e de guarda do filho. É terrível que exista algo assim, porque prejudica as mulheres que de fato estão sofrendo.

Ainda assim, convém enfatizar que é arriscado só tomar alguma atitude depois de averiguar detalhadamente a história e cotejar todas as narrativas em busca de contradições, no esforço de descobrir se a denúncia da mulher é verdadeira ou não. Diante de uma denúncia de abuso, a primeira atitude de um bom líder é fornecer, de imediato, apoio e consolo emocional, e em seguida um ambiente de segurança física. Por mais que o testemunho da esposa, sozinho, não sirva como prova de que tudo aquilo realmente aconteceu, já é suficiente para buscar protegê-la do marido. Não me arrependo nem por um minuto de ter acolhido e protegido alguém que trouxe uma denúncia que com o tempo se revelou falsa. É melhor oferecer uma proteção que depois se mostra desnecessária do que correr o risco de descartar uma denúncia tão séria e deixar alguém à mercê de um agressor. Quando não há como ter certeza dos fatos relatados, pastores devem agir com sabedoria cuidadosa no trato de cada parte, sem condenar o acusado, mas sem deixar de proteger quem acusa.

Em segundo lugar, há o caso dos homens que apanham. Existe um estigma atrelado a isso, porque o homem pode não acreditar que está sofrendo violência doméstica, para não falar da vergonha associada à ideia de um homem apanhar de uma mulher. Infelizmente, não são poucos os casos em que isso acontece. Tomei conhecimento de um caso em que a mulher batia no marido repetidas vezes, até que um dia o marido começou a bater na mulher. A violência nunca gerará nada de bom. Portanto, em casos de homens que apanham de mulheres, também é importante pedir ajuda. Não é vergonha. Você não será tratado como menos homem se está enfrentando esse tipo de dificuldade em casa. Isso evita que, por estar apanhando, você acabe revidando — o que será um problema duplo na família.

Com a igreja, na igreja, por meio da igreja

Nunca acredite que casos semelhantes não acontecerão em sua comunidade de fé. Podem existir mulheres na minha e na sua igreja que apanham do marido. Não temos como saber de tudo, porque não podemos estar na casa de cada um averiguando. Mas, caso alguma informação surja, é imprescindível que as mulheres encontrem um presbitério e uma comunidade que se coloque ao lado delas para respeitá-las e amá-las. Ninguém deve passar pano para o marido. Ninguém deve impedir que a mulher tente escapar de uma situação de violência. A mulher deve ser cuidada e amada, como convém em todo ambiente de igreja.

Uma última observação: há mulheres que apanham, mas que não largam o casamento abusivo. Isso pode ser perigoso, sem sombra de dúvida. A esposa pode estar idolatrando o marido, tratando-o como alguém sem o qual ela não conseguiria viver. Há uma coisa muito ruim na situação de uma mulher que não quer sair de um relacionamento abusivo em nenhuma hipótese e não quer pedir ajuda. Mas talvez haja uma raiz boa nessa situação, e eu digo isso com todo o cuidado. Talvez haja um caminho para restaurar aquele casamento. Ela não quer ir embora, e não quer outro marido. Ela só quer que aquele marido se torne outro homem. Por isso, ela não vai embora, porque se apega a uma fagulha de esperança de que o marido pode mudar. É triste que talvez ele não mude. Porém, Deus pode restaurar casamentos que já passaram pelo pior. Afinal, já não passamos nós mesmos por conflitos em nossos matrimônios? E já não vimos tantas coisas neste mundo que Deus restaurou? Deus pode curar casamentos feridos e matrimônios destruídos. Entretanto, isso não pode ser às custas de sua segurança física e de seus filhos. Sim, Deus pode restaurar matrimônios, mas ele não fará isso com você sozinha apanhando calada. Ele fará isso quando você pedir ajuda das pessoas à sua volta, em sua comunidade. Não caia no mito de que seu casamento será restaurado se você aguentar um pouco mais. Pode ocorrer de você aguentar até a sepultura.

É importante que você aguente com a igreja, na igreja, por meio da igreja, com ela participando e cuidando de você. Será esse o instrumento que Deus poderá usar para restaurar seu casamento.

4

Divórcio

A Bíblia diz que a mulher não pode divorciar por qualquer motivo?

O cheiro de pão de queijo e suco de laranja com morango dominava a sala do apartamento, quando ela disse aliviada: "Eu tinha medo de que vocês pedissem que eu voltasse para ele, pastor". Aquela conversa acontecia alguns meses depois de uma mensagem no celular que mudou drasticamente a vida de Ana. Ela vivia um casamento difícil, regado a brigas, ofensas e ameaças. Em dado episódio, em meio a uma dessas discussões, acabou se trancando no quarto com os filhos. O marido pegou uma faca na cozinha, tentou entrar no quarto, mas não conseguiu. Ela me mandou mensagem deixando claro que temia pela própria vida.

O marido já estava mais calmo quando eu e um policial que é membro de nossa igreja chegamos. Levamos Ana à Casa da Mulher Brasileira, onde havia uma unidade do Deam (Delegacia especializada de atendimento à mulher) e outros serviços de proteção a vítimas de violência. Quando ela saiu, a delegada pediu para conversar comigo e com o irmão policial que me acompanhava. "Essa mulher vai virar estatística se voltar para casa", ela disse, em tom grave. Ana saiu de lá com uma medida protetiva e foi direto para a casa de outra família da igreja, que a abrigou por um tempo.

Quando se decidiu pelo divórcio, porém, Ana ficou insegura. Não sabia se o que Deus esperava dela era que restaurasse o casamento, ainda que isso significasse lidar com um marido partindo para cima dela e dos filhos com uma faca. O discurso do marido era que Deus odiava o divórcio e, portanto, ele queria reatar — muito embora não demonstrasse qualquer arrependimento real ou mudança de conduta, mesmo depois de meses de intervenção pastoral. Não queria seguir o caminho do divórcio, mas não transmitia qualquer segurança de que Ana e os filhos não passariam por risco de vida novamente. Os sinais de agressividade continuavam patentes.

Na sala de sua casa, comigo e com outro pastor da igreja, Ana queria entender se deveria aceitar o discurso do marido e desistir do divórcio, e se a Bíblia permitiria que ela seguisse a vida sem aquele homem. Explicamos, pastoralmente, as consequências e os custos de cada decisão. Abordamos a necessidade de perdoar e não guardar ódio ou rancor. Mas explicamos também o que a Bíblia dizia sobre as possibilidades de divórcio e novo casamento, deixando claro que ela não só não precisava voltar para o marido, como também poderia seguir a vida conjugal com outro homem no futuro, quando estivesse pronta para isso, e que o caminho mais sábio para ela e para os filhos era se afastarem daquele que seria um risco físico constante para todos. Ana ficou aliviada. Por algum motivo, achou que nosso conselho seria outro. Ela pareceu saborear o suco e o pão de queijo com mais tranquilidade.

Infelizmente, nem todas as mulheres encontram o alívio de Ana. Quando questionam seus pastores, mulheres em lares abusivos, violentos e adúlteros são ensinadas a permanecer no casamento, custe o que custar. É verdade que não são muitos os pastores com a coragem insensata de fundamentar publicamente esse tipo de argumentação, mas vez por outra alguém acaba trazendo à tona aquilo que se encontra apenas no submundo de algumas denominações.

Um exemplo notável se deu em meados de 2023, quando em transmissão ao vivo o pastor Cláudio Duarte, conhecido justamente por sua abordagem de temas conjugais, ouviu o relato de uma jovem senhora que dizia estar prestes a se separar depois de ter sofrido violência física e adultério. Ela afirmou que o marido não aceitava a separação e que isso só aconteceria com um dos dois mortos. Em um contexto em que violência já havia sido cometida, uma declaração como essa soa ameaçadora. Ela então pergunta: "Quando o outro entra com violência, até quando aguentar, até quando permitir?". Cláudio Duarte a aconselha a não se separar do marido e alerta que ela não pode se casar com outro. Na visão de Duarte, seria até possível encontrar algo positivo na declaração do marido agressor de que o casamento só acabaria com um dos dois mortos. Segundo ele, há ali um homem de princípios, ainda que sem habilidade para conduzir esses princípios. A senhora então narra que o marido esconde comida dos filhos e que até já empurrou um deles, mas Duarte não muda seu conselho. "Não acho que o caminho é terminar, não", diz ele. Ela pergunta por fim se mesmo com traição e violência ela não poderia se casar novamente, e ele deixa claro que não.[1]

Cláudio Duarte e vários outros pastores cuja postura ele representa não estão promovendo uma novidade doutrinária. Sua postura encontra fundamentação teológica em nomes relevantes dos movimentos teológicos conservadores. Em artigo publicado em 2015, Jay Adams, considerado pioneiro no movimento moderno de aconselhamento, argumenta que uma mulher que sofre violência do marido não tem o direito de se divorciar. Para Adams, a violência física "não está entre as razões legítimas para o divórcio encontradas na Bíblia; e a separação nunca é uma opção". Ele argumenta que é possível que a esposa saia de casa por uma noite caso o marido bêbado comece a quebrar tudo, mas isso não autoriza o divórcio. A esposa deveria permanecer e aguentar o sofrimento físico. E por que ela seria obrigada a permanecer com um homem assim? "A Bíblia não apenas oferece a esperança de que ela possa ganhá-lo para Cristo", afirma Adams, citando 1Coríntios 7.10-14 e 1Pedro 3.1, "mas também tem algo a dizer sobre suportar perseguições injustas."[2]

Seu argumento é que "aqueles que sofrem devem continuar fazendo o que é certo, assumindo todas as suas responsabilidades (o que, neste caso, significa cumprir o voto matrimonial, que inclui a promessa 'para o bem ou para o mal')". E isso a despeito da violência física. Essa seria, na visão de Adams, uma postura que honra os mártires cristãos: "Ao longo dos tempos, os crentes têm suportado perseguições e provações de natureza física, até mesmo envolvendo a morte, por causa de Cristo".

Adams fez escola. De modo semelhante, mas ainda mais explícito, em uma série de palestras sobre "aconselhamento bíblico avançado" publicadas on-line em 2012 (e disponíveis até hoje) pelo The Master's University and Seminary, famoso seminário de John MacArthur Jr., o presidente do programa de pós-graduação de aconselhamento bíblico,

John Street, argumentou que uma esposa deve suportar abuso do marido assim como um missionário suporta a perseguição.[3] John Street era presbítero na Grace Community Church, de MacArthur, e palestrante de influência internacional, com obras publicadas no Brasil.

Em palestra de 2012 sobre aconselhamento de casais em relacionamentos abusivos, Street diz: "Se salvar o corpo é o objetivo final do aconselhamento, para sermos coerentes, teríamos de fazer disso o objetivo final dos cristãos em todos os níveis", sugerindo que conselheiros não devem ter como principal foco a proteção física de mulheres em risco. Para ele, isso significaria que missionários em campo também deveriam ser removidos de situações de risco, já que não apenas esposas e filhos, mas também os próprios missionários correriam perigo. Assim, em vez de procurar prevenir danos, o objetivo do aconselhamento bíblico em um casamento abusivo, na visão de Street, seria "procurar glorificar a Deus a fim de conquistar o agressor para a justiça e ser o tipo de pessoa de Deus, mesmo no meio da provação".

Em outra palestra, Street também afirmou que é errado uma esposa cristã com um marido incrédulo separar-se de seu cônjuge por causa de abuso. A única exceção seria se a esposa acreditasse correr perigo iminente de ser morta. "É errado a esposa separar-se do marido ou, nesse caso, o marido separar-se da esposa incrédula? Sim, se o objetivo e propósito dela é simplesmente sair do problema, acho que está errado", disse Street. "O objetivo dela deve ser primeiro agradar a Deus", continuou ele. "Ela precisa estar com ele, ou ele precisa estar com ela, a fim de conquistar o cônjuge para a justiça. Às vezes isso significa dificuldades. *Às vezes significa abuso. Esse é sempre o risco*" (grifos meus).

Street também alega que abrigos para mulheres — casas que recebem vítimas de violência ou em risco de violência iminente —, que ele caracteriza como "muito feministas e muito anticasamento", causam mais danos do que benefícios porque ensinam as mulheres a tomar medidas que tornam menos provável a reconciliação com o cônjuge. Ele diz que os abrigos exibem cenas gráficas de abuso contra mulheres e crianças, "literalmente assustando-as até a morte. E o que acabam fazendo é elevar o medo que sentem do homem quase ao nível do pânico". Para ele, isso significa que tais abrigos "estão fortemente empenhados em não ver o casamento funcionar". Street também diz que a mulher, ao estabelecer limites para um marido abusivo, mudando-se e mantendo sua localização em segredo, por exemplo, apenas enfurece seu agressor e "impede qualquer tipo de restauração". Falando sobre submissão a maridos abusivos, ele lamenta que "os conselheiros, em sua maioria, serão muito rápidos em fazer que a pessoa escape sem lhe ensinar a fidelidade de Deus ou a importância de viver o cristianismo fielmente, mesmo em meio a aflições severas".

Anos mais tarde, John Street pregaria um sermão na Grace Community Church, em julho de 2020, no qual exorta o cônjuge que sofre abusos a ser "um missionário nesse casamento". Elogia Sarah Edwards, esposa do teólogo do século 18 Jonathan Edwards, por se comprometer a permanecer no casamento mesmo que o marido "a chicoteasse todos os dias". Também menospreza a esposa que estabelece limites quando o marido abusa dela e de seus filhos. A esposa de Edwards, pelo contrário, estava focada em glorificar a Deus, enquanto muitas esposas em casamentos fisicamente abusivos se concentram apenas em "proteger-se". Por fim, Street diz que os únicos motivos para o divórcio são o adultério impenitente e o abandono do cônjuge — e só.[4]

No mesmo ano desse sermão de John Street, Paige Patterson, presidente do Seminário Teológico Batista do Sudoeste e um dos principais responsáveis pelo ressurgimento conservador da maior denominação dos Estados Unidos, a Southern Baptist, foi questionado em uma conferência sobre como uma mulher deveria lidar com um marido fisicamente abusivo. Sua resposta atraiu grande atenção da mídia: em seu conselho, a separação deve ser reservada apenas "para os casos mais graves" e que o divórcio é "sempre um conselho errado".[5]

Essas posturas são bíblicas? Eu acredito que não. Ainda pior, acredito que se trata de uma postura que coloca irmãos em Cristo em profunda vulnerabilidade — principalmente mulheres, as principais vítimas de violência. De fato, nós pastores sempre procuramos manter os crentes casados. Quando chamados a lares em momentos de crise, nossos esforços sempre visam ajudar o casal a permanecer no casamento. Porém, é importante ter em mente que nem todo casamento será salvo, e as Escrituras não ignoram essa questão. Há momentos em que Deus permite o divórcio. Às vezes, é o único caminho para manter vivas mulheres diante de homens violentos. Foi a única forma de salvar Ana e seus filhos.

Jesus permite o divórcio em Mateus 19

No Evangelho de Mateus, encontramos um dos famosos casos em que os fariseus se aproximam de Jesus com alguma polêmica teológica, a fim de pegá-lo "no pulo do gato", como dizemos aqui no Ceará. Ou seja, queriam apanhar Jesus em uma contradição para poder acusá-lo publicamente.

No caso de Mateus 19, a questão do divórcio é uma dessas polêmicas teológicas usadas pelos fariseus para tentar derrubar Jesus. O texto do Evangelho narra: "Alguns fariseus apareceram e tentaram apanhar Jesus numa armadilha, perguntando: 'Deve-se permitir que um homem se divorcie de sua mulher por qualquer motivo?'" (Mt 19.3). A intenção dos fariseus não era esclarecer uma dúvida pessoal que os estivesse afligindo, mas sim testar Jesus para que ele eventualmente caísse em contradição. De todo modo, trata-se de uma pergunta profunda, com um amplo contexto de debates com base no Antigo Testamento.

A carta de divórcio de Deuteronômio 24

Essa passagem de Mateus remete a uma polêmica entre os rabinos judeus sobre a interpretação de Deuteronômio 24.1-4 e a lei referente à carta de divórcio. Essa carta era um recurso proposto no Antigo Testamento para que o homem liberasse a mulher a fim de que ela se casasse novamente quando ele quisesse contrair um novo casamento. Assim diz o texto de Deuteronômio:

> Se um homem se casar e a esposa não for do seu agrado porque ele descobriu alguma coisa vergonhosa da parte dela, ele escreverá um certificado de divórcio e o dará a ela, mandando-a embora de sua casa. Depois de partir, ela poderá casar-se com outro homem. E, se este também a rejeitar e escrever um certificado de divórcio e o der a ela, mandando-a embora de sua casa, ou até mesmo se ele morrer, o primeiro homem que a mandou embora não poderá casar-se de novo com ela, pois ela foi contaminada. Isso seria detestável para o SENHOR.
>
> Deuteronômio 24.1-4

A passagem de Deuteronômio não fala à mulher sobre o homem, mas ao homem sobre a mulher. O texto almeja restringir a atitude masculina de repudiar displicentemente a própria esposa. Consiste, portanto, numa forma de proteger a mulher, a parte mais frágil na relação conjugal. Imagine que o marido deu a carta de divórcio à esposa por qualquer motivo. Assim, ela poderia se casar com outro homem. Uma vez que ela se casou com outro homem, o primeiro marido não poderia se casar com ela novamente, nem mesmo se o novo marido a repudiasse ou mesmo morresse. O primeiro marido não poderia voltar a se casar com ela em nenhum contexto. Essa lei visava criar consciência no marido para não se divorciar por qualquer motivo. O casal se desentendeu, brigou e o marido pensou em mandar a mulher embora. Cuidado: se outro homem a receber como esposa, o primeiro marido a terá perdido para sempre. O certificado de divórcio, portanto, era uma proteção às mulheres.[6]

A lei do Antigo Testamento, portanto, nem ordena nem admite o divórcio em geral, mas somente regula sua prática para o antigo Israel. Isto é, não há uma ordem para o divórcio, apenas uma permissão. Deus deu essa lei porque conhecia o coração do povo e estava administrando essa fraqueza. Não se tratava de algo desejável. Longe disso, na verdade.

Ainda assim, os rabinos judeus da época de Jesus viviam debatendo sobre um ponto específico dessa passagem. Quais os motivos justos para que se entregue um certificado de divórcio? O texto de Deuteronômio diz: "Se um homem se casar e a esposa não for do seu agrado porque ele descobriu alguma coisa vergonhosa da parte dela". Esse era um ponto de debate entre as duas escolas judaicas de interpretação da época: a escola de Hilel e a escola de Shamai, originadas a partir de dois rabinos judeus muito famosos e respeitados.[7]

Hilel (e depois os seguidores de outro rabino chamado Akiba) interpretava o "se não for do seu agrado" como uma permissão para dar a carta de divórcio por qualquer motivo que fizesse o marido se desagradar da esposa. Nesse caso, os motivos mais banais, como a aparência da esposa ou o fato de ela deixar queimar a comida, por exemplo, seriam suficientes para justificar o divórcio.

Shamai, por sua vez, era mais conservador e qualificava o "se não for do seu agrado" pelo que vinha a seguir: "alguma coisa vergonhosa da parte dela". Sua interpretação era de que o único motivo correto para dar a carta de divórcio era a imoralidade sexual. Não somente adultério estaria envolvido, mas qualquer indecência, o que poderia incluir algo prévio da vida da mulher, como a virgindade. Na época, a virgindade fazia parte do acordo de casamento. Se a mulher escondeu que já havia tido relações antes de se casar, aquilo era visto como algo vergonhoso.

Daí a pergunta dos fariseus a Jesus: "Deve-se permitir que um homem se divorcie de sua mulher por qualquer motivo?". A frase "por qualquer motivo" é uma referência à escola de Hilel, e é uma pergunta sobre Deuteronômio 24. Por que isso seria uma armadilha para Jesus? Porque era um debate político belicoso. O judaísmo não era só religião; era também política e envolvia o modo como os judeus se relacionavam. Se Jesus dissesse que "sim", ele estaria do lado de Hilel, o que provocaria a raiva dos judeus do lado de Shamai. Se dissesse que "não", os judeus do lado de Hilel se indignariam contra ele. A intenção dos fariseus era provocar um "cancelamento" de Jesus, levando-o tomar decisões em assuntos controversos de seu tempo.

Resposta de Jesus sobre a sacralidade do casamento

Como Jesus responde a essa provocação? Ele volta ao Antigo Testamento, mas o faz com sagacidade.

> "Vocês não leram as Escrituras?", respondeu Jesus. "Elas registram que, desde o princípio, o Criador 'os fez homem e mulher' e disse: 'Por isso o homem deixa pai e mãe e se une à sua mulher, e os dois se tornam um só'. Uma vez que já não são dois, mas um só, que ninguém separe o que Deus uniu."
>
> Mateus 19.4-6

"Vocês não leram as Escrituras?": imagine os fariseus ouvindo isso. Jesus cita o Antigo Testamento, mas passa por cima de Deuteronômio e volta para o início, para Gênesis 2.24. Os judeus procuravam desculpas para o divórcio, mas Jesus queria voltar para o fundamento maior do que o casamento de fato significa. Em vez de discutir uma concessão da lei mosaica, Jesus retoma uma ordem criacional anterior à lei e que remete à própria criação de Adão e Eva. O divórcio não faz parte daquilo que Deus projetou para o casamento. Todo casamento é uma união feita por Deus, e homem nenhum deveria quebrar essa aliança. Jesus queria abordar o padrão de Deus para o matrimônio em primeiro lugar, não a concessão para o divórcio. O alvo de Deus para o matrimônio é que homem e mulher unidos em casamento nunca se separem.

Separar-se não é simplesmente sair de casa. O texto não diz que agora "eles moram juntos", mas sim que "se tornam um só", uma só carne. Homem e mulher agora olham um para o outro dentro de uma união dada por Deus para que eles já não se separem um do outro. Jesus apela ao propósito de Deus na criação a fim de que os fariseus entendam que, antes de pensar no que seria motivo para o divórcio, é preciso relembrar o princípio estabelecido para o casamento, de modo que nem sequer haja, ou se procure, motivos para uma separação.

Quando nós, pastores, somos procurados por pessoas dispostas a desistir do casamento, sempre iremos recuperar esses textos de Gênesis, não os textos sobre divórcio. A primeira resposta não deve ser se Deus permite ou não o divórcio, mas o que Deus espera do casamento e planejou para ele. Não nos cabe olhar de imediato para as cláusulas de exceção e as possibilidades de ir embora. Temos de olhar para a verdade unitiva do que é o casamento — uma verdade que Deus uniu até que a morte separe. O texto não diz que Deus uniu os casamentos felizes. *Todo* casamento é uma união dada pelo próprio Deus vivo.

Portanto, se você chegou a este capítulo pensando nas justificativas pelas quais poderia se divorciar, a primeira coisa que deve saber é que Deus está preocupado com a permanência, não com a separação. O propósito de Deus é oferecer caminhos de unidade, não de ruptura.

Resposta de Jesus sobre a dureza do coração

Os fariseus, no entanto, não são tolos. Eles conheciam o Antigo Testamento. Poderiam não conhecer o Deus do Antigo Testamento, mas certamente conheciam os versículos. Sabem que Jesus tangenciou a pergunta e não se dão por vencidos. Em Mateus 19.7, questionam: "Então por que Moisés disse na lei que o homem poderia dar à esposa um certificado de divórcio e mandá-la embora?".

Observe como eles interpretam equivocadamente o texto de Deuteronômio. A lei não ordena o divórcio. A lei aponta para uma possibilidade. Na cabeça farisaica, porém (e muitas vezes na nossa), acredita-se que, se encontrarmos no cônjuge algo que possa minar o relacionamento, a primeira atitude é aceitar o divórcio como se fosse um mandamento divino, como se Deus estivesse ordenando a ruptura. Não é, definitivamente, o caso. Deus permite, mas não ordena. Jesus não ignora os textos sobre divórcio, mas só os considera depois de trazer à luz os textos de permanência.

Jesus então responde: "Moisés permitiu o divórcio apenas como concessão, pois o coração de vocês é duro, mas não era esse o propósito original" (Mt 19.8). O que os fariseus não entendiam é que fazer teologia não é fazer guerra de versículos. É entender os versículos dentro de seu contexto, para saber o que Deus queria em cada um deles. Havia, sim, um texto sobre divórcio, mas qual era a intenção de Deus ao fornecer aquilo? A Antiga Aliança não demonstra o padrão perfeito de Deus sobre cada detalhe da vida; antes, revela como Deus gerenciava corações pecaminosos. Muito do que existia na Antiga Aliança, sendo ela uma aliança inferior, visava gerir pecados e suas consequências. A bigamia e a poligamia começam no Antigo Testamento debaixo do pecado, mas a lei mosaica gerenciava tais relações. Não vemos isso no Novo Testamento. Na Antiga Aliança, Deus estava lidando com um povo específico, em um contexto específico, com suas dificuldades específicas.

Isso nos possibilita alguns entendimentos sobre o divórcio. Em primeiro lugar, o divórcio não era um mandamento, mas uma permissão. A pessoa poderia se divorciar, mas não era obrigada a fazê-lo. O homem poderia se divorciar caso encontrasse na esposa algo desagradável ou vergonhoso, mas ainda assim não era obrigado a dar a carta de divórcio. Ele poderia tratar a questão e ganhar a esposa de volta.

Em segundo lugar, o motivo da lei era a dureza do coração humano. O adultério, por exemplo, muitas vezes endurece o coração do cônjuge de um modo sem volta. Se não fôssemos maus, nem existiria lei sobre divórcio. É por causa da dureza de nosso coração que esse tipo de lei existe. Isso mostra a gravidade da imoralidade sexual: é um pecado que endurece o coração do outro de tal forma que pode destruir o relacionamento.

Muitos de nós não fazemos ideia do que é lidar com esse tipo de situação. Podemos até imaginar, mas quem nunca passou por isso não sabe o efeito do adultério do cônjuge em seu coração. Todos aqueles a quem aconselho em caso de imoralidade sexual no casamento ouvem a mesma coisa: "Eu não sei como reagiria". Não sei, de fato, como meu coração reagiria em caso de adultério, mas sei que é um tipo de pecado poderoso para endurecer um coração. Eu sei o que gostaria de fazer e como gostaria de reagir, mas não sei o que realmente faria. Esse é um tipo de consciência que precisamos ter a respeito de nós mesmos. O pecado do adultério e da imoralidade sexual é a quebra da aliança do casamento. É um pecado que destrói o outro. O divórcio não é o padrão de Deus para o casamento, nem uma ordem de Deus para casos de imoralidade. É uma permissão de Deus quando o pecado do outro nos endurece de tal forma que não conseguimos permanecer naquela convivência.

Por isso as vítimas de imoralidade sexual no casamento precisam ter seu coração tratado. Às vezes, Deus quebra o coração que sofre com esse tipo de pecado. Eu tive a graça de ver corações que se endureceram profundamente por causa do pecado do outro receberem de Deus um tratamento que fez o casamento prosperar e se tornar saudável depois do adultério. Deus faz coisas grandiosas mesmo em corações que se endureceram com o pecado do outro.

Resposta de Jesus sobre a permissão do divórcio

Na sequência do texto, Jesus diz: "E eu lhes digo o seguinte: quem se divorciar de sua esposa, o que só poderá fazer em caso de imoralidade, e se casar com outra, cometerá adultério" (Mt 19.9). Nesse aspecto, Jesus reproduz a compreensão da escola de Shamai. O motivo justo para o divórcio era a imoralidade sexual, e não qualquer coisa que desagradasse o marido. Jesus rejeita a ideia liberal de que qualquer coisa que desagradasse o marido era motivo para se divorciar.

Convém notar que o termo grego que Jesus usa não é a palavra para "adultério", mas sim o termo genérico para imoralidade (*porneia*). É um aspecto relevante, porque a expressão usada em Deuteronômio, "coisa vergonhosa", não trata especificamente de adultério, mas de imoralidade sexual. Ou seja, em caso de imoralidade sexual, um cônjuge pode dar a carta de divórcio para o outro, e então ambos podem seguir a vida sem estarem presos um ao outro.

Alguém poderia pensar em uma série de possibilidades de imoralidade sexual, como adultério, bestialidades, incestos, voyeurismo, níveis extremos de vício em pornografia etc. Existem níveis de contato com a imoralidade que certamente entrariam nesse contexto estabelecido por Jesus. Quase sempre a postura pastoral diante da imoralidade é promover a busca do perdão. Porém, haverá casos em que o cônjuge traído se recusará a buscar esse perdão. Nesse tipo de cenário, o cônjuge teria todo o direito de se divorciar.

Além do mais, não há como desconsiderar que perdão nem sempre significa restauração. Para muitos, perdoar sempre é esquecer. É desconsiderar o ato do outro ao ponto de restaurar relacionamentos como se nada houvesse acontecido. No entanto, o perdão nem sempre cobra a desconsideração de elementos que tornam a convivência impossível. Se meu contador rouba dinheiro de minha empresa, eu não preciso mantê-lo contratado ao perdoá-lo. Se alguém abusa de minha filha, eu não preciso convidá-lo para o Natal da família ao perdoá-lo. Mas o perdão pode existir mesmo quando a convivência não pode continuar. Ninguém precisa se submeter a relacionamentos destrutivos quando o outro, mesmo com palavras de arrependimento, possui comportamentos que frequentemente ofendem e machucam. Um cônjuge traído deve perdoar seu ofensor, mas não é obrigado a manter aquele relacionamento quando julga que aquilo não é mais possível.

Alguns leem essa passagem e acreditam que Jesus está permitindo que um casamento se encerre, mas não que as partes desse matrimônio contraiam uma nova aliança conjugal. Isso, porém, não condiz com o diálogo que Jesus estabelece com o texto de Deuteronômio. A carta de divórcio existia para permitir que ambas as partes se casassem novamente, e é disso que Jesus está falando quando fala de divórcio.

Wayne Grudem argumenta que o divórcio, no primeiro século, sempre incluiu o direito de um novo casamento: "Nas culturas grega, romana e judaica do primeiro século, onde quer que o divórcio fosse permitido, sempre se presumia que o direito de casar novamente o acompanhava".[8] A Mishná judaica diz: "A fórmula essencial na carta de divórcio é: 'eis que és livre para casar-te com qualquer homem'" (*Mishna*, *Gittin* 9.3). Para os gregos, um homem poderia se divorciar da esposa enviando-a de volta ao pai, que poderia então dá-la em casamento a um segundo marido. Semelhantemente, para os romanos, o novo casamento era aceitável e necessário.[9] Portanto, se Jesus pretendia ensinar que o divórcio às vezes era permitido, mas não um novo casamento, ele teria de deixar isso excepcionalmente claro em seus ensinamentos. Do contrário, seus ouvintes teriam naturalmente presumido que, sendo o divórcio permitido, também o é o direito de se casar novamente com outra pessoa.

Contra esse argumento, alguns defendem que a cláusula de exceção modifica apenas o divórcio, mas não o novo casamento. Faltaria, contudo, uma declaração clara da parte de Jesus que apoiasse isso, uma vez que o casamento era visto pelos judeus como um direito fundamental. Na verdade, Jesus já estaria presumindo que o divórcio foi ou seria seguido de um novo casamento, porque estar casado era o padrão da comunidade judaica. Em nossos tempos, o divórcio é visto como "estar livre" a partir de uma perspectiva individualista, que busca "liberdade" para desfrutar do que não poderia ser desfrutado no contexto conjugal. Não era assim a mentalidade judaica. O judeu não se divorciaria para permanecer não casado, mas justamente para se casar novamente com alguém que lhe agradasse. Conforme diz Craig Keener, "nenhum leitor judeu leria Mateus de outra forma. Novamente, a cláusula de exceção teria pouco valor prático se o divorciado não pudesse recasar".[10]

A mentalidade judaica era tão pró-casamento que os discípulos consideram pesado o que Jesus diz. Quando dizem: "Se essa é a condição do homem em relação à sua mulher, é melhor não casar!" (Mt 19.10), eles já presumiam que o caminho natural seria o casamento. Porém, dado o ensino de Jesus, passam a ver o casamento com mais seriedade. É como se o pensamento fosse: "Quero me casar, mas se infelizmente a mulher com quem me casar não me agradar, bastará entregar a carta de divórcio e me casar com outra". Assim, quando Jesus estabelece a cláusula de exceção, os discípulos passam a dizer: "Então, se eu me divorciar por outro motivo que não for imoralidade, não vou poder casar novamente? Se é assim, melhor nem casar, para começo de história!".

Jesus arremata dizendo: "Nem todos têm como aceitar esse ensino. [...] Só aqueles que recebem a ajuda de Deus" (Mt 19.11). Isso reforça que a mentalidade judaica era pró-casamento, e até mesmo os que não estavam aptos para lidar devidamente com o casamento contraíam matrimônio. Ainda que o *status quo* fosse o casamento, nem todos estavam aptos para isso. Daí os divórcios "por qualquer motivo", porque pessoas não aptas para casar estavam se casando.

Quem pode casar novamente?

Agora, existe um conceito razoavelmente popular em círculos conservadores que consiste em criar uma diferença entre a parte ofendida e a parte ofensora nos casos de divórcio. Alguns dizem que se você é quem pediu o divórcio, não pode se casar novamente. Só poderia casar novamente a parte de quem se pediu o divórcio. Se você foi o adúltero, então só o outro pode voltar a se casar. Mas o texto não diz nada sobre isso. Pelo contrário, ao dialogar com a carta de divórcio da lei de Moisés, Jesus está deixando muito claro que isso era um meio que visava dar liberdade a ambas as partes, tanto à vítima quanto ao que cometeu pecado. Acontece que nós gostamos de criar nossas próprias leis. Assim, imaginamos que se alguém comete pecado, estará marcado para o resto da vida. Ainda que se arrependa, alguma coisa teria de puni-lo para além do que Jesus estabelece.

Se a pessoa se encontra em um cenário de adultério e, por causa disso, pede divórcio, ambas as partes estão livres para outro casamento. Claro que a parte ofensora precisa de um tratamento diferente. Ela precisa de arrependimento, reconhecer o que fez. Não é forçada a se casar novamente, mas não existe nada nas Escrituras que a impeça — depois de arrependida — de se casar. Claro que se pode discutir a sabedoria de se casar com alguém que já cometeu adultério no passado, mas as Escrituras não demandam celibato eterno daqueles que foram os ofensores em relacionamentos que terminaram.

O que cometeu pecado e acaba recebendo carta de divórcio precisa se arrepender e ser tratado pela igreja, mas depois disso, tendo a igreja reconhecido que houve arrependimento genuíno e transformação real naquele coração, a pessoa pode seguir sua vida para um novo matrimônio, se assim preferir. Já aquele que adultera e simplesmente segue a vida sem arrependimento será excluído da igreja e viverá como ímpio. O que ele faz ou deixa de fazer não está debaixo do controle ou conselho da igreja.

Se é assim, melhor não casar

Nos versículos seguintes, em Mateus 19.10-12, os discípulos de Jesus, como já vimos, se incomodam com o que ele acabou de dizer.

> Os discípulos de Jesus disseram: "Se essa é a condição do homem em relação à sua mulher, é melhor não casar!".
>
> "Nem todos têm como aceitar esse ensino", disse Jesus. "Só aqueles que recebem a ajuda de Deus. Alguns nascem eunucos, alguns foram feitos eunucos por outros e alguns a si mesmos se fazem eunucos por causa do reino dos céus. Quem puder, que aceite isso."

Os discípulos deixam claro sua preferência pela escola de Hilel. Parece que, tanto para os fariseus quanto para os discípulos, o divórcio deveria ser um direito *a priori*, ou seja, já no ato do casamento eles cogitavam a possibilidade do divórcio. Segundo essa visão, casar-se e não poder divorciar a não ser por causa de imoralidade sexual era algo que fazia o casamento não valer a pena. E eu sei que esse é o sentimento de muitos cristãos. É o sentimento de alguns solteiros que pensam: "E se a pessoa ficar chata?" ou "E se tivermos alguma incompatibilidade de personalidade?". A resposta de Jesus é: "Então não se case". Se Deus lhe der a condição de viver em celibato, sexualmente puro, amém, permaneça solteiro.

Ao dizer que nem todos estão aptos para aceitar esse ensinamento, mas apenas quem recebe a ajuda de Deus, Jesus deixa claro que permanecer solteiro não foi algo concedido a todo mundo. Nem todos conseguem ficar sem se casar. O casal precisa assumir a responsabilidade da decisão que tomou e construir um relacionamento. E isso é maravilhoso: ainda que pareça uma prisão para alguns, é a única garantia de que o relacionamento pode ser salvo de qualquer buraco em que caia, pois existe o compromisso de não ir embora. Quando existe esse compromisso, casamentos podem ser construídos com fidelidade. O casal entregará a vida um ao outro, e nada mudará isso. É esse tipo de atitude que leva os cônjuges a lutarem pela permanência mesmo em situações adversas.

Sim, alguns casados às vezes podem dizer a si próprios: "Se eu soubesse que seria assim, não teria casado". A verdade é que Deus não comete erros. Nós podemos cometer erros, mas Deus não. E o matrimônio foi uma decisão que passou pela mão de Deus. O que Deus espera é formar-nos à imagem de Cristo, ainda que seja por meio de um casamento difícil. O que Deus espera é que homem e mulher entrem unidos nesse relacionamento sem querer destruir um ao outro.

Sou um pastor relativamente jovem, mas tenho cada vez mais aprofundado minha convicção de que é raro alguém conseguir destruir um casamento sozinho. Via de regra, o único jeito de um casamento entre dois crentes ser destruído é se os dois se esforçarem muito. Um casamento destruído não é algo que acontece naturalmente, e não é o trabalho de uma pessoa só. É sempre um trabalho conjunto. Um bom marido consegue construir um bom casamento mesmo com uma má esposa. Ele consegue liderar, cuidar, abençoar, oferecer a outra face, servir e apaziguar o coração dela através da Palavra. Uma boa esposa consegue permanecer, orar e, por sua boa conduta, ganhar aquele que não segue a Palavra. Talvez outros pastores tenham visões diferentes, mas essa é a minha experiência. Raramente alguém é apenas vítima, e não cúmplice, de um casamento destruído.

A única exceção seriam os contextos menos comuns, mas infelizmente ainda bem presentes em nossas igrejas, de abuso e violência. Esses casamentos podem se tornar profundamente destrutivos mesmo com toda a boa vontade de um dos cônjuges. Sem intervenção pastoral, ação do Espírito e arrependimento genuíno, nem o melhor parceiro consegue criar um lar minimamente saudável. Nesses casos, o divórcio acaba se tornando uma infeliz, mas possível, opção.

Agora, note o seguinte. Jesus está fazendo um sermão sobre todos os motivos que permitem o divórcio e o recasamento? Não. Ele está respondendo a uma pergunta sobre Deuteronômio. Não esgota o assunto nem lida com todas as exceções possíveis para o padrão de evitar o divórcio. Por isso Paulo se torna útil para dar continuidade a esta conversa.

Paulo permite o divórcio em 1Coríntios 7

Em 1Coríntios 7.10, Paulo se reporta aos casados dizendo: "Para os casados, porém, tenho uma ordem que não vem de mim, mas do Senhor: a esposa não deve se separar do marido". Lembremos que na igreja de Corinto se pensava que era algo recomendável separar-se do cônjuge em busca de uma espiritualidade maior. Havia maridos e esposas deixando o cônjuge descrente, por considerarem que seriam contaminados cerimonialmente pela coabitação com um não salvo. Haveria, assim, um tipo de "divórcio santo", no qual se largava o cônjuge descrente.

Porém, acompanhando o que Anthony Thieselton aponta sobre o versículo 4, "não é acidental que na maioria das epístolas Paulo associe a união física do casamento com a palavra grega *soma* em vez de *sarx*, para garantir que não haveria qualquer sugestão de dualismo entre 'o espiritual' e o físico".[11] Várias vezes em suas epístolas, Paulo usa *sarx* (carne), para indicar a natureza pecaminosa do ser humano. Porém, ao utilizar *soma* (corpo) ele anula a possibilidade desse dualismo.

Assim como Jesus, antes de falar qualquer coisa sobre divórcio, Paulo fala sobre a importância de permanecer casado. No verso seguinte, ele diz: "Mas, se o fizer, que permaneça solteira ou se reconcilie com ele. E o marido não deve se separar da esposa" (1Co 7.11). Atenção ao uso de *Mas* no início do versículo. Segundo Gordon Fee, isso "descreve a possibilidade da alternativa, a qual é admissível, mas não ideal".[12] O casamento é uma instituição tão importante que, se quiser simplesmente sair dele sem um motivo justo, você continuará vinculado àquela aliança. Ou seja, mesmo que você saia de casa, isso não significa que a aliança foi desfeita. Você ainda está casado(a) e não pode se casar com outra pessoa, antes deve se reconciliar com o cônjuge.

Nos versículos seguintes, Paulo escreve: "Agora me dirijo aos demais, embora o Senhor não tenha dado instrução específica a respeito. Se um irmão for casado com uma mulher descrente e ela estiver disposta a continuar vivendo com ele, não se separe dela. E, se uma irmã for casada com um homem descrente e ele estiver disposto a continuar vivendo com ela, não se separe dele" (1Co 7.12-13). Aqui o apóstolo não está inventando algo que Jesus não disse; tão somente não está repetindo palavras ditas por Jesus durante seu ministério terreno. Até aqui, ele vinha reproduzindo as palavras de Jesus, mas a partir de agora ele construirá revelação como um homem inspirado por Deus. Paulo está argumentando que a descrença do cônjuge não é motivo justo para o divórcio. O crente não será contaminado cerimonialmente ao se deitar com um cônjuge descrente. O pecado não é uma doença sexualmente transmissível. Se você se casou e depois se converteu, mas seu cônjuge não, você pode continuar casado. Não é preciso largar o cônjuge porque você se converteu e ele não. Se ele não impede sua busca por santidade e sua frequência à igreja, continue no casamento.

E Paulo continua: "Pois o marido descrente é santificado pela esposa, e a esposa descrente é santificada pelo marido. Do contrário, os filhos seriam impuros, mas eles são santos" (1Co 7.14). Não há aqui espaço para discutir esse texto detalhadamente, mas Paulo quer garantir que o crente não ficará impuro porque seu parceiro é descrente. Ao contrário, o crente pode ser um instrumento para a santificação do cônjuge. Havia filhos de casais em que somente um dos cônjuges era crente que se tornaram crentes.

Agora, porém, ele lidará com um caso particular: o cônjuge descrente simplesmente decide ir embora ou então manda o outro para fora de casa. Ele diz: "Se, porém, o cônjuge descrente insistir em se separar, deixe-o ir. Nesses casos, o irmão ou a irmã não está mais preso à outra pessoa, pois Deus os chamou para viver em paz" (1Co 7.15). Paulo está dizendo que há liberdade para viver sem estar preso àquela aliança de casamento, caso o parceiro decida ir embora. Segundo Fee, Paulo "admite que, se o pagão quer o divórcio, então o cônjuge crente não está mais debaixo de 'obrigação'".[13]

"Pastor, mas o texto não diz explicitamente que se pode casar novamente", alguém poderia dizer. Mas perceba que Paulo disse no início da passagem que, se alguém simplesmente sai do casamento, ou volta para o cônjuge ou fica solteiro para sempre, respeitando aquela aliança. Se Paulo fornece outro cenário aqui, é porque não é um cenário igual ao anterior. Por mais que o foco do texto recaia sobre o parceiro descrente, qualquer um que escolha sair de casa sem motivo justo será repreendido pela igreja e convidado ao arrependimento. Se a pessoa permanece nesse caminho e decide ir embora, está escolhendo deliberadamente o caminho do pecado. Essa pessoa passa a se enquadrar nas instruções de Jesus em Mateus 18. Ela não reconhece a ética de Jesus, vivendo como descrente, sem arrependimento, e assim será tratada pela igreja.

Convém lembrar, por fim, que Paulo não está tirando isso da própria cabeça. Ele também está dialogando com a única outra cláusula de divórcio que há no Antigo Testamento, em Êxodo 21.7-11:

> Quando um homem vender a filha como escrava, ela não será liberta como os homens. Se ela não agradar seu senhor, ele permitirá que alguém lhe pague o resgate, mas não poderá vendê-la a estrangeiros, pois rompeu o contrato com ela. Mas, se o senhor da escrava a entregar como mulher ao filho dele, não a tratará mais como escrava, mas sim como filha.

> Se um homem que se casou com uma escrava tomar para si outra esposa, não deverá descuidar dos direitos da primeira mulher com respeito a alimentação, vestuário e intimidade sexual. Se ele não cumprir alguma dessas obrigações, ela poderá sair livre, sem pagar coisa alguma.

Havia, debaixo da lei mosaica, um tipo de liberdade para o divórcio no caso de o marido abandonar os cuidados com a esposa quando ela era uma serva estrangeira. O abandono era uma quebra do compromisso matrimonial de permanecer sustentando aquela mulher cuja única fonte de sustento seria o marido em uma sociedade na qual o trabalho era impossível para as mulheres. O caso em questão ainda é mais particular, porque se tratava de uma mulher que era escrava, que foi tomada como estrangeira, que não conseguiria obter nenhuma forma de renda.

A interpretação rabínica dessa passagem é que, se esse era um direito de servas estrangeiras, também seria o direito das mulheres hebreias. Portanto, todo homem que desprezasse a esposa em nome de outro casamento daria a essa esposa o direito de ir embora podendo se casar de novo. Em outras palavras, Paulo está aludindo ao texto de Êxodo para dizer que um cônjuge que abandona o outro estaria entregando uma carta de divórcio que daria ao outro o direito de seguir a vida a partir dali.

Outros casos para o divórcio

Jesus e Paulo apresentam, ambos, dois momentos em que o divórcio — e o novo casamento — não é pecado: imoralidade sexual e rompimento por parte do outro. No caso do rompimento, não há muito o que fazer. Paulo diz que somos chamados para viver em paz. Você não pode obrigar a pessoa a ficar com você. Se o outro quer ir embora, você pode procurar outro casamento. No caso de traição ou de imoralidade sexual, você também teria direito ao divórcio e a se casar de novo. A parte ofensora, caso se arrependa, seja reintegrada à igreja, mude e assuma outra postura, futuramente poderia também procurar um novo casamento.

Alguém poderia perguntar: “Pastor, esses são todos os casos em que o divórcio é permitido?”. Minha resposta seria: “O divórcio é permitido nesses casos, nas derivações desses casos e em casos similares a esses”. Por exemplo, ambientes de abuso, de ameaça de violência física, de risco à vida, de maus-tratos dos filhos, de criminalidade etc. Elementos que tornam a existência doméstica impossível. Pode não ser um "abandono" no sentido empregado por Paulo, mas é certamente uma forma de tornar a existência do outro na mesma casa igualmente impossível.

Esse argumento se baseia em duas percepções, uma lógica e uma exegética. No sentido lógico, é a consequência clara do fato de existirem formas de "abandono" que não acontecem com a saída física do cônjuge de dentro de casa. Pense em casos de violência doméstica. Mesmo que a esposa não seja verbalmente expulsa de casa, a atitude de tornar sua existência ali um risco à integridade física ou à própria vida configura um ato de extrema irresponsabilidade. É como se o marido agressor dissesse: "Eu não quero que você vá embora, quero que fique aqui apanhando toda semana!". É um absurdo pensar que esse tipo de coisa não é uma expulsão do outro. Sobre esse caso, é útil citar o estimado reverendo presbiteriano Augustus Nicodemus Lopes, tendo em vista o respeito de sua figura nos círculos mais conservadores. Ele diz, enfaticamente:

> Se acontece o caso de você sofrer violência doméstica ou abuso, pancadaria, espancamento, você não precisa sofrer sozinha. Você não é obrigada, pelo cristianismo, a permanecer sozinha. Você tem o direito de se divorciar dele. Na verdade, você deveria denunciá-lo. Cremos que esse é um caso que o crente tem de recorrer à justiça contra um que se diz crente. Se você bateu na mulher, você não é cristão coisa nenhuma. Vá, denuncie, procure apoio, mas você não é obrigada a permanecer numa situação como essa.[14]

Se uma mulher (ou um homem, em casos mais raros) me liga dizendo que está sendo fisicamente ameaçada, nossa atitude como igreja é imediatamente retirar essa mulher de casa. Nesse caso, vou chamar um presbítero mais forte que eu e iremos à casa da irmã para socorrê-la. Chegando lá, tiraremos a mulher e os filhos, se houver, e os levaremos primeiro a uma delegacia e, depois, à casa de alguém da igreja que possa recebê-los. Depois disso, trataremos pastoralmente com o marido. Primeiro protegemos e depois perguntamos. Esse é nosso papel como igreja.

Não há dúvida de que é uma situação complicada. Nunca é fácil ter de lidar com algo assim, que foge dos padrões planejados por Deus. Aqui entram em cena a sabedoria e trato do presbitério para lidar caso a caso. Porém, ambientes de risco ou violência física são ambientes de ruptura de relacionamento. Entendemos que a parte que sofre não precisa voltar para o mesmo matrimônio.

Imagine que um marido começa a traficar drogas em casa. Bandidos transitando na casa colocarão em risco a vida da mulher e dos filhos. É uma situação de existência impossível dentro daquele ambiente. Não que um marido que se torne traficante seja exemplo de fidelidade ao casamento, mas ele não precisaria ser traficante *e* infiel para que a esposa pudesse sair daquela situação. O marido está expulsando esposa e filhos de casa quando transforma a existência doméstica em uma realidade inviável.

Ou imagine um marido que mantém a esposa em estado de alienação financeira, social ou familiar, privando-a de comida, por exemplo, uma vida de cativeiro. Isso existe. Não pense que é apenas hipotético. Ainda que não haja adultério ou abandono literais, existe uma situação que a igreja interpretará como possibilidade de ruptura do relacionamento. A maldade é criativa e, como já dito, é necessário sabedoria por parte da igreja para olhar caso a caso.

Existe ainda um forte argumento exegético em favor dessa visão. Em 1Coríntios 7.15, Paulo diz: "Se, porém, o cônjuge descrente insistir em se separar, deixe-o ir. Nesses casos, o irmão ou a irmã não está mais preso à outra pessoa, pois Deus os chamou para viver em paz". Com a expressão "Nesses casos" Paulo se refere a "casos como este", de deserção por parte do incrédulo, ou a "casos semelhantes a este", ou seja, qualquer caso em que alguém destruiu igualmente o casamento? Wayne Grudem argumentou muito convincentemente que vários exemplos da literatura extrabíblica mostram que a formulação grega usada aqui inclui mais tipos de situações do que o exemplo original.[15] Além disso, ele percebeu que os autores do Novo Testamento geralmente usam o singular quando a referência se limitava a um exemplo específico, demonstrando que o uso do plural por Paulo significa que ele tem não apenas seu exemplo em mente, mas casos semelhantes ao exemplo. Isso certamente incluiria outros casos de violência, abuso e afins. Caso Paulo quisesse se ater apenas ao exemplo descrito (abandono por parte do descrente), poderia ter usado o singular "nesse caso", como fez na mesma epístola (1Co 11.22) e em outros textos (2Co 3.10; 5.2; 8.10; Fp 1.18). O plural só indicaria número restrito de casos se o referente anterior fosse também um número plural de casos, o que faria a expressão se restringir aos casos referidos no texto. A questão de 1Coríntios 7.15 é que só temos *um caso*. O contraste entre o singular e o plural, portanto, autoriza a conclusão de Grudem.

Com base nisso, Grudem lista alguns casos que podem permitir o divórcio, como violência e abuso físico contra o cônjuge ou filhos, crueldade verbal e relacional extrema e prolongada, ameaças críveis de danos físicos ou homicídio, dependência incorrigível de drogas ou álcool ou outros vícios destrutivos para a família, como jogos de apostas ou pornografia.[16] É claro que precisamos ser cuidadosos. Alguns querem se aproveitar desses textos para inventar tipos criativos de abandono e, assim, validar o divórcio. No aconselhamento pastoral, já deparei com casos de mulheres que acusavam o marido de abandono e queriam se divorciar, com base em 1Coríntios 7, porque ele não ganhava muito dinheiro e ela não conseguia ter o que queria. Ou maridos que acusavam a esposa de ter abandonado o casamento porque não eram sexualmente muito ativas. Isso é um desrespeito tanto ao texto quanto às pessoas que vivem em situações de abandono ou abuso.

Portanto, podemos concluir que Jesus e Paulo não desejam o divórcio, mas não o proíbem totalmente. E, embora não estimulem o recasamento, não o tratam como pecado, desde que aconteça dentro das cláusulas concessivas.

Paulo não proibiu novo casamento em Romanos 7

Ainda assim, há quem tente usar o texto de Paulo em Romanos 7.1-4 para argumentar que o divorciado não pode se casar de novo em nenhum cenário enquanto o cônjuge estiver vivo. A pessoa que foi traída, ou que vivia em cativeiro e foi resgatada pela igreja, ou cujo marido começou a traficar drogas, ou qualquer cenário semelhante, não poderia fazer nada além de esperar a morte do cônjuge.

O texto diz o seguinte:

> Agora, irmãos, vocês que conhecem a lei, não sabem que ela se aplica apenas enquanto a pessoa vive? Por exemplo, quando uma mulher se casa, a lei a une a seu marido enquanto ele estiver vivo. No entanto, se ele

> morrer, as leis do casamento já não se aplicarão à mulher. Portanto, enquanto o marido estiver vivo, se ela se casar com outro homem, cometerá adultério. Mas, se o marido morrer, ela ficará livre dessa lei e não cometerá adultério ao se casar novamente. Assim, meus irmãos, vocês morreram para o poder da lei quando morreram com Cristo, e agora estão unidos com aquele que foi ressuscitado dos mortos. Como resultado, podemos produzir uma colheita de boas obras para Deus.

O que está sendo desconsiderado aqui? Em primeiro lugar, que a lei não afirma nada nesses termos, porque já permitia o divórcio, conforme vimos em Deuteronômio 24, e um novo casamento. Em segundo lugar, o texto de Paulo se refere ao "marido", não havendo, portanto, um divórcio envolvido. A mulher não poderia se casar com outro simplesmente porque ainda está casada. Caso, porém, o marido deixasse de ser marido porque veio a falecer, ela poderia se casar com outro homem. Logo, Paulo não está proibindo o novo casamento em caso de divórcio — ele nem está tratando do tema do divórcio. Está tomando um caso que indubitavelmente permite um recasamento: a morte do cônjuge. Seu objetivo é dizer que o cristão morreu para o pecado e está casado com Cristo. É até um tanto óbvio que Paulo não trate do divórcio aqui, justamente porque o divórcio *não é algo recomendado*, nem por ele, nem por Jesus. Se em sua ilustração Paulo tivesse dito que alguém divorciado da lei estaria livre para se casar com Jesus, seria como se ele *incentivasse* o divórcio para que nos casemos com Cristo. Uma vez que o casamento com Jesus é o indicado e a forma de obtermos a vida eterna, usar nessa ilustração o divórcio seria dizer que se trata de algo imprescindível para estarmos unidos a Cristo. Porém, como já vimos, embora o divórcio não seja recomendado, não é totalmente proibido contanto que as cláusulas determinadas por Jesus e Paulo sejam atendidas.

Em terceiro lugar, essa argumentação ignora que Paulo está oferecendo um exemplo, e não tratando de todos os detalhes relativos ao casamento. Usar como texto-prova para proibir o divórcio uma passagem que serve como ilustração é uma falha hermenêutica. Quando se usa um exemplo em uma argumentação, como faz Paulo aqui, é óbvio que se usará a regra, em vez da exceção. É verdade que existem os casos de divórcio, mas Paulo não está tratando deles. Ele está falando sobre o casamento.

Em suma, usar Romanos 7 para ignorar as cláusulas de divórcio aprovada nas Escrituras é desconsiderar o restante dos textos bíblicos e o próprio sentido do texto de Romanos 7 como ilustração de nosso relacionamento com a lei.

Um casamento em adultério é um casamento válido?

Uma questão pastoral fundamental diz respeito ao que fazer quando alguém se divorcia de modo injusto e se casa novamente. Se um casamento foi rompido sem nenhuma cláusula justa de divórcio (por excesso de brigas ou qualquer outro motivo) e, no futuro, a pessoa se casa novamente, é preciso terminar o casamento atual e voltar para o antigo?

Há quem pense assim. Porém, existe o intrigante texto de João 4, que narra o encontro de Jesus com uma mulher junto ao poço. Jesus diz que ela já teve cinco maridos e que o homem com que ela agora habita não é marido dela. Jesus reconhece que cada casamento dela foi válido, e é improvável que ela tenha sido viúva cinco vezes. Na verdade, é mais provável que tenha sido repudiada cinco vezes. Nesse caso, tratava-se de uma mulher à margem da sociedade.

Até mesmo bons teólogos como John Piper, que defendem não haver liberdade para novos casamentos quando houve uma ruptura do antigo, ainda que respeitando as cláusulas de Jesus e de Paulo, acreditam que cada novo casamento é válido com base no texto de João 4. Piper argumenta que Jesus reconhece que a mulher foi casada cinco vezes. Aqueles cinco homens foram, de fato, maridos, não somente "namorados" ou "amantes", justamente ao diferenciá-los do sexto, com o qual ela está agora. Jesus usa o substantivo "casamento" e o verbo se "casar" para indicar tais relacionamentos (Mt 5.32; Mc 10.11-12). Portanto, segundo a visão de Piper, tudo o que está atrelado ao casamento — como permanência e santidade — precisa ser sustentado, ainda que o casamento consista em uma relação que se deu de forma errada, como um recasamento após um divórcio. Sendo assim, mesmo que não concorde com o recasamento, Piper admite que um casamento ilícito é válido e deve ser mantido por causa do peso do voto feito.

É interessante que John Piper resgate a história dos gibeonitas, de Josué 9, para argumentar contra qualquer caso de recasamento. Os gibeonitas, com medo de serem exterminados por Israel, fingiram ser de um local distante e fizeram um acordo com os israelitas. Josué faz um voto diante de Deus e jura que não os mataria. Quando Josué descobre que foi enganado, ele não os destrói para ser fiel ao voto. O ponto de Piper é que um voto feito de forma errada é mantido por causa da necessidade de manter a promessa.[17] Assim, mesmo que argumente contra o novo casamento em qualquer contexto, Piper aceita que um novo casamento é válido a partir do momento que foi estabelecido. Ele não diz aos que casaram novamente que se apartem do novo casamento e voltem ao antigo, mas sim que haja tanto arrependimento por aquele novo matrimônio, um reconhecimento de que aquilo não deveria ter acontecido, como fidelidade a essa nova aliança.[18]

Ou seja, a pessoa se divorciou injustificadamente e casou-se novamente. Então, entendeu que pecou contra Deus no divórcio anterior. O que fazer agora? Não repetir o mesmo erro no casamento atual. Não é preciso romper o atual para voltar com o antigo que já foi quebrado. Deve-se tratar o atual como um casamento dado por Deus que será honrado e respeitado.

Alguns podem ficar surpresos ao descobrir que John Piper, respeitado teólogo, seja contra qualquer circunstância de recasamento. Ele próprio, contudo, sabe que sua posição tem pouca aceitação na academia teológica. Em seu livro *Casamento temporário*, ele responde à pergunta "Não há nenhuma exceção à proibição de novo casamento enquanto um dos cônjuges estiver vivo?" da seguinte forma: "A minha resposta é não. Mas faço parte de uma minoria insignificante dos estudiosos bíblicos, e também dos eruditos e pastores que creem na Bíblia".[19] Aprecio como Piper diz estar defendendo seu ponto de modo solitário, que está praticamente sozinho nessa. É uma forma honesta de apresentar as próprias excentricidades teológicas ao grande público.

Participação de divorciados e recasados no serviço da igreja

Para encerrar, há uma importante pergunta relacionada à participação de divorciados no serviço da igreja. Alguém que cometeu adultério no passado, que é divorciado ou então recasado, pode liderar outros irmãos no contexto eclesiástico?

Aqui não há espaço para estudar a fundo passagens como 1Timóteo 3.2,12 e Tito 1.6, em que Paulo recomenda que os candidatos a posições de liderança dentro da igreja devem ser "marido de uma só mulher". Na minha leitura, Paulo está nesses casos preocupado que essa pessoa não esteja cometendo adultério, um padrão moral que se aplica a toda a igreja.[20] Um pastor pode ter sido alcoólatra no passado, mas não pode sê-lo agora. Pode ter sido ganancioso no passado, mas não agora. Pode ter sido inábil ao ensino no passado, mas não agora. De igual modo, no diaconato feminino, uma mulher pode ter tido um passado de imoralidade sexual, mas se arrependeu e encontrou um novo relacionamento com Jesus, e seu relacionamento atual com a família demonstra integridade. Essas são pessoas que podem e devem ser recebidas pela igreja. A questão é: o pecado está completamente no passado? Ou algo dele ainda permanece à espreita no presente? Você ainda é a mesma pessoa que adulterou no passado? Ainda fica imaginando possibilidades ilícitas de saciar suas vontades físicas ou emocionais? Se for o caso, o pecado do passado ainda ronda seu presente.

Obviamente, existe uma série de fatores a ser considerados para avaliar a aptidão de uma pessoa para o serviço eclesiástico. Aqui estamos simplesmente nos opondo à proibição de divorciados/recasados exercerem papéis de liderança.

O que não devemos fazer, como igreja, é estigmatizar divorciados e recasados. Sim, a Bíblia nos adverte contra o divórcio, mas não podemos transformar isso num fato intransponível para o serviço de tal forma que, se a pessoa foi divorciada alguma vez em sua vida, ela estaria para sempre impossibilitada de exercer o ministério. Muitas vezes, o que encontramos é um cenário em que se coloca sobre o ombro dessas pessoas um fardo insuportável. Alguns ambientes conservadores agem dessa forma. Pessoas que cometeram pecados terríveis no passado, mas que mudaram completamente, muitas vezes não são aceitas no ambiente eclesiástico. Alguns, mesmo sendo a parte traída ou abandonada, são obrigados a deixar o ministério definitivamente.

Em contrapartida, há casos em que pastores traem ao longo de anos, tendo até gerado filhos escondidos, e a igreja pouco parece se importar. O pastor adultera, a igreja o "deixa de banco" alguns meses, e depois ele volta. Isso é ridículo. Não é o padrão que Deus estabelece para a liderança de uma comunidade. A família de presbíteros e diáconos precisa servir de exemplo mesmo em seus pecados e dificuldades. Nenhuma família é perfeita, mas precisa saber lidar com o pecado e crescer em suas batalhas.

Nós não marcamos permanentemente as pessoas que pecaram no passado. Não excluímos essas pessoas do serviço na igreja, se elas se arrependem e demonstram que estão vivendo integramente. Elas podem ser parte da liderança da comunidade. Porém, pessoas que estão em pecado precisam ser tiradas da liderança e deixadas em tratamento por anos, seja quem for, até que o passado seja reconhecido como passado.

Quando alguém que cometeu tais pecados pergunta se ainda tem espaço na igreja, trata-se de uma pergunta que ultrapassa o simples exercício de uma função. Trata-se de saber se ela tem espaço na fé. A igreja é um lugar para receber pessoas que lutam contra seus pecados, mesmo os mais terríveis. Você pode ter destruído seu casamento, ou pode estar destruindo-o agora. A igreja é o lugar para você. A igreja é o lugar para tratá-lo, repreendê-lo e encorajá-lo. É o lugar para ter dureza quando preciso e amor nos momentos de necessidade.

Jesus recebe você que já adulterou no passado. Jesus recebe você que largou um lar por qualquer motivo. Jesus recebe você que tem um histórico terrível. Jesus conhecia seu histórico quando decidiu ir à cruz por você. Você é recebido na igreja porque Jesus paga o preço de nossos adultérios, porque ele foi punido por causa de nossas infidelidades. Você é um mau marido ou uma má esposa? Se você é crente, Jesus foi punido em seu lugar para que o Pai o receba apesar de seus terríveis pecados. Ele fez isso para que você se arrependa diariamente e progrida no caminho da fé. Fez isso para que seus pecados do passado fiquem no passado, os do presente sejam vencidos e você cresça em santidade para que os do futuro não sejam um empecilho em sua caminhada com ele.

Jesus é nosso padrão de casamento. Foi Jesus quem disse que aquele que vem até ele de modo algum será lançado fora. Ele se casa com sua Igreja, e nós o traímos todos os dias. Ainda assim, todos os dias Jesus nos recebe com braços de amor. O coração dele não se endurece para nós.

Você pode receber seu cônjuge nos pecados dele e tentar construir um lar sólido a partir do que Jesus constrói em nós como Igreja. Pela fé e pela fé somente. Infelizmente, nem todo casamento será salvo. Precisamos considerar as cláusulas que permitem um novo casamento, porque Deus as considera, mas temos de continuar lutando para que os divórcios sejam raros e para que a permanência seja o padrão em nosso meio.

5

Ministério

A Bíblia proíbe a atuação feminina na igreja?

Era o horário de almoço depois do culto matutino em Brasília, mas a comida estava demorando. Em minha mesa, vários jovens casados e pais de bebês conversavam animados sobre teologia puritana. O tema me interessava, mas eu não estava muito disposto a mais um debate sobre teologia histórica depois de dias de conferência, em que cada oportunidade gerava uma nova e longa discussão. Além disso, com fome e tendo pregado pela manhã, meu cansaço só fazia aumentar.

Sempre fui do tipo que fica introspectivo com fome, por isso fui buscar um copo d'água para tentar enganar a barriga. Algumas jovens senhoras terminavam o serviço ao fogão, mas a maioria estava sentada na sala. Enquanto andava um pouco pela casa cumprimentando as pessoas e tomando goles d'água, fui aonde a maioria das mulheres se encontrava. A conversa parecia mais pacífica, o que atraiu meu espírito cansado.

Sentei-me numa cadeira vaga e puxei alguma conversa amena. Uma das jovens mães era blogueira e havia publicado vários textos sobre feminilidade bíblica. Então confessei: "Vim fugir um pouco do debate teológico, porque faz três dias que a gente não faz outra coisa. Confesso que, depois de pregar, fico cansado de falar". Eu achei que ela iria sorrir simpaticamente diante de minha confissão, mas me olhou de modo estranho. Parecia que eu confessava alguma indiscrição.

Não lembro exatamente como chegamos ao assunto, mas começamos a falar de um tema recorrente nos infindáveis debates daqueles dias e mencionei um texto dela que tocava no assunto. "Ah, você poderia ter contribuído com a conversa de ontem", eu disse. Ela me olhou com ainda mais estranheza. Das palavras dela eu me recordo bem: "Quando os homens estão falando, eu fico calada". Aquilo me surpreendeu. Foi uma frase dita com força, quase uma declaração juramentada. Aquela casa estava bem dividida por sexo: mulheres na sala com os bebês, homens à mesa com a teologia. Perguntei porque ela não poderia participar das conversas sobre teologia com os homens, mas ela respondeu com outra pergunta: "Você é feminista, por acaso?".

Tradicionalmente, o cristianismo entende que apenas homens assumem as funções de liderança pastoral na igreja, como bispos ou presbíteros. Em vários ambientes eclesiásticos, porém, isso tem sido levado a extremos que excluem mulheres de aspectos básicos da vida da igreja. Naquele contexto reformado, cheio de interesse em confissões históricas e textos puritanos, a questão chegava ao ponto de excluir as mulheres da mesa de sua própria casa quando os homens começavam a falar. Em outros contextos, a proibição se estende até mesmo à oração, à música e à literatura. O reformado Scott Bushey, por exemplo, argumenta que mulheres não deveriam orar em voz alta nem liderar momentos de louvor na igreja, e que hinos escritos por mulheres deveriam ser proibidos. Ele diz:

> A mulher deve orar em voz alta? [...] Quando uma mulher ora em voz alta, ela está, basicamente, ensinando. Por exemplo: Quando fazemos a Oração do Senhor, o que ela nos ensina? Não está nos ensinando? Então, quando uma mulher ora abertamente, está transmitindo informações com capacidade de ensinar. Isso pode ser problemático. [...] Em 1Coríntios, o apóstolo diz claramente que a mulher NÃO deve falar na igreja; orar em voz alta se enquadraria nessa categoria.[1]

Sobre adoração, Bushey entende que "mulheres não cantam individualmente" na igreja, mas apenas no meio da comunidade, com suas vozes misturadas às vozes masculinas: "Se uma mulher cantasse, isoladamente, isso seria problemático", ele argumenta, uma vez que "cantar é uma forma de 'falar' (Ef 5.19) e 'ensinar' (Cl 3.16)" e por isso "estaria no âmbito da atividade proibida às mulheres. Isso excluiria a 'música especial' cantada por mulheres". Mas e se homens liderassem a adoração com alguma música composta por uma mulher? Isso também iria contra as Escrituras, ele argumenta:

> Seria correto um ministro ler um sermão ou uma oração congregacional escrita para ele por uma mulher? Claramente não. Considere, então, se é certo que ele lidere a congregação no canto de um cântico escrito por uma mulher. Por mais que apreciemos os sentimentos expressos por, digamos, Fanny Crosby, a suas palavras não deve ser dada autoridade na adoração da igreja. Cantar seus hinos no culto público é torná-la uma professora, uma líder de adoração e uma líder de oração na assembleia da igreja.[2]

Em seu blog, o pastor aposentado John Calahan respondeu à seguinte pergunta de um leitor: "Eu lidero um culto de oração nas quartas-feiras à noite em minha igreja. Pedi a uma mulher que fizesse a oração de abertura no púlpito. O pastor disse que não havia problema se a mulher orasse, mas ela deveria fazê-lo no banco da igreja". O leitor que enviou a pergunta queria saber se essa era uma intepretação correta do texto que o pastor usou para justificar aquela decisão, 1Coríntios 14.34.[3]

Eu sou pastor de uma igreja conservadora. Não há pastoras em nossa congregação. Nosso presbitério é composto exclusivamente por homens. Quando olhamos para as Escrituras, entendemos que homens e mulheres foram criados por Deus, projetados com semelhanças e diferenças. Essas diferenças envolvem não só questões biológicas, mas também os papéis que Deus designa para o homem e a mulher na família e na igreja. Isso soa absurdo em nossa cultura. Dizem que é machismo ou sexismo. Em algumas comunidades, isso pode até ser verdade. Existem ambientes que procuram disfarçar como "teologia" sua visão sexista do relacionamento entre homens e mulheres.

Porém, a Palavra de Deus de fato tem algo a dizer sobre as diferenças existentes entre homens e mulheres no que diz respeito ao serviço à igreja. Algumas igrejas pecam por apagar qualquer diferença entre o serviço de homens e mulheres, enquanto outras criam diferenças até naquilo em que somos iguais.

Ensino autoritativo e pastorado feminino

Analisaremos alguns textos bíblicos a respeito do assunto. Certamente o mais famoso deles é 1Timóteo 2.11—3.2:

> As mulheres devem aprender em silêncio e com toda submissão. Não permito que as mulheres ensinem aos homens, nem que tenham autoridade sobre eles. Antes, devem ouvir em silêncio. Porque primeiro Deus fez Adão e, depois, Eva. E não foi Adão o enganado. A mulher é que foi enganada, e o resultado foi o pecado. Mas as mulheres serão salvas dando à luz filhos, desde que continuem a viver na fé, no amor e na santidade, com discrição. Esta é uma afirmação digna de confiança: "Se alguém deseja ser bispo, deseja uma tarefa honrosa".
>
> Portanto, o bispo deve ter uma vida irrepreensível. Deve ser marido de uma só mulher, ter autocontrole, viver sabiamente e ter boa reputação. Deve ser hospitaleiro e apto a ensinar.

Esse é um texto que as pessoas que se opõem à igreja usam para acusar o cristianismo de arcaico e opressivo contra mulheres. Afinal, aqui Paulo orienta que as mulheres aprendam em *silêncio*. Essa é uma palavra forte, sem sombra de dúvidas.

Desde o Antigo Testamento, a liderança masculina era o padrão estabelecido. Todos os sacerdotes eram homens, e isso deriva do fato de os patriarcas serem homens. Jacó, um dos patriarcas, teve doze filhos, os originadores de cada uma das tribos de Israel. Do primeiro ao último sacerdote no Antigo Testamento, todos eram homens.

No Novo Testamento, Jesus escolheu doze homens para serem seus doze apóstolos, que seriam o fundamento da igreja. Certamente havia mulheres talentosas e capacitadas para Jesus escolher, mas ele não o fez. Aquele seria um momento propício para mudar qualquer hábito da vida do povo de Deus, porque com sua morte e ressurreição Jesus instauraria a Nova Aliança. Contudo, ele não o fez. Continuou uma prática que era muito comum no Antigo Testamento: a liderança religiosa masculina.

O silêncio na teologia paulina

Quando Paulo se refere ao silêncio no culto, não se trata de evitar o simples ato de proferir algo com a boca, mas sim de não participar de um tipo de discurso específico, que é feito com autoridade pastoral. Isso é evidenciado pelo uso desse mesmo termo em 1Coríntios. Em primeiro lugar, Paulo menciona mulheres que profetizavam no culto (1Co 11.5). Mais à frente, afirma que as mulheres "devem permanecer em silêncio durante as reuniões da igreja" (1Co 14.34). Em um momento, as mulheres falam por meio de oração e profecia, e logo depois é dito que elas devem ficar em silêncio. Isso significa que "silêncio", na teologia do culto delineada pelo apóstolo Paulo, não se refere ao ato de não falar, pura e simplesmente, mas de não falar de um modo específico.

Ainda em 1Coríntios 14, no trecho em que aborda o dom de línguas, Paulo diz que, se não houver quem interprete o que é dito, então aqueles que falam em línguas "devem permanecer calados na reunião da igreja, falando com Deus em particular" (1Co 14.28). O que Paulo diz é intrigante: "Permaneça calado, falando". Se a pessoa possuísse o dom de línguas e estivesse no culto com alguém que interpreta, então ela poderia falar publicamente em línguas. Porém, não havendo intérprete, fique ela em silêncio, falando em particular com Deus. Existe um jeito de ficar em silêncio falando? Para Paulo, sim — seria falando de modo não público. O exercício público de ensino com autoridade, guiando a igreja em seus caminhos, restringia-se às autoridades pastorais da comunidade.

Assim, quando Paulo diz que as mulheres devem aprender em silêncio, ele não as está proibindo de exercer qualquer tipo de fala em um ambiente de culto. Em vez disso, está afirmando que a mulher não pode se colocar em posição de exercício de autoridade de ensino na igreja. O texto, que em uma primeira leitura parece agressivo, faz uso de uma linguagem técnica que diz respeito ao culto público. Paulo não contrapõe o silêncio à fala, mas à autoridade. Ele diz: "Aprenda em silêncio com submissão", não "Aprenda em silêncio sem falar nada". O silêncio da mulher está atrelado ao não exercício de autoridade sobre a comunidade.

Fica evidente que Paulo não está proibindo todo e qualquer tipo de ensino público porque, ao longo das Escrituras, mulheres se expressaram publicamente diversas vezes, inclusive para ensinar. Na época dos juízes, Débora forneceu sua sabedoria a Israel (Jz 4—5). No Novo Testamento, Priscila, junto com seu marido, Áquila, tutoreou Apolo (At 18.26). Mulheres profetizavam publicamente na igreja primitiva (At 2.11,17; 1Co 11.5; 14.26), e toda a congregação, incluindo homens, aprendiam com essas profecias (1Co 14.31; Rm 15.14). Além disso, Paulo ordena a congregação a instruir e admoestar uns aos outros, e essas ordenanças "uns aos outros" são dadas sem nenhuma distinção de gênero (Cl 3.16; Ef 5.19-20; 1Co 14.28).[4] Sendo assim, o que exatamente Paulo está restringindo aqui?

O ensino autoritativo como função pastoral

Paulo escreve: "Não permito que as mulheres ensinem aos homens, nem que tenham autoridade sobre eles. Antes, devem ouvir em silêncio" (1Tm 2.12). Paulo não está falando de família, nem de ambientes públicos, mas de como funciona a igreja. Ele parece tratar de duas coisas diferentes: "não permito que a mulher ensine" e "não permito que a mulher tenha autoridade". Surge aqui um problema interpretativo, porque em vários momentos vemos mulheres ensinarem nas Escrituras. Porém, existe um tipo de ensino que Paulo impede às mulheres e, a meu ver, a frase "nem que tenham autoridade" é o qualificador dessa restrição — o que faz sentido quando é dito que a mulher está em silêncio com submissão. A mulher não exerce o tipo de ensino que é autoritativo sobre toda a igreja, o que naturalmente incluiria os homens. Robert Saucy escreve que "qualquer que seja a aplicação específica de 'ensino', trata-se do tipo de ensino que dá à mulher uma posição de autoridade sobre o homem", de modo que Paulo não está proibindo uma mulher de todo ensino, mas tão "somente a liderança da mulher na comunidade cristã".[5]

Isso estaria atrelado a 1Timóteo 3.1, que vem logo em seguida, quando Paulo fala do episcopado, o ministério do bispo: "'Se alguém deseja ser bispo, deseja uma tarefa honrosa'. Portanto, o bispo deve ter uma vida irrepreensível. Deve ser marido de uma só mulher". Isso torna muito provável que Paulo esteja falando do exercício do episcopado (o papel de um bispo) quando se posiciona contra a mulher ensinar e exercer autoridade.

Embora Paulo fale apenas de "bispo" (*epískopos*), é um entendimento comum entre os acadêmicos que bispo, pastor e presbítero são termos usados como sinônimos ao longo do Novo Testamento, destacando-se em cada caso aspectos diferentes de uma mesma atuação de liderança e autoridade eclesiástica. Nesse sentido, o bispo seria o supervisor da congregação, o líder da igreja responsável por lidar com questões espirituais, ao passo que presbítero (*presbyteros*) indica uma pessoa investida de autoridade e responsabilidade em questões sociorreligiosas, também podendo ser traduzido como "ancião", isto é, uma pessoa experiente para dar conselhos que envolvam aspectos religiosos. Já pastor (*poimenos*) destaca a responsabilidade da liderança com o cuidado de uma congregação. As três características do pastor/bispo/presbítero é ser um cuidador que instrui na doutrina aconselhando e supervisionando a igreja.

Há bons exemplos dos termos sendo usados de modo quase intercambiável. Em Atos 20.17,28, por exemplo, lemos que Paulo, estando em Mileto, "mandou chamar os presbíteros da igreja de Éfeso" e lhes disse: "Portanto, cuidem de si mesmos e do rebanho sobre o qual o Espírito Santo os colocou como bispos, a fim de pastorearem a igreja de Deus, comprada com seu próprio sangue". Observe que Paulo se dirige aos presbíteros de Éfeso, mas os chama de bispos e pede que eles pastoreiem a igreja de Deus. Os três nomes apontam para o mesmo ministério.

Em Tito 1.5-9, Paulo instrui sobre como deve ser a vida e o comportamento dos presbíteros:

> Foi por esta causa que deixei você em Creta: para que pusesse em ordem as coisas restantes, bem como, em cada cidade, constituísse presbíteros, conforme prescrevi a você: alguém que seja irrepreensível, marido de uma só mulher, que tenha filhos crentes que não são acusados de devassidão, nem são insubordinados.
>
> Porque é indispensável que o bispo, por ser encarregado das coisas de Deus, seja irrepreensível, não arrogante, alguém que não se irrita facilmente, não apegado ao vinho, não violento, nem ganancioso. Pelo contrário, o bispo deve ser hospitaleiro, amigo do bem, sensato, justo, piedoso, deve ter domínio de si, ser apegado à palavra fiel, que está de acordo com a doutrina, para que possa exortar pelo reto ensino e convencer os que contradizem este ensino.
>
> Tito 1.5-9, NAA

Perceba que o apóstolo não trata de ofícios distintos. Paulo começa falando sobre presbíteros nos versos 5 e 6, e conecta isso com o verso 7 usando a partícula *gar*, "porque", que dá continuidade ao argumento. Portanto, podemos entender que o bispo (v. 7) é o presbítero (v. 5).

Sobre essa questão, Gordon Fee segue a mesma compreensão, mas com uma singela diferença:

> O *epískopos* é claramente um presbítero (tanto em 1Tm 3.2 quanto em Tt 1.9, o *epískopos* é um mestre; e 1Tm 5.17 deixa claro que mestres também são presbíteros). Também parece provável que nem todos os presbíteros sejam *episkopoi* e, portanto, que as palavras sejam intercambiáveis somente em um sentido limitado. Se determinada congregação tivesse ou não vários presbíteros e um deles fosse um *episkopos* é um ponto discutível, mas não é altamente provável, nesse estágio, dado o uso do plural em Filipenses 1.1. Portanto, bispo é provavelmente um termo genérico.[6]

Portanto, Fee reconhece que há presbíteros que são bispos e que há uma pluralidade tanto de presbíteros quando de bispos. Porém, ele entende que bispo é um termo genérico que pode ser aplicado a alguns presbíteros. Essa restrição do entendimento de Fee não descredibiliza nosso argumento, apenas o limitaria em certo aspecto. Isso posto, podemos considerar com boa dose de segurança que quando Paulo restringe que mulheres ensinem e exerçam autoridade sobre a igreja de modo amplo, ele está pensando no exercício de funções que são próprias do tipo de liderança identificada como bispo, pastor ou presbítero.

Paulo lembra Timóteo de que o exercício do ministério pastoral recai apenas sobre os homens. O apóstolo não permite às mulheres nem o exercício nem a função do pastorado. Paulo poderia ter dito simplesmente: "Não permito que a mulher seja pastora", mas ele prefere falar do tipo de atuação do pastor. A preocupação de Paulo não é só com o cargo. Sua preocupação é evitar que as mulheres, mesmo sem o cargo, exerçam uma função que é própria do cargo. Mas por que Paulo não permite que mulheres exerçam algum tipo de autoridade sobre a comunidade?

Um ensino apenas para o primeiro século?

Alguns argumentam que Paulo agiu dessa forma porque era um judeu machista, com uma mentalidade típica de seu tempo. Outros chegam a dizer que nem tudo que ele escreveu era divinamente inspirado. Obviamente, não acreditamos nisso: tudo o que Paulo escreveu veio diretamente do Espírito Santo. Outros ainda defendem que Paulo estava limitado a seu contexto histórico, lidando com questões de seu tempo sem necessariamente aprová-las. Uma subdivisão dessa posição é que Paulo estava preocupado com a igreja que Timóteo estava pastoreando. Talvez fosse uma igreja na qual as mulheres estivessem causando alguma confusão e, portanto, sua mensagem se destinava especificamente a elas, não às mulheres de hoje. Craig Keener é um dos que argumenta que o mandamento paulino era uma proibição local, não universal, e que Paulo queria lidar apenas com as mulheres que eram enganadas pelos falsos mestres (1Tm 5.13; 2Tm 3.6-7).[7]

Porém, o modo como Paulo justifica a divisão de papéis na igreja não torna coerente leituras que relegam o ensino paulino ao primeiro século. Paulo usa a ordem da criação para estabelecer por que mulheres não participariam do ensino pastoral. Em 1Timóteo 2.13, ele escreve: "Porque primeiro Deus fez Adão e, depois, Eva". Ou seja, Paulo faz teologia em cima da doutrina da Criação, entendendo que a ordem, já em Gênesis 1—2, estabelece uma relação ministerial entre homens e mulheres na igreja. Paulo continua dizendo que "não foi Adão o enganado. A mulher é que foi enganada, e o resultado foi o pecado" (1Tm 2.14). Assim, Paulo também constrói teologia em cima da ordem da Queda para dizer que existe algum tipo apropriado de serviço de ministério.

Paulo não usa o fato de o homem ter sido criado primeiro que a mulher para estabelecer que ele é superior a ela, mas de fato recorre a esse argumento para mostrar que esses iguais têm papéis diferentes. A mesma coisa se dá quanto à ordem da Queda. Adão e Eva pecaram, mas Paulo argumenta que, por Eva ter torcido seu papel e guiado o homem no caminho do pecado, as mulheres não poderiam participar do que seria próprio aos homens.

Salva pela missão de mãe

Paulo segue argumentando: "Mas as mulheres serão salvas dando à luz filhos, desde que continuem a viver na fé, no amor e na santidade, com discrição" (1Tm 2.15). Esse é um texto bastante debatido e é difícil marcar uma posição absoluta sobre o significado das palavras de Paulo. Gordon Fee entende que

> muito provavelmente o que Paulo pretende é que a salvação da mulher, das transgressões provocadas por um engano similar e em última instância para a vida eterna, deverá residir no fato de ela ser um exemplo, uma mulher piedosa, conhecida por suas boas obras. Suas boas obras, de acordo com 5.11,14, incluem o casamento, ter filhos e cuidar bem da casa. A razão para ele dizer que ela *será salva* é que isso vem logo na sequência de ele ter dito que "a mulher caiu em transgressão".[8]

Semelhantemente, Philip H. Towner aponta que havia uma ampla rejeição ao padrão de vestimenta e comportamento das mulheres cristãs, e por isso Paulo deseja "garantir que o desenvolvimento da salvação dessas mulheres deve 'continuar' em uma conduta de vida caracterizada pelas marcas de uma existência cristã autêntica".[9] Ou seja, "dar à luz filhos" era uma postura comum às mulheres cristãs. Portanto, Paulo entende que uma mulher cristã, tanto na vestimenta quanto na relação com a família, deve desenvolver sua salvação apegando-se aos valores cristãos, não aos culturais.

Entendo que haja outras interpretações — como relacionar isso com a gravidez de Maria e o nascimento de Jesus, que salvaria mulheres e o restante dos que crerem —, mas, acompanhando Fee e Towner, entendo que aqui Paulo recorre à figura de linguagem metonímia, isto é, está usando a parte pelo todo. Dar à luz filhos não significa que a salvação é por parto — no sentido de que, quanto mais crianças no mundo, mais salva a mulher seria. Paulo de forma alguma estaria defendendo uma salvação da mulher por meio da obra de dar à luz filhos. No caso em questão, seria um tipo de serviço mais próximo da atuação das mulheres, que seria o trabalho doméstico, o qual *inclui* dar à luz filhos, cuidando da casa. Em vez de estarem no serviço da igreja exercendo um papel de autoridade (o que seria se adequar aos padrões mundanos), elas estariam cuidando da família, em fé, amor, santificação e bom senso. A salvação não é pelos filhos, mas está ligada a essa fé, esse amor, essa santificação e esse bom senso, cujo fruto é dar à luz filhos e cuidar da vida familiar. São essas coisas que estão atreladas à salvação dessas mulheres. Essa salvação, portanto, se manifestaria em um trabalho que não seria o de autoridade pública sobre a igreja, mas um tipo de serviço relacionado ao lar. As mulheres não devem se sentir inferiores aos homens por não poderem exercer um ofício de autoridade na igreja. Na verdade, Paulo mostra que o desempenho desse modelo de serviço exercido pela mulher glorifica tanto a Deus quanto o serviço de liderança de homens na igreja.

Diferença de propósito, não de capacidade

Em 1Timóteo 3.1-2, Paulo prossegue o argumento dizendo, como já vimos, que "se alguém deseja ser bispo, deseja uma tarefa honrosa", e que "o bispo deve ter uma vida irrepreensível" e "ser marido de uma só mulher". Essa questão já foi abordada em capítulo anterior, de modo que aqui tão somente destacamos que a pessoa que exerce o episcopado não é "mulher de um só homem", mas "marido de uma só mulher". Isto é, trata-se, obviamente, de um homem.

Esse é um texto que pode ser doloroso para algumas pessoas. Algumas mulheres talvez considerem em seu íntimo: "Tudo que eu queria era ser pastora", e se entristecem, pois lhes parece que Deus as está restringindo de um tipo especial de serviço. A verdade é que nem sempre conseguimos ver beleza naquilo que é feito pela fé. Cremos na Palavra de Deus e estamos dispostos a segui-la, mas por que Deus restringiria a atividade pastoral exclusivamente a homens?

Alguém poderia pensar que se trata de uma limitação intrínseca ao ser feminino. Já conversei com pastores que defendiam, sem o mínimo de questionamento ou autocrítica, que todas as mulheres sofrem de algum tipo de incapacidade para o pastorado. Em um sermão famoso, determinado pastor calvinista disse que "a mulher não tem estrutura psicológica, emocional e física para liderar".[10] Justificativas as mais variadas eram apresentadas, a mais comum delas decorrendo de uma leitura ontológica de 1Timóteo. Alguns leem esse texto e entendem que todas as mulheres são mais propensas que os homens ao engano. Douglas Moo rebate essa visão:

> Não há evidência nas epístolas pastorais de que as mulheres estivessem ensinando essas falsas doutrinas. Se a questão, então, é o engano, pode ser que Paulo quisesse implicar que todas as mulheres são, como Eva, mais suscetíveis a serem enganadas do que homens e que esse é o motivo pelo qual não podiam ensinar aos homens! Embora essa interpretação não seja impossível, achamos que é improvável. Em primeiro lugar, não há nada no

relato de Gênesis ou em outro lugar nas Escrituras sugerindo que o engano de Eva é representativo para todas as mulheres em geral. Segundo, e mais importante, essa interpretação não se adequa ao contexto. Paulo, como vimos, está preocupado em proibir mulheres de ensinar a *homens*; o foco recai sobre o papel do relacionamento do homem e da mulher. Porém, uma declaração acerca da natureza da mulher moveria a discussão para longe desse ponto central e teria implicações sérias. Afinal de contas, Paulo se importa somente que mulheres não ensinem a *homens* falsas doutrinas? Ele não se importa que elas não as ensinem a outras mulheres?[11]

Eu acrescentaria um argumento simples ao excelente comentário teológico do Moo: acredito que quem justifica o ministério masculino com a ideia de uma incapacidade geral feminina não tem um relacionamento pastoral normal com as mulheres que o rodeiam. Existem muitas mulheres menos enganáveis que muitos homens por aí. Outros vão dizer que mulheres são emocionais, enquanto homens são mais lógicos e racionais, mas Paulo não usa nada disso como justificativa para seu argumento. Eu conheço muitas mulheres que, em termos de habilidade, seriam pastoras muito melhores que eu. Minha própria igreja tem mulheres dotadas de capacidade de ensino, de coordenação, de cuidado com a alma, e cuja conduta é exemplar. Se fosse essa a questão, poderíamos muito tranquilamente ter pastoras.

A questão, porém, não é de capacidade, mas de propósito. Desde o projeto inicial da criação Deus estabeleceu diferenças que se complementam entre homens e mulheres. Ele intentou que o serviço que é próprio do pastorado fosse exclusivamente masculino. Há quem olhe para isso e entenda que Deus está tirando algo das mulheres, quando se poderia entender que, na verdade, Deus designou um tipo de serviço pior para os homens. Vivemos em uma cultura em que ser líder parece sempre algo almejável, como se representasse superioridade. Mas na igreja não é assim. O serviço de ministério não é estar por cima; pelo contrário, é estar por baixo. O serviço de ministério não é aquele em que a pessoa manda, mas muitas vezes é aquele em que ela mais precisa obedecer.

Parte das reivindicações dos igualitaristas para que mulheres possam ser pastoras provém de ignorar quanto o ministério pastoral é uma guerra feia. Da mesma forma que rejeito certos ideais feministas que acham correto mulheres empunharem fuzis em trincheiras de guerra, também rejeito que as labutas diárias do aconselhamento e do pastoreio sejam vivenciadas por mulheres. Para quem enxerga o ministério pastoral como apresentar um discurso de uma hora no domingo e dividir uma mesa de café com membros meio lamuriosos, não sabe o quanto é uma guerra sangrenta testemunhar diariamente o pior que a vida humana tem a oferecer. Pastorear é lidar com casos de abuso sexual, de pedofilia, de toxicodependência, de violência doméstica. Como pastor, já precisei enfrentar cônjuges violentos, interagir com pessoas em crise de abstinência, cuidar de maridos destruídos pela descoberta do adultério da esposa. Mulheres são incapazes de viver isso? De maneira nenhuma. Talvez algumas sejam até mais capazes que eu. Mas mulheres também não são incapazes de metralhar inimigos em trincheiras de guerra. O que não queremos é viver em um mundo em que elas sejam colocadas nessa posição — ainda que sua pontaria seja melhor que a de seus maridos. A meu ver, a proteção das mulheres é uma função que cabe inerentemente aos homens. Quando um capitão grita em um navio naufragando: “Mulheres e crianças primeiro!”, ele não está sendo machista ou diminuindo as mulheres; ele as está elevando. Quando deixamos mulheres passarem na frente na fila do lanche pós-culto ou quando abrimos a porta do carro para as esposas, não estamos dizendo que elas são incapazes de ficar em pé por muito tempo ou que são inábeis para puxar uma maçaneta. Antes, estamos demonstrando parte do ideal divino para os sexos, em que homens protegem as mulheres.

Deus estabeleceu as diferenças entre homens e mulheres, dando a cada um atuações e trabalhos diferentes na família e na igreja. Aceitamos isso, mesmo que nem sempre entendamos esse tipo de divisão. Porém, há beleza quando homens e mulheres não atuam de modo competitivo. Apesar de existirem campos comuns de atuação, a beleza que é Deus designar campos diferentes de atuação consiste no fato de que os talentos dados a homens e mulheres estão compondo uma grande sinfonia daquilo que Deus está construindo no mundo.

O complementarista Thabiti Anyabwile lamenta que muitos cristãos “agem como se *qualquer* atividade pública das mulheres representasse uma ameaça significativa aos papéis de gênero e à liderança masculina qualificada na igreja”. Para ele, é errado que tudo o que envolve uma mulher estar diante dos homens seja considerado "fora de ordem" ou "insubmisso". Ele escreve:

> A maior ameaça a uma visão complementarista do lar e da igreja é a prática desinformada e restritiva de "complementaridade" entre aqueles que a defendem. No final, a esmagadora maioria das mulheres evangélicas conservadoras que conheço apoia o ensino da Bíblia sobre os papéis de gênero. Elas anseiam por uma liderança masculina forte. Não têm ambições ímpias de usurpar autoridade. Mas elas também desejam desfrutar de toda liberdade concedida por Cristo e servir ao Salvador tão plenamente quanto possível em todos os campos verdes de oportunidades. Se colocarmos as barreiras da complementaridade muito longe daquilo que a Bíblia realmente restringe, não correremos o risco de cercear completamente nossas irmãs? A igreja não corre o risco de se tornar um bastião do domínio masculino? E não nos tornaríamos nossos piores inimigos, alimentando com nossa má prática um protesto legítimo pela inclusão? E poderemos ser vulneráveis a confundir essas vozes femininas com inclusão como vozes de inquietação igualitária e feminista?[12]

Eu não acredito em pastorado feminino, mas sou um dedicado defensor do ministério feminino. A leitura tradicional do Novo Testamento é que mulheres não exercem funções de pastoreio no sentido de autoridade sobre a comunidade — como lemos a partir de Paulo. Porém, mulheres são usadas por Deus ao longo das Escrituras de muitas formas, para o serviço e a edificação da igreja.

Diaconato feminino

De fato, na sequência do próprio texto que estamos explorando, em 1Timóteo 3.8-11, Paulo fala sobre mulheres que exercem diaconato:

> Da mesma forma, os diáconos devem ser respeitáveis e ter integridade. Não devem beber vinho em excesso, nem se deixar conduzir pela ganância. Devem ser comprometidos com o segredo da fé e viver com a consciência limpa. Antes de serem nomeados diáconos, é necessário que se faça uma avaliação cuidadosa. Se forem aprovados, então que exerçam a função de diáconos. De igual modo, as mulheres devem ser respeitáveis e não caluniar ninguém. Devem ter autocontrole e ser fiéis em tudo que fazem.

Ou seja, homens podem ser diáconos, e mulheres podem ser diaconisas. Thomas Schreiner argumenta que o uso de "de igual modo" (*hosautos*) em 1Timóteo 3.11 é mais naturalmente interpretado como uma continuação da lista daqueles que servem como diáconos, especialmente porque Paulo retorna aos diáconos do sexo masculino no versículo 12. Uma referência repentina às esposas dos diáconos é certamente possível, mas nesse capítulo parece que Paulo está se referindo aos ofícios e à conduta na igreja. Além disso, se Paulo estivesse dando ordens sobre a conduta das esposas dos diáconos, por que omitiria uma referência às esposas dos presbíteros, especialmente tendo em vista que os presbíteros exercem supervisão pastoral e liderança geral na igreja?[13]

Em Romanos 16.1, Paulo cita Febe. Algumas traduções trazem alguma variação da frase "Febe, que serve à igreja em Cencreia", mas acredito que a melhor tradução seria a da NTLH: "Febe, que é diaconisa da igreja de Cencreia". Sigo Sam Storms quando ele entende que, embora a palavra para "diácono" possa descrever um ministério não técnico de serviço para o qual todos os cristãos são chamados (o que justificaria uma tradução como "que serve à igreja"), Romanos 16.1 parece estar falando do ofício de diácono para o qual alguém pode ser nomeado.[14] Assim, exegeticamente, quando Paulo decide dizer no grego que Febe "é" (*ousan*) uma *diakonon*, "ele está usando uma frase participial que é consistentemente usada para identificar o desempenho do cargo de uma pessoa no Novo Testamento". Exemplos desse uso são encontrados em João 11.49 ("Caifás, sendo sumo sacerdote naquele ano"), Atos 18.12 ("Gálio, sendo procônsul da Acaia") e Atos 24.10 ("Félix, sendo um juiz para esta nação"). O argumento para ler a descrição de Febe como alguém que ocupa um cargo, portanto, é forte.[15] Benjamin L. Merkle confirma isso e aponta que, quando se pretende o significado genérico de *diakonos* (ou seja, "servo"), o texto geralmente diz "servo do Senhor" ou algo similar. "Este é o único lugar em que Paulo fala de alguém ser um *diakonos* de uma igreja local." Tíquico é chamado de "colaborador fiel (ou servo) na obra do Senhor" (Ef 6.21), Epafras é chamado de "servo fiel de Cristo" (Cl 1.7) e Timóteo é rotulado de "bom servo de Cristo Jesus" (1Tm 4.6). "Como apenas Febe é especificamente considerada serva de uma congregação local (a igreja de Cencreia), é provável que ela fosse uma 'diaconisa' de sua igreja".[16]

O fato de Paulo recomendar que Febe seja recebida pela igreja e auxiliada em tudo de que ela precisasse (Rm 16.1-2) seria um forte indicativo de que Febe foi responsável por levar aquela carta à igreja em Roma. Robert Mounce comenta que "como a portadora da carta, seria bem natural que Paulo a recomendasse e lhe fizesse menção especial. Ela é descrita tanto como 'nossa irmã' (significando uma mulher membro da comunidade de Corinto) e uma 'diaconisa' na igreja da Cencreia. Paulo pede àquela congregação romana que a receba bem, de forma digna do povo de Deus".[17] John Stott admite que "o significado geral de diácono pode estar correto aqui" e que "sabemos que o ofício de diácono já existia".[18] Portanto, tanto Paulo dá destaque ao serviço que Febe executava enquanto mulher como esse serviço pode ser entendido como o diaconato.

Igrejas podem eleger diaconisas, porque entendemos que esse é um trabalho comum a homens e mulheres. De fato, é um serviço fundamental para a existência de uma comunidade. Há diaconisas nas igrejas cristãs desde os primórdios do cristianismo, como é registrado em correspondência entre Plínio, o Jovem, e o imperador Trajano, em que duas mulheres cristãs são descritas como *ministrae*, a palavra em latim para diáconos (*Cartas* 10.96-97). Hoje, algumas igrejas restringem o diaconato aos homens porque entendem que isso envolve autoridade sobre toda a igreja, mas não é assim que interpretamos. A nosso ver, o diaconato está atrelado a um tipo de liderança da igreja para guiá-la em determinados aspectos, ainda que a diaconia esteja sujeita ao presbitério, que guia a igreja pastoralmente.

Testemunho, discipulado e missão

Além do diaconato, as Escrituras mencionam outras tarefas das mulheres na igreja primitiva. Em um tempo em que sequer eram aceitas como testemunhas num tribunal, elas são destacadas na Bíblia como as primeiras testemunhas da ressurreição de Cristo. Em Mateus 28.1-10, lemos:

> Depois do sábado, no primeiro dia da semana, bem cedo, Maria Madalena e a outra Maria foram visitar o túmulo.
>
> De repente, houve um grande terremoto, pois um anjo do Senhor desceu do céu, rolou a pedra da entrada e sentou-se sobre ela. Seu rosto

brilhava como um relâmpago, e suas roupas eram brancas como a neve. Quando os guardas viram o anjo, tremeram de medo e caíram desmaiados, como mortos.

Então o anjo falou com as mulheres. "Não tenham medo", disse ele. "Sei que vocês procuram Jesus, que foi crucificado. Ele não está aqui! Ressuscitou, como tinha dito que aconteceria. Venham, vejam onde seu corpo estava. Agora vão depressa e contem aos discípulos que ele ressuscitou e que vai adiante de vocês para a Galileia. Lá vocês o verão. Lembrem-se do que eu lhes disse!"

As mulheres saíram apressadas do túmulo e, assustadas mas cheias de alegria, correram para transmitir aos discípulos a mensagem do anjo. No caminho, Jesus as encontrou e as cumprimentou. Elas correram para ele, abraçaram seus pés e o adoraram. Então Jesus lhes disse: "Não tenham medo! Vão e digam a meus irmãos que se dirijam à Galileia. Lá eles me verão".

Mateus 28.1-10

O Evangelho de João, por sua vez, diz que os discípulos estavam com medo, trancados, enquanto as mulheres foram ao túmulo (Jo 20.1-19). Foram elas as primeiras pessoas a ver o Jesus ressurreto e a testemunhar dele. E mais: quando elas chegam ao monte da Galileia, onde Jesus disse que encontraria seus discípulos, o texto de Mateus deixa implícito que havia mais gente que os onze discípulos e que, portanto, a ordem da Grande Comissão não se destinava apenas aos apóstolos, mas a toda a igreja, a qual incluía homens e mulheres.[19]

Toda a igreja discipula. Homens e mulheres são testemunhas da ressurreição de Jesus. A transmissão da mensagem sobre quem Jesus é e o que ele fez não é delegada só a homens. Homens e mulheres podem transmitir essa mensagem para fazer novos discípulos. O texto diz que fazemos discípulos "batizando em nome do Pai, do Filho e do Espírito Santo". Isso se destina a toda a igreja. Homens e mulheres podem batizar. Na igreja que pastoreio, mulheres batizam os filhos, o marido, as amigas e os amigos — sempre, claro, com a presença de um pastor.

Outro ponto da Grande Comissão é que fazemos discípulos ensinando-os "a obedecerem a todas as ordens" que Jesus lhes deu. Só pastores ensinam? Não. Toda a igreja ensina. Não se trata de homens ensinando a homens, nem somente de homens ensinando a todos. Trata-se de todos nós nos ensinando mutuamente. Existe, como já vimos, uma restrição sobre o tipo de ensino. Não obstante, mulheres também precisam participar desse espaço de instrução, edificação e discipulado.

Mulheres profetizando e orando

No livro de Atos há mulheres identificadas como profetisas. Ou seja, mulheres também exerciam esse relevante ministério na Nova Aliança. Em Atos 21.9, lemos que "Filipe tinha quatro filhas solteiras, que profetizavam". É improvável que tais profecias se destinassem exclusivamente à edificação de outras mulheres. Paulo também fala que "a mulher desonra sua cabeça se ora ou profetiza sem cobri-la, pois é como se tivesse raspado a cabeça" (1Co 11.5), indicando com clareza que mulheres oravam e profetizavam na igreja primitiva.

Existem igrejas hoje que acreditam que mulheres não podem orar publicamente, porque a oração pública também seria um ato de ensino autoritativo. Em texto intitulado "Por que as mulheres não falam e nem oram em público em nossa igreja?", publicado em uma página do Facebook, orar em público é ação descrita como parte dos "exercícios de autoridade reservados aos homens". É por isso que as mulheres "devem participar das reuniões de oração da Igreja, onde homens estão presentes, fazendo seus pedidos e acompanhando as orações em silêncio". O texto afirma ainda: "O ato de orar em público é um exercício de autoridade, porque aquele que ora, está elevando toda congregação, até o trono de Deus e intercedendo pela Igreja". Sob essa ótica, mulheres poderiam orar apenas em "suas próprias reuniões de oração", e isso "sob a supervisão do Conselho".[20]

Ainda que leituras semelhantes tenham encontrado alguma relevância em círculos restritos do movimento neopuritano, simplesmente não há como argumentar, com base bíblica, que mulheres não oravam publicamente nas igrejas do Novo Testamento ou que não profetizavam nos cultos.

Missionárias que formavam missionários

Afirmamos acima que as mulheres também eram missionárias no Novo Testamento, mas a realidade é ainda mais ampla. Elas foram figuras centrais para levar o evangelho a locais distantes por meio da instrução e formação de outros ministros. O caso de Apolo é emblemático nesse sentido. Em Atos 18.18-28, lemos:

> Paulo ainda permaneceu em Corinto por algum tempo. Então se despediu dos irmãos e foi a Cencreia, onde raspou a cabeça, de acordo com o costume judaico para marcar o fim de um voto. Em seguida, partiu de navio para a Síria, levando consigo Priscila e Áquila.
>
> Chegaram ao porto de Éfeso, onde Paulo os deixou. Enquanto estava ali, foi à sinagoga para debater com os judeus. Eles pediram que ficasse mais tempo, mas ele recusou. Ao despedir-se, Paulo disse: "Voltarei depois, se Deus quiser". Então zarpou de Éfeso. A parada seguinte foi no porto de Cesareia, de onde subiu a Jerusalém e visitou a igreja. Em seguida, voltou para Antioquia.
>
> Depois de passar algum tempo ali, voltou pela Galácia e pela Frígia, visitando e fortalecendo todos os discípulos.
>
> Enquanto isso, chegou a Éfeso vindo de Alexandria, no Egito, um judeu chamado Apolo. Era um orador eloquente que conhecia bem as Escrituras. Tinha sido instruído no caminho do Senhor e ensinava a respeito de Jesus com profundo entusiasmo e exatidão, embora só conhecesse o batismo de João. Quando o ouviram falar corajosamente na sinagoga, Priscila e Áquila o chamaram de lado e lhe explicaram com mais exatidão o caminho de Deus.
>
> Apolo queria percorrer a Acaia, e os irmãos de Éfeso o incentivaram. Escreveram uma carta aos discípulos de lá, pedindo que o recebessem bem. Ao chegar, foi de grande ajuda àqueles que, pela graça, haviam crido, pois, em debates públicos, refutava os judeus com fortes argumentos. Usando as Escrituras, demonstrava-lhes que Jesus é o Cristo.

Aqui temos uma mulher, Priscila, instruindo um pregador eloquente. No Novo Testamento, mulheres trabalham na formação de missionários homens. A restrição que o Novo Testamento traz sobre o exercício de autoridade não inclui esse tipo de serviço de instrução de discipulado. Mulheres não são amaldiçoadas com um silêncio absoluto. Não são impedidas de trazerem instrução e ensino, desde que não o façam como autoridade pastoral sobre a igreja.

É triste que ainda exista quem condene a existência de teólogas. Apesar de eu não recomendar sua obra, Beth Allison Barr narra muitas experiências terríveis em seu livro *A construção da feminilidade bíblica*,[21] como o fato de que sua liberdade para dar aulas de história na universidade foi questionada, mesmo sendo ela uma Ph.D. Aqui no Brasil, já li diversas vezes a dra. Norma Braga ser criticada por escrever livros sobre cosmovisão cristã. "Se não podem ser pastoras, não podem ser teólogas", diziam nas redes sociais. Nada poderia ser mais discrepante com o ensino das Escrituras.

Se Paulo estivesse condenando todo o trabalho de ensino e instrução feminino, Priscila não poderia ter ajudado a formar um pregador eloquente como Apolo. É a existência de Priscila que deixa claro que mulheres não só podem, mas também devem fazer parte de cenários de educação e formação, seja em seminários, ajudando a formar pastores e missionários, seja escrevendo livros e falando em mídias sociais. O ambiente de formação não é necessariamente um ambiente de autoridade pastoral, e isso confere liberdade às mulheres capacitadas para esse serviço.

Mulheres que cooperaram com o reino

Em Romanos 16.1-13, Paulo apresenta uma lista de irmãos que colaboraram com seu ministério e inclui o nome de mulheres importantes para a expansão do reino de Deus:

> Recomendo-lhes nossa irmã Febe, que serve à igreja em Cencreia. Recebam-na no Senhor, como uma pessoa digna de honra no meio do povo santo. Ajudem-na no que ela precisar, pois tem sido de grande ajuda para muitos, especialmente para mim.
>
> Deem minhas saudações a Priscila e Áquila, meus colaboradores no serviço de Cristo Jesus. Certa vez, eles arriscaram a vida por mim. Sou grato a eles, e também o são todas as igrejas dos gentios. Saúdem a igreja que se reúne na casa deles.
>
> Saúdem também meu querido amigo Epêneto, que foi o primeiro seguidor de Cristo na província da Ásia. Saúdem Maria, que trabalhou tanto por vocês. Saúdem Andrônico e Júnias, meus compatriotas judeus que estiveram comigo na prisão. São muito respeitados entre os apóstolos e se tornaram seguidores de Cristo antes de mim. Saúdem Amplíato, meu querido amigo no Senhor. Saúdem Urbano, nosso colaborador em Cristo, e meu querido amigo Estáquis.

Saúdem Apeles, um bom homem, aprovado por Cristo. Saúdem os que são da casa de Aristóbulo. Saúdem Herodião, meu compatriota judeu. Saúdem os da casa de Narciso que são do Senhor. Saúdem Trifena e Trifosa, obreiras do Senhor, e a estimada Pérside, que tem trabalhado com dedicação para o Senhor. Saúdem Rufo, a quem o Senhor escolheu, e também sua mãe, que tem sido mãe para mim.

Saúdem Asíncrito, Flegonte, Hermes, Pátrobas, Hermas e os irmãos que se reúnem com eles. Saúdem Filólogo, Júlia, Nereu e sua irmã, e também Olimpas e todo o povo santo que se reúne com eles. Saúdem uns aos outros com beijo santo. Todas as igrejas de Cristo lhes enviam saudações.

Febe é descrita como uma mulher que serve à igreja — no grego, literalmente, a palavra é diácono, como já explicamos — e que é de grande ajuda para Paulo. É notável que Febe encabece uma lista de vários cooperadores da igreja. No modo de escrever comum aos judeus, quem encabeça listas normalmente são os personagens mais importantes, o que indica que Paulo reconheceu o trabalho dessa mulher em Crenceia e lhe deu destaque. Priscila, também já citada, foi uma cooperadora do reino que instruiu missionários ajudando a preparar Apolo e arriscou a vida pelo crescimento do reino. Paulo elogia ainda uma Maria que muito trabalhou pela igreja, ainda que não saibamos exatamente como foi seu trabalho.

Júnias (ou Júnia) possivelmente é um nome feminino.[22] Ela e Andrônico (provavelmente seu esposo) foram companheiros de prisão de Paulo. Júnia suportou a humilhação de ser presa por causa da cooperação com o evangelho e era "muito respeitada entre os apóstolos". Isso significa que os apóstolos a tinham em alta estima. O casal foi identificado de alguma forma com o grupo apostólico, ainda que não como parte dele. Talvez fossem missionários. Trifena, Trifosa e Pérside eram mulheres que mostravam empenho na igreja. Paulo também reconhece a atuação da mãe de Rufo, que em certa ocasião aparentemente proveu hospitalidade e cuidado ao apóstolo.

Todas essas mulheres atuavam em vários campos, não só instruindo outras mulheres a ser boas donas de casa (o que também tem seu sagrado valor), mas também para que trabalhassem para a expansão do reino de Deus.

Mas e o silêncio na igreja?

Apesar de já termos tratado sobre o silêncio feminino no início deste capítulo, Paulo aborda o mesmo assunto em outra passagem, 1Coríntios 14.31-36, que também exige explicação mais demorada:

> Desse modo, todos que profetizam terão sua vez de falar, um depois do outro, para que todos sejam instruídos e encorajados. Aqueles que profetizam têm controle de seu espírito e podem falar um por vez. Pois Deus não é Deus de desordem, mas de paz, como em todas as reuniões do povo santo.
>
> As mulheres devem permanecer em silêncio durante as reuniões da igreja. Não é apropriado que falem. Devem ser submissas, como diz a lei. Se tiverem alguma pergunta, devem fazê-la ao marido, em casa, pois não é apropriado que as mulheres falem nas reuniões da igreja.
>
> Ou vocês pensam que a palavra de Deus se originou entre vocês? Acaso são os únicos aos quais ela foi entregue?

Essa é uma passagem cuja interpretação gera divergência entre os teólogos. Afinal, pouco antes nessa mesma carta, em 1Coríntios 12.9-11, o apóstolo escreveu: "A um o mesmo Espírito dá grande fé, a outro o único Espírito concede o dom de cura. A um ele dá o poder de realizar milagres, *a outro, a capacidade de profetizar*. [...] Tudo isso é distribuído pelo mesmo e único Espírito, que concede *o que deseja* a cada um" (grifos meus), e ainda um pouco antes, em 1Coríntios 11.5: "Mas a mulher desonra sua cabeça se ora ou profetiza sem cobri-la, pois é como se tivesse raspado a cabeça". A partir dessas passagens, entendemos que não haveria limitações para que mulheres profetizassem, se o fizessem da maneira correta. Portanto, o dom de profecia estava à disposição para mulheres e para homens. Porém, quando lemos que "as mulheres devem permanecer em silêncio durante as reuniões da igreja" e que "não é apropriado que falem" (1Co 14.34), parece haver uma contradição.

As tentativas de explicar essa questão se dividem em três grupos. Alguns teólogos, como Gordon Fee, entendem que essa passagem é na verdade uma interpolação não paulina. Ele afirma que esse trecho teria sido escrito nas margens do texto por alguém que, influenciado por 1Timóteo 2.9-15, quis desenvolver as instruções de Paulo. Fee diz que é "surpreendente a mudança súbita de um problema de desordem na congregação em Corinto para uma regra que deve ser entendida como universal em todas as igrejas".[23] Sobre isso, podemos responder que não é necessariamente o caso. Quando Paulo cita "todas as reuniões do povo santo" (1Co 14.33), está simplesmente dizendo que a ordem é um princípio a ser seguido tanto em Corinto quanto em todas as igrejas cristãs, justamente porque "Deus não é Deus de desordem".

Se todas as igrejas devem andar em ordem, a de Corinto não está isenta disso. Paulo está corrigindo uma postura de Corinto ao estabelecer um princípio que serve não somente para aquela comunidade, mas para todas as igrejas dos santos. Fee encontra alguns "problemas" no trecho, como não haver clareza, segundo ele, quanto a quem as mulheres deveriam ser submissas (aos maridos ou a toda a igreja?), além de uma dificuldade para reconhecer uma autoria paulina na frase "como diz a lei" (1Co 14.34) — ainda que isso não seja, a nosso ver, argumento suficiente para questionar a autoria paulina. Também é apontado que esse trecho atrapalharia o fluxo de pensamento de Paulo, porém isso é "insubstancial e ignora a evidência que aponta para os vínculos no texto".[24] A conclusão de Fee é a seguinte:

> A exegese do texto em si leva à conclusão de que ele não é autêntico. Sendo assim, certamente não é obrigatório para cristãos. Se não for, as dúvidas consideráveis quanto à autenticidade devem servir como precaução contra usá-lo como proibição eterna em uma cultura quando tal discurso de mulheres na assembleia não seria uma coisa vergonhosa.[25]

Essa posição não encontra muita guarida acadêmica e não tem sido popular entre os intérpretes de Paulo. Garland afirma que identificar a passagem de 1Coríntios 14.34-35 como uma interpolação "parece ser impulsionado mais pela dificuldade de encontrar uma 'solução viável' para o significado desses versos do que pelo peso da evidência textual".[26]

Outros acadêmicos, como Neal M. Flanagan e Edwina Hunter Snyder, entendem que nesse trecho Paulo está citando uma frase que os coríntios teriam enviado previamente em carta, frase à qual Paulo estaria se contrapondo.[27] Paulo de fato faz isso em 1Coríntios 6.12, quando cita um ditado usado pelos coríntios, "Tudo me é permitido", para então apresentar um contraponto. Nesse sentido, 1Coríntios 14.34-35 seria uma resposta de Paulo a um ensino autoritário por parte de homens que queriam barrar as mulheres de falar na igreja. Assim, o trecho que diz que as mulheres devem estar caladas nas igrejas, porque não lhes é permitido falar, e que deveriam interrogar os maridos em casa, seria uma tradição em Corinto que Paulo menciona a fim de contra-atacá-la. A confusão se deveria ao fato de não existir aspas no grego do Novo Testamento, sendo percebidas apenas pelo contexto. Daí a pergunta de Paulo: "Ou vocês pensam que a palavra de Deus se originou entre vocês? Acaso são os únicos aos quais ela foi entregue?", carregada de boa dose de ironia, prosseguindo o argumento para contradizer o pensamento.

O problema dessa leitura, porém, é que a citação em questão é bem mais longa que as outras às quais Paulo já se contrapôs na carta. Além disso, não há uma clara oposição ainda que consideremos que se trata de uma citação. Não há outras indicações na carta de que os membros de fato pensavam dessa forma. Pelo contrário, predomina na carta um uso indiscriminado, inconsequente e insensato da liberdade. Seria um contrassenso que os coríntios buscassem liberdade em tudo, exceto no discurso e julgamento profético, situação em que refreariam as mulheres. Além disso, o texto sobre o uso do véu parece indicar o caminho oposto: as mulheres estavam vivendo tipos ímpios de liberdades que precisavam ser restritas. Em toda a carta Paulo procura refrear a liberdade pecaminosa dos coríntios. Seu intento é que eles façam bom uso da liberdade que há em Cristo. Uma tentativa de se opor a um tipo de machismo religioso não parece coerente com os problemas que Paulo tem tratado ao longo da epístola.

Se essas posições não são convincentes, como poderíamos então ler esta passagem? Um terceiro grupo de teólogos, composto por nomes como Anthony Thieselton, David. E Garland e Mark Taylor, defende que essa passagem não proíbe que a profecia seja realizada por mulheres, mas mostra um direcionamento de como elas deveriam proceder em sua relação de submissão com o marido.

No início do capítulo, já falamos sobre o silêncio das mulheres como algo referente ao culto. Algo mais, contudo, precisa ser destacado aqui. O que significa, afinal, "se conservem caladas" (NAA), "permaneçam em silêncio" (NVI) ou "estejam caladas" (ARA)? Ao longo de 1Coríntios 14,

Paulo pede que três grupos guardem silêncio: aqueles que falam em línguas sem interpretação (14.28), aqueles que profetizam quando já existe revelação da parte de outro (14.29-30) e as esposas (14.34-35). O princípio da submissão se aplica igualmente a profetas e esposas. Assim como o espírito dos profetas é sujeito ao controle dos profetas, também as esposas devem estar em submissão, como a lei diz. Aqui temos duas questões: 1) A quem as mulheres devem estar submissas? 2) O que Paulo quis dizer com essa referência à lei?

Em 1Coríntios 14.26-39, Paulo está preocupado que a adoração reflita a natureza ordeira de Deus. O argumento, a essa altura da carta, é a avaliação das profecias feitas na comunidade. Já sabemos que Paulo não é contra mulheres usarem o discurso profético, portanto permanecer em silêncio não significa que elas deveriam ficar caladas em absoluto. David Garland aponta que, com base no contexto, as mulheres não deveriam envergonhar publicamente seus maridos através da fala quando, no processo de ponderar sobre a validade de uma profecia, elas acabassem contradizendo o marido.[28] Mark Taylor complementa dizendo que "a preocupação de Paulo não é com o discurso das esposas por si só, ou com sua participação na avaliação das profecias, mas com um comportamento que poderia ser ofensivo a seus esposos. A referência à submissão deveria ser entendida no mundo paulino como uma referência à submissão da esposa ao marido".[29]

Elas poderiam analisar as profecias, mas em submissão ao marido, "perguntando em casa quando não entendessem" em vez de questionar publicamente. Paulo está proibindo uma postura de questionamento público aos maridos por parte das esposas. Essa leitura é coerente com os conflitos que Paulo vem tentando sanar ao longo de todo o debate sobre o uso do véu. A autoridade ministerial e do lar recaía sobre o marido e, portanto, mesmo que a mulher entendesse que a avaliação dele foi errada, ela só deveria perguntar sobre isso em casa, não publicamente. Sobre o marido recairia a responsabilidade, na igreja e em casa, de assumir sua avaliação da profecia e o ensino à mulher.

Craig Keener entende que o problema em Corinto não era que as mulheres estavam ensinando, mas sim que estavam fazendo perguntas que poderiam envergonhar o marido e tolher a autoridade deles. Por isso, elas deveriam fazer perguntas em casa, em vez de descredibilizá-los em público.[30] A ideia de submissão, aqui, diz respeito somente à relação marido-esposa, e não que a mulher deva ser sujeita a qualquer homem na congregação. É por isso que elas refreiam a língua ou se abstêm de falar especificamente naquele momento, escolhendo fazê-lo em casa, com o marido. Longe de apontar para uma inferioridade feminina, mostra uma ordem a ser seguida na comunidade por causa do caráter ordeiro de Deus.

Portanto, o silêncio feminino nada tem a ver com mulheres ficarem caladas em absoluto ao profetizar ou avaliar as profecias (embora esse também seja um ponto de debate). Também não é um caso de abuso do falar em línguas por parte das mulheres, pois, se assim fosse, Paulo se dirigiria ao grupo feminino específico que estivesse agindo dessa forma. O contexto não nos indica que Paulo estivesse se dirigindo a um grupo, mas às mulheres em geral. Mark Taylor diz que "o paralelo aproximado entre 14.33b e 14.40 sugere que ambas as declarações servem à função similar de resumir a base teológica para o ensino em cada respectiva unidade. Em outras palavras, o fato de que Deus deve ser adorado como Deus de ordem e paz em todas as igrejas (1Co 14.33) é um paralelo com a declaração de que 'tudo seja feito com decência e ordem' (1Co 14.40)".[31] Portanto, uma vez que a ordem é um princípio geral para qualquer igreja em qualquer época, a questão do silêncio feminino também é.

Agora, como devemos entender essa referência à lei que Paulo faz? De acordo com Mark Taylor, "esse seria um apelo às narrativas da criação de Gênesis 1—2 como visto em 1Coríntios 11.8-9 e 1Timóteo 2.13".[32] Na narrativa de Gênesis, a ordem criacional aponta que a mulher deve ser submissa a seu marido. Paulo, portanto, está dizendo que essa submissão não seria preservada se as mulheres também analisassem a validade das profecias, porque se um marido profetizasse algo, a esposa seria insubmissa caso a avaliasse contrariamente. Portanto, a análise profética recairia somente sobre a liderança da igreja. "Essa perspectiva não vê problema em Paulo permitir a profecia por um lado e proibir a avaliação da profecia por outro", afirma Taylor, "já que, nessa visão, a profecia é uma categoria mais abrangente e não carrega o mesmo peso de autoridade dos profetas escritores do Antigo Testamento. A profecia de que Paulo fala aqui precisava de avaliação e era inferior à verdade apresentada por Paulo".[33]

Entretanto, Roy Ciampa e Brian Rosner discordam dizendo que "não há um claro suporte para qualquer perspectiva segundo a qual Paulo estivesse proibindo as mulheres de falar em línguas, profetizar ou tomar parte na avaliação profética".[34] Para os autores, é uma questão bem clara que mulheres não devem interrogar ou fazer perguntas constrangedoras em público a seu marido. Isso não comprometeria a avaliação profética, porque "Paulo admite que quaisquer que fossem as questões feitas elas seriam aceitas em casa, mesmo que fossem vergonhosas no contexto de adoração pública".[35] Ou seja, a questão não é a mulher avaliar ou questionar a profecia feita, mas o contexto em que isso é feito. O questionamento feito em casa pode ser aceitável, mas se tornaria vergonhoso se feito em público. Por isso a recomendação paulina: "perguntem em casa ao seu marido". A mulher deve ser guiada pelo princípio da ordem da lei para falar em línguas, declarar profecias e avaliá-las, desde que pondere se as questões a serem feitas envergonhariam ou não seu marido. Ciampa e Rosner concordam com Thiselton que "o ponto seria que a lei não permite à esposa comportar-se de forma insubordinada que traga vergonha para si ou para seu marido, que é o tipo de discurso (na reunião para adoração) que Paulo tem em mente".[36]

David Garland diz que lei aqui se refere à Lei do Antigo Testamento, mas reconhece que há um problema, porque Paulo "não cita um texto da lei, e nenhuma passagem do Antigo Testamento instrui que mulheres estejam em silêncio".[37] Ele também discorda que essa lei seja uma referência a Gênesis 3.16, porque esse texto "é preditivo, não prescritivo, e os exegetas judeus não baseiam a subordinação feminina na narrativa da criação".[38] Sua proposta é que os coríntios sabem que Paulo está "aludindo à lei e isso confirma que o consenso universal a respeito desse costume está correto".[39]

É melhor que entendamos o silêncio como uma abstenção temporária de discursar publicamente de modo autoritativo, porque mesmo contribuições espirituais podem se tornar inválidas ou indesejadas quando o momento não é propício. Como Taylor conclui, "Paulo não permite certos tipos de discurso e pede por submissão 'como determina a Lei'. A preocupação de Paulo é com a integridade de todas as relações, para o bem da igreja e para glória de Deus".[40]

Quando mulheres podem ensinar na igreja?

Em nosso entendimento, portanto, mulheres não podem ser pastoras nem exercer funções de autoridade pastoral. Não por que lhes falte algo, mas porque Deus planejou que homens e mulheres cooperassem em papéis distintos no reino. Isso não significa, como tentamos estabelecer até aqui, que mulheres não possam participar de momentos de ensino e cuidado na igreja. Mas como discernir quais são esses momentos?

Cada cultura e época tem seus modos de perceber quando a autoridade pastoral está sendo exercida. O culto não ocorre da mesma forma em todos os lugares. Entre os judeus, por exemplo, era comum que as pessoas interpolassem e interrompessem as falas de quem estivesse pregando, e algo semelhante ocorria também no culto cristão, a ponto de Paulo precisar escrever para pôr ordem nele. Ao longo da história da igreja, o exercício pastoral se manifestou de formas diferentes, dentro de cada contexto cultural.

Na comunidade que pastoreio, mulheres não pregam o sermão do culto de domingo à noite, nem participam das reuniões de presbitério em funções decisórias, porque acreditamos que nesse momento os presbíteros estão exercendo sua autoridade para guiar a comunidade. Não haveria problema algum, porém, em uma mulher pregar em cultos nos lares, ensinar nas reuniões de células, dar aulas na escola bíblica dominical ou compartilhar a Palavra em qualquer outro contexto comum aos irmãos da igreja.

Quando comecei a pastorear, minha igreja era pequena, de modo que os pastores assumiam quase exclusivamente toda atividade de ensino e pregação, fosse aos domingos, nas escolas bíblicas ou nos cultos nos lares. No imaginário da igreja, todo local de ensino era um momento de autoridade pastoral. Agora, depois de alguns anos de pastorado e um crescimento substancial na membresia da igreja, quem dá aulas nas escolas bíblicas e prega nos lares em pequenos grupos são irmãos comuns, nem sempre presbíteros. Quando isso acontece, a igreja sabe que ali não é um exercício de autoridade pastoral. Por outro lado, se apenas pastores compartilhassem ensinos durante as escolas bíblicas, então não faria sentido que mulheres assumissem essa função, já que irmãos comuns não a estão assumindo.

Uma igreja madura sabe reconhecer que o ensino de irmãos que não fazem parte da liderança formal da igreja não representa uma direção autoritativa sobre a comunidade. Quando um pastor prega, a igreja entende que há um peso diferente. Se um irmão dando aula expressa algo controverso, a igreja entende que aquilo é opinião do irmão, e não um direcionamento dos rumos da igreja. O mesmo se dá em cultos familiares ou pequenos grupos. Um irmão comum abre a Palavra para compartilhar algo e acaba expressando uma atrocidade teológica ou uma heresia rasteira, ou mesmo apenas algo que vai contra a doutrina da igreja. A igreja não se torna herética por causa disso; muitas vezes, aquele irmão simplesmente cometeu uma gafe. Se o pastor prega uma heresia no domingo, no entanto, o cenário é diferente. A doutrina da igreja se confunde com o ensino pastoral de modo muito íntimo. Se um pastor convidado prega alguma heresia no domingo, não se deve mais convidá-lo ao púlpito, mas isso não significa que a igreja defende aquela heresia, pois o pastor convidado não exerce autoridade sobre a comunidade.

Há uma diferença significativa, portanto, entre o exercício de autoridade pastoral e o compartilhamento da Palavra entre irmãos. Infelizmente, porém, algumas igrejas sequer permitem que mulheres deem avisos, façam orações públicas, leiam textos bíblicos ou mesmo liderem o canto comunitário, porque entendem que existem nessas práticas algum nível de autoridade. Rejeito essa interpretação, porque nada disso configura necessariamente exercício de autoridade pastoral sobre a comunidade. Mulheres podem ser missionárias, diaconisas, plantar igrejas, liderar ministérios, dar aulas em seminários, participar da formação de pastores, publicar material teológico e até instruir na própria igreja. Nada disso é impedido nas Escrituras às mulheres, porque nem todo ensino bíblico é autoritativo no sentido pastoral.

Por fim, cabe lembrar que complementarismo bíblico não é machismo nem hierarquismo. Ou seja, não defendemos que mulheres sejam inferiores aos homens ou menos capazes do que os homens. Há quem acredite que mulheres não podem liderar porque são emocionais demais ou mais propensas a serem enganadas. Isso é hierarquismo, não complementarismo. Pior, é machismo, pura e simplesmente. Há pessoas que odeiam mulheres. Essa é uma realidade lamentável, mas é uma realidade. Há muito misógino que tenta disfarçar seu machismo por trás do complementarismo. Não é que acreditam em divisões de papéis na igreja; simplesmente não estão dispostos a aceitar uma mulher ensinando, já que acreditam que a contribuição de mulheres será sempre inferior à dos homens. Tais indivíduos muitas vezes acabam encontrando morada em igrejas conservadoras.

É por isso que pastores que se opõem à ideia de pastorado feminino, como é meu caso, precisam manter mulheres em espaços de fala, a fim de não amputar membros valiosos do corpo de Cristo. Não significa criar cotas para mulheres nas igrejas, como em um tipo de ação afirmativa religiosa. Significa, isto sim, que os ministérios devem ser um espaço aberto para o serviço feminino, e as mulheres devem ser incentivadas ao serviço tanto quanto os homens. Nas belas palavras de Charles H. Spurgeon:

> Existem muitas maneiras pelas quais as mulheres podem proclamar adequadamente a Palavra do Senhor e, em algumas delas, podem proclamá-lo com mais eficiência do que os homens. Existem pessoas que serão atraídas pela maneira tenra, emotiva e vitoriosa pela qual a irmã em Cristo se expressa. Uma mãe cristã! Que ministro ela é para sua família! Uma mulher cristã solteira — no círculo familiar, ou mesmo no serviço doméstico — o que ela não pode realizar se seu coração se aquecer de amor pelo Salvador! Não podemos dizer às mulheres: "Vá para casa, não há nada para você fazer no serviço do Senhor". Longe disso, pedimos a Marta e Maria, Lídia e Dorcas, e toda a irmandade eleita, jovens e idosos, ricos e pobres, para instruir os outros como Deus os instrui.[41]

Uma igreja que possui poucas mulheres em funções de serviço e de fala precisa analisar seriamente de onde vem essa disparidade do serviço da igreja. Tais disparidades podem ter muitas origens, algumas justas e outras não. Talvez as mulheres da igreja estejam em um período anormalmente demandante na família, ou quem sabe questões culturais as levem a preferir determinados tipos de serviço em detrimento de outros. No entanto, também é possível que essas disparidades provenham de algum tipo de teologia que desencoraje ou mesmo proíba a participação feminina em qualquer ambiente que envolva autoridade, liderança ou ensino. E isso é uma falha bíblica.

Nem homem, nem mulher, mas ainda homem e mulher

Quando olhamos para as Escrituras, encontramos em Jesus o padrão que deve guiar a igreja. A igreja não é guiada pela visão dos homens, nem pelas tradições denominacionais, mas pelo que Jesus estabelece sobre o que é o papel do homem e da mulher na sociedade.[42]

Por mais que exista uma diferença de atuação entre homens e mulheres, nosso relacionamento com Cristo é único e completo. Como nos lembra o apóstolo Paulo:

> Pois todos vocês são filhos de Deus por meio da fé em Cristo Jesus. Todos que foram unidos com Cristo no batismo se revestiram de Cristo. Não há mais judeu nem gentio, escravo nem livre, homem nem mulher, pois todos vocês são um em Cristo Jesus. E agora que pertencem a Cristo, são verdadeiros filhos de Abraão, herdeiros dele segundo a promessa de Deus.
>
> Gálatas 3.26-29

Obviamente, num sentido humano, existiam na época judeus e gentios, escravos e livres, homens e mulheres. Quando nos aproximamos de Deus, porém, todos nós somos perdoados na mesma cruz, todos somos revestidos no mesmo Espírito e todos somos igualmente libertos nele. Portanto, nosso relacionamento com ele faz que vivamos um tipo de unidade que vence todas as diferenças entre os seres humanos. Em Cristo, vencemos todo racismo, toda xenofobia, todo bairrismo, toda guerra entre sexos, regiões e classes sociais. Em Cristo, somos todos um e constatamos a beleza da atuação de Deus no mundo.

Cristo recebe mulheres, valoriza mulheres e capacita mulheres tanto quanto capacita qualquer homem. Por isso, cremos na beleza da complementariedade de homens e mulheres, com alguns papéis diferentes e outros papéis iguais, mas sempre com o mesmo valor e capacidade diante de nosso Salvador. Na igreja de Cristo, os pastores guiam e lideram a comunidade, e as mulheres têm plena atuação para o serviço da igreja. Já passou da hora, portanto, de nós, como igreja brasileira, nos organizarmos a fim de promover maior participação de mulheres em espaços de serviço, a fim de que sejam verdadeiros instrumentos de Deus para a edificação e instrução de seus irmãos em Cristo.

6

Vestes

A Bíblia diz que mulheres não podem usar calças, maquiagens ou adornos?

Quando eu tinha uns dezesseis anos, atuei como professor de escola bíblica dominical em minha antiga congregação. A turma era formada sobretudo por jovens de minha faixa etária, mas havia pessoas mais velhas também. Certo dia, Beth, uma irmã solteira já perto dos cinquenta anos e que sempre sonhou em se casar, interrompeu minha aula lamentando que nenhum homem quis olhar para ela ao longo da vida. Ela não chorou, mas lamentava com as mãos no rosto: "Eu não posso usar maquiagem, não posso usar calça, não posso depilar as pernas, não posso cortar o cabelo, não posso nada". Então, tirou a mão do rosto e olhou para mim, completamente mudo e atônito, com a Bíblia aberta sobre a mesinha de plástico branca, percebendo que não conseguiria terminar minha aula sobre a ceia do Senhor que eu havia preparado com tanto gosto. Ela me perguntou, com uma seriedade que desconsiderava o fato de eu ser então um adolescente de 16 anos: "Eu preciso ficar toda horrorosa e malcuidada para amar Jesus?".

Beth ouviu várias vezes de seu pastor — e eu estive lá para presenciar — que usar maquiagem ou pintar os cabelos era pecado, por ser não apenas vaidade moral, mas também uma mentira. Deus nos deu uma aparência, portanto não teríamos direito de modificá-la. Longe de ser uma realidade apenas de minha adolescência, hoje ainda existem denominações que proíbem que mulheres depilem as axilas, as pernas e até as partes íntimas. Outras ainda proíbem que elas cortem os cabelos — o que gerou a já famosa expressão "irmã do coque", em referência ao penteado que tais mulheres usam como forma de prender seus imensos cabelos. Tais grupos estão ligados a um tipo de avivalismo de orações fervorosas e intensas, mas também a uma cultura excessivamente intrusiva no que diz respeito a questões de aparência. Eu me lembro de ouvir testemunhos nas igrejas que frequentei na adolescência em que pregadores de paletó diziam ter sido arrebatados ao inferno e encontrado gavetas cheias de fios de ouro. Quando esses pregadores questionavam o que era aquilo, o anjo que os acompanhava respondia: "São os cabelos cortados das irmãs. Estão sendo guardados no inferno".

Essa questão é tratada com tamanha seriedade que por vezes ultrapassa o ambiente eclesiástico. Em outubro de 2023, a Record, emissora do bispo Edir Macedo, da Universal do Reino de Deus, passou a proibir as jornalistas mulheres de usarem calça jeans, maquiagens chamativas, blusas, camisas ou vestidos com rendas, estampas, babados ou tecidos com aplicações, colares ou correntes, penteados cacheados ou ondulados, unhas longas e cores chamativas.[1]

Em um vídeo com mais de 250 mil visualizações, um pastor chamado Luis F. Guerreiro argumenta que a depilação não é algo benéfico ou positivo para a caminhada cristã. Antes, é algo prejudicial e um "pecado diante dos olhos santos de Deus". Ele oferece "dez razões bíblicas" para explicar por que a depilação é uma prática, segundo ele, "censurada por Deus". Seu argumento é que Deus nos criou com pelos e que removê-los (seja das pernas, das axilas ou dos genitais) é uma ingratidão a Deus, que fez tudo muito bom na criação. Além disso, ele argumenta que depilação "é pecado de sensualidade, ou lascívia", pois provém do desejo de exibir o corpo e mostrar a nudez, sendo também "pecado de vaidade" e de "soberba". Assim, "a pessoa que se depila", conclui esse pastor, "não é liberta por Jesus".[2]

Em um blog anônimo que coleciona histórias protagonizadas pela liderança de determinada denominação americana, Nelly conta de um encontro que teve com Agatha, filha de um presbítero. Ela diz que, ao sair da biblioteca da universidade, Agatha olhou para as mãos de Nelly, que seguravam uma Bíblia. Então, olhou para Nelly com um sorriso malicioso e disse: "Você fez as unhas". Nelly sorriu e exclamou: "Eu amo!

É minha cor favorita. Eu as fiz na...", mas nem pôde concluir a frase. "Você não deveria fazer isso", Agatha disse. O diálogo continua assim:

— O quê?

— Você não deveria pintá-las de vermelho. Você parece indecente, especialmente quando as usa assim tão longas.

— Mas de onde eu venho...

— Não importa, você está em Oslo.

— Mas as garotas da universidade perto do *campus* pintam as unhas de vermelho.

— Você não é uma daquelas garotas. Você é cristã. Você faz parte da guerra cultural. Estou dizendo isso para o seu próprio bem e estou amando você como uma irmã em Cristo. Aceite reprimendas.[3]

Essa conversa não veio do século passado, mas foi registrada em março de 2016. De fato, é improvável que todos os cristãos concordem em detalhes acerca de qual é o padrão santo referente ao uso de roupas, adornos e cuidados com o corpo. Uma vez que vestimentas são questões culturais ou, muitas vezes, de gosto pessoal, seria sem dúvida de grande utilidade contar com um padrão menos subjetivo para definir o que é uma saia curta demais, ou uma roupa apertada demais, ou vaidade demais no tempo gasto na academia.

Apesar dos desacordos, todos nós concordamos em dois pontos. Primeiro, que vivemos em uma cultura guiada por padrões de moda que não são moralmente neutros. Há uma boa parcela de ódio a Deus no universo estilístico, já que os ímpios cada vez mais elaboram roupas que representam seu afastamento de qualquer sinal de moralidade. Segundo, que as Escrituras não nos deixam alheios a *algum* padrão sobre como devemos nos vestir. Há passagens conhecidas que mostram o impacto que o encontro com Jesus tem sobre o modo como nos vestimos. Concordamos, no mínimo, que Deus não aprova a exposição pública da nudez. Mas o que isso tem a ver com calças, brincos, adornos ou mesmo depilação? É um risco imenso ficar à mercê dos usos e costumes denominacionais, embora, por outro lado, também seja arriscado entregar-se aos próprios prazeres, vontades e sensações. No fim das contas, as perguntas que nos cabe fazer são:

- O que Deus fala sobre como nos relacionamos com a beleza?
- Como lidamos com o processo de cuidado da própria aparência?
- O que as Escrituras dizem acerca da forma correta de vestir-se?

Avaliemos, a seguir, alguns pontos ao longo da Bíblia a fim de tentar responder a essas perguntas.

Um Deus que louva a beleza

Que Deus aprecia o que é belo, qualquer um que tenha contemplado um pôr do sol já sabe. O cosmos que Deus criou não é apenas funcional, isto é, não tem valor simplesmente utilitário, mas é também intrinsecamente belo. Cada flor delicada, cada pássaro colorido, cada montanha imponente revelam um Criador que se agrada de coisas bonitas. Esse mesmo Deus criou o ser humano dotado de beleza estética natural e de senso para o belo.

O próprio Deus é descrito nas Escrituras como belo. Davi pede a seu Criador que possa morar em sua casa todos os dias de sua vida para poder "contemplar a beleza do Senhor" (Sl 27.4). Ao longo da história da revelação, Deus escolheu se revelar a seu povo por meio de uma arca bem adornada e de um templo suntuoso em beleza. Será então que o Deus belo que criou uma humanidade bela em um mundo belo condena qualquer nível de cuidado com a aparência?

Ao longo do Antigo Testamento, a beleza é apresentada como algo bom. No livro de Ester, por exemplo, a beleza aparece como uma bênção. Lemos que as virgens do rei passavam por "doze meses prescritos de tratamentos de beleza: seis meses com óleo de mirra e seis meses com perfumes e cosméticos" (Et 2.12-13). Tendo passado por esse mesmo processo de embelezamento, Ester "agradou a todos que a viram" (Et 2.15). Quando foi levada ao rei, o texto diz que ele "gostou mais de Ester que de qualquer outra moça. Agradou-se tanto dela que pôs a coroa real sobre sua cabeça e a declarou rainha em lugar de Vasti" (Et 2.17). É apenas por ter encantado o rei com sua beleza que Ester pôde, mais à frente, interceder pela salvação dos judeus. Portanto, no Antigo Testamento, há uma história na qual a beleza — oriunda também de diligente esforço de cuidado estético — foi usada para o bem do povo de Deus. O embelezamento de Ester não foi tratado pelo autor do livro como pecado ou falha de comportamento. Linda M. Day comenta que "várias outras personagens bíblicas também são descritas como sendo fisicamente atraentes (por exemplo, Sara, Rebeca, Bate-Seba, Tamar, e até homens como Davi e Absalão). Na literatura bíblica, portanto, beleza não é meramente uma descrição física, mas também sinaliza a importância do indivíduo".[4]

Em Isaías 3.18-26, quando o profeta descreve a promessa de Deus de punir seu povo por causa do pecado, ele recorre à ilustração de uma mulher que tem seus enfeites arrancados. No texto profético, perder os adornos é símbolo de maldição e desgraça. A imagem que o profeta apresenta só faz sentido se os enfeites forem algo naturalmente agradável, mesmo que estivessem sendo usados como fonte de orgulho. Assim diz o texto:

> Naquele dia, o Senhor removerá tudo que a embeleza:
> os enfeites, as tiaras, os colares em forma de meia-lua,
> os brincos, as pulseiras e os véus;
> os lenços, os enfeites para o tornozelo, os cintos,
> os perfumes e os amuletos;
> os anéis, as joias do nariz,
> as roupas de festa, os vestidos, os mantos e as bolsas;
> os espelhos, as roupas de linho fino,
> os adornos para a cabeça e os xales.
>
> Em vez de exalar perfume agradável, ela terá mau cheiro;
> usará cordas como cinto e perderá todo o seu lindo cabelo.
> Vestirá pano de saco em vez de roupas finas,
> e a vergonha tomará o lugar de sua beleza.
> Os homens da cidade serão mortos à espada,
> e seus guerreiros morrerão na batalha.
> Os portões de Sião chorarão e se lamentarão;
> a cidade será como uma mulher devastada,
> encolhida no chão.

John Oswalt comenta que "a nação é comparada com uma mulher bela e arrogante, cuja atenção é totalmente voltada à aparência e imagem. Sião procurou exaltar a si mesma com todo tipo de adorno e ornamento.

Ela fita amantes potenciais por detrás de seus véus e leques".[5] Se a beleza não fosse algo valorizado, Sião não teria se enfeitado para atrair atenção das nações — ainda que, infelizmente, com a motivação errada.

Falando sobre o Dia do Senhor, o profeta Zacarias louva a Deus pela beleza dos fiéis que serão salvos: "Eles brilharão em sua terra como joias numa coroa. Ah, como serão belos e maravilhosos! A fartura de trigo dará vigor aos rapazes, e o vinho novo fará florescer as moças" (Zc 9.16-17). A beleza de uma mulher que se enfeita é usada até para apresentar a imagem de elementos espirituais centrais para os cristãos. Em uma analogia com o casamento, Paulo diz que a obra de Jesus nos lavou para que sejamos apresentados a Deus como uma mulher "sem mancha, ruga ou qualquer outro defeito, mas santa e sem culpa" (Ef 5.27). Ou seja, a beleza de uma mulher é usada como analogia daquilo que Cristo veio fazer conosco em sua obra na cruz. Além disso, na descrição de Apocalipse da Nova Jerusalém, uma noiva ataviada com seus enfeites representa a beleza de nossa futura habitação: "E vi a cidade santa, a nova Jerusalém, que descia do céu, da parte de Deus, como uma noiva belamente vestida para seu marido" (Ap 21.2).

É claro que as Escrituras também registram o caso de mulheres que se embelezaram a fim de praticar pecados. Quando Jezabel quis seduzir Jeú, "pintou os olhos, arrumou os cabelos e sentou-se em frente a uma janela" (2Rs 9.30). Em referência à prostituição espiritual de Israel, o profeta diz: "Quando eles chegaram, vocês tomaram banho, pintaram os olhos e colocaram suas joias mais finas para recebê-los" (Ez 23.40). Em Provérbios, a mulher adúltera usa "roupas provocantes" (Pv 7.10). O enfeite e a aparência não possuem qualidade intrínseca. No Antigo Testamento, a beleza e os adornos aparecem tanto em contextos positivos como em contextos negativos.

É óbvio que a sensualidade pecaminosa vem quase sempre acompanhada de um esforço estético. Isso torna todo esforço para cuidar da aparência necessariamente pecaminoso? De maneira nenhuma. Comportamentos usados para o pecado não necessariamente são pecaminosos em si mesmos. Existem homens que acumularam riqueza de modo justo e de modo injusto, exércitos que guerrearam por motivos corretos e incorretos, homens que acumularam força física para fazer o bem, como Sansão, e outros que usaram seus músculos para fazer o mal, como Golias.

Em um sentido espiritual, Deus não se importa com nossas qualidades naturais. Quando o Senhor diz a Samuel que não procurasse um rei que tivesse as características físicas de um líder militar, ele demonstrou que era dele, do Senhor, que viria a força do reino de Israel: "Não o julgue pela aparência nem pela altura, pois eu o rejeitei. O SENHOR não vê as coisas como o ser humano as vê. As pessoas julgam pela aparência exterior, mas o SENHOR olha para o coração" (1Sm 16.7). Isso significava que um rei fisicamente forte para a batalha era uma desvantagem ou mesmo um pecado? Com certeza não.

A beleza é uma qualidade natural. Ela não determina quem somos espiritualmente e não deveria ser um valor mais importante que a fidelidade interior. Não significa, porém, que ela seja pecaminosa ou irrelevante. Assim como outros bens naturais, como inteligência, riqueza ou força, não somos definidos por eles, mas isso não quer dizer que não podemos nos dedicar ao estudo, ao trabalho ou ao exercício físico. De igual modo, o cuidado com a aparência não é algo indesejável, ainda que não deva ser perseguido com base em padrões que não provêm das Escrituras. Porém, a pessoa pode ser bela, mas não virtuosa — e o mesmo vale para inteligência, força ou riqueza.

O que a Bíblia fala sobre modéstia e cuidado próprio

Mas o que dizer dos textos bíblicos que parecem condenar qualquer tipo de cuidado com a própria aparência? Em 1Timóteo 2.9-10, por exemplo, o apóstolo Paulo diz:

> Da mesma forma, quero que as mulheres tenham discrição em sua aparência. Que usem roupas decentes e apropriadas, sem chamar a atenção pela maneira como arrumam o cabelo ou por usarem ouro, pérolas ou roupas caras. Pois as mulheres que afirmam ser devotas a Deus devem se embelezar com as boas obras que praticam.

Paulo instrui que as mulheres se vistam com *aedos*, que pode ser traduzido também por "modéstia (NAA) ou "decência" (NVI), e com *sophrosyne*, "bom senso" (NAA) ou "discrição" (NVI). Raymond F. Collins comenta que "a modéstia e o bom senso da mulher se refletiam em seu comportamento exterior, na forma como ela se mostrava em público".[6] O comportamento exterior representaria a beleza interior. Por isso, as verdadeiras qualidades femininas seriam vistas em suas "boas obras", mais do que na aparência. F. F. Bruce comenta que "não há advertência bíblica nesses versículos para que mulheres negligenciem sua aparência, ocultem sua beleza ou se tornem desalinhadas ou bregas. A questão é *como* elas devem se adornar".[7] Em primeiro lugar, sendo discretas e modestas em suas vestes, sem adornos deliberadamente sugestivos ou sensuais. Em segundo lugar, as joias e o modelo de cabelo em Éfeso poderiam se assemelhar aos das prostitutas da deusa Diana, de modo que as mulheres deveriam ter cuidado para não ser associadas a elas. Nem todo corte de cabelo ou joia estariam diretamente ligados à promiscuidade, mas as mulheres deveriam cuidar para que seus adornos não se assemelhassem àquilo que é culturalmente imoral. Em terceiro lugar, Paulo menciona a beleza interna, a piedade. A piedade torna as mulheres ainda mais belas.

Portanto, o vestuário é algo que muitas vezes reflete o contexto. Elementos tidos como modestos hoje seriam vistos como roupas de prostitutas cem anos atrás. Meu professor de história na época do colégio comentou certa vez que o primeiro homem a usar uma bermuda em público quase foi linchado porque estaria usando roupas de banho numa praça.

Pedro também escreveu a respeito disso:

> Não se preocupem com a beleza exterior obtida com penteados extravagantes, joias caras e roupas bonitas. Em vez disso, vistam-se com a beleza que vem de dentro e que não desaparece, a beleza de um espírito amável e sereno, tão precioso para Deus.
>
> 1Pedro 3.3-4

Pedro foca sua atenção na beleza da esposa, beleza "que não consiste nas coisas visíveis que perecem, mas nas realidades espirituais, que são eternas".[8] Pedro está preparando o leitor para o contraste com o adorno interior no versículo 4. A ideia dele é que nossa beleza é muito mais interna que externa, e que o modo como lidamos com a aparência externa decorre de como lidamos com a interna. Isso significa que o problema do vestuário é menos uma questão de moda e mais um problema do coração. O legalismo e as culturas de religiosidade estão mais preocupados em resolver o tamanho da roupa — se é apertada, curta, transparente —, quando a atenção deveria estar voltada para entender por que aquela pessoa precisa tanto se exibir. Em outras palavras, Pedro não está proibindo que mulheres se vistam bem, mas está de fato lembrando que a verdadeira beleza está ligada a um espírito que ama o Senhor, a um coração submisso a Deus, que serve e cuida dos outros.

Pedro e Paulo, portanto, reconhecem que as mulheres possuem beleza e não a reprimem. Contudo, advertem que não busquem se assemelhar aos padrões mundanos de sua época. Afinal, vestir-se com modéstia e bom senso envolve o cuidado com o que expomos e geramos nos outros. A modéstia é o esforço pelo recato. Cobrir-se não é algo que acontece naturalmente. Cobrir-se para a glória de Deus é fruto de se vestir corretamente. Não se proíbe — nem aos homens, nem às mulheres — que se arrumem, mas a Palavra de Deus qualifica como devemos fazê-lo. Os termos discrição e modéstia estão em oposição a orgulho e vaidade, que são o esforço para parecer melhor ou superior. Ter discrição é o esforço por passar despercebido. É o esforço para não deslumbrar o outro a partir da exposição do que não deveria ser exposto.

Sabemos que as roupas comunicam algo. Elas podem comunicar poder financeiro, poder social, um convite à vaidade, e assim por diante. As vestes do cristão devem transmitir pureza, humildade e moderação. As roupas dos cristãos não podem transmitir orgulho, dinheiro ou sexo. Isso é o que as roupas dos descrentes dizem. O modo como nos vestimos é para a glória de Deus.

Paulo dá alguns exemplos: "sem chamar a atenção pela maneira como arrumam o cabelo ou por usarem ouro, pérolas ou roupas caras". A linguagem que Paulo usa está muito próxima da que as pessoas usavam em seu tempo. Paulo não está necessariamente dizendo que entrelaçar o cabelo é coisa do diabo. Ele está falando de um estilo de roupa que em seu tempo era associado à impudicícia e à prostituição.

Seja em minhas experiências de evangelismo com travestis e prostitutas, seja por simplesmente passar por uma grande avenida tarde da noite, não é difícil para mim constatar como se vestem as pessoas que vendem sexo. Como nem sempre podem ficar nuas na rua, optam por usar roupas bem apertadas, que marcam o formato do corpo, para que a veste não atrapalhe a silhueta. Elas estão vendendo o corpo e, portanto, querem que as roupas sejam uma placa de promoção para aquilo que está por baixo. O que a mulher de Deus deveria vender? "As vestes de uma mulher verdadeiramente cristã não dirão 'Sexo! Orgulho! Dinheiro!', e sim: 'Pureza, humildade e moderação'."[9] Crystalina Evert escreve sobre isso:

> As mulheres têm um poder. Pela forma como nos vestimos, pela forma como dançamos e pela forma como nos comportamos, podemos convidar um homem ou a ser um cavalheiro ou a ser um animal. [...] Para aquelas que têm o suficiente aos garotos para que sejam suficientemente homens para ganhar nosso coração. É um convite aos garotos para que considerem que em nós há muito mais que somente nossos corpos. É por isso que a modéstia é chamada "guardiã do amor". Sem ter que dizer uma só palavra, estabelece o padrão do respeito. No entanto, nunca convenceremos um homem de que temos dignidade sem que primeiro nos convençamos a nós mesmas.[10]

É importante perceber que Pedro e Paulo não estão agindo de forma legalista. Eles não expõem um padrão de vestuário e ficam por isso mesmo. Eles oferecem um padrão positivo de ação diante da proibição negativa. Paulo diz que as mulheres deveriam esforçar-se por ataviar aquilo que é interior, com boas obras. O mesmo esforço empregado no salão para o cabelo e a maquiagem deve ser envidado na busca por bondade e santidade. Pedro fala que a beleza da esposa não deve estar só na roupa, mas no interior do coração, unido a um traje de espírito manso e tranquilo, o que tem grande valor para Deus. Provérbios 11.16 diz: "A mulher graciosa guarda a honra como os violentos guardam as riquezas" (NVI). Ela sabe o valor de sua honra porque sabe que aquilo que a faz graciosa está para além da boa aparência, e justamente por isso valoriza sua graça. Será que temos essa gana em nosso coração? Um esforço consciente, quase violento, pela própria honra e pureza? Assim como os violentos guardam seu dinheiro, a mulher graciosa guarda seu corpo. Se nos demoramos diante do espelho tentando corrigir imperfeições estéticas, deveríamos demorar ainda mais olhando no espelho da Palavra de Deus, conferindo nosso coração, tentando corrigir as imperfeições de nossa alma. Um espírito transformado é muito mais belo que a última moda do Instagram.

Alguns textos de Provérbios falam sobre beleza. Por exemplo, ao descrever uma mulher de comportamento íntegro, a sabedoria bíblica diz: "Os encantos são enganosos, e a beleza não dura para sempre, mas a mulher que teme o SENHOR será elogiada" (Pv 31.30). Buscar uma esposa com base na aparência física é tolice e vaidade, já que é o temor do Senhor que caracteriza uma boa esposa. Em outro momento, somos instruídos sobre discrição na postura: "A mulher bonita, mas indiscreta, é como anel de ouro em focinho de porco" (Pv 11.22). Derek Kidner é enfático ao comentar esse provérbio, dizendo que, para quem o exterior é a parte mais impressionante de uma pessoa, essa mulher seria apenas um pouco decepcionante, ao passo que a Bíblia "a vê como uma monstruosidade".[11] Aprendemos no seminário que não precisamos nos esforçar para parecer inteligentes enquanto pregamos. Se já estamos de pé falando enquanto os outros estão sentados ouvindo, haverá uma inclinação natural para nos acharem superiores. Se forçarmos isso, em vez de parecer mais inteligentes só soaremos arrogantes. As mulheres bonitas não precisam esforçar-se com suas roupas para parecer ainda melhores. Isso fará apenas que pareçam vulgares.

Os textos sobre modéstia e adornos falam diretamente às mulheres, possivelmente porque a questão do vestuário e da sensualidade atinja mais as mulheres que os homens. É uma área que deve de fato receber atenção especial das moças. Mesmo assim, os homens também podem pecar por falta de modéstia, como, por exemplo, usando sungas em praias, calças apertadas que marcam a genitália ou camisetas cavadas que ostentam o corpo malhado. A verdade é que mulheres também têm olhos, e eu já ouvi várias delas comentando sobre as dificuldades que enfrentam nessa área.

A cultura demanda a exposição do corpo. A indústria da moda, das grandes marcas às pequenas lojas de departamento, diz que só podemos ser bonitos e valiosos se exibirmos carne o suficiente. Os filmes e os comerciais vão nos habituando às vestimentas de nosso tempo e ajudando a criar desejos de exposição pessoal. O mundo quer a exibição da carne, mas não precisamos atender aos convites da cultura. O corpo deve ser um segredo. Ele não pode nem deve estar entregue ao deslumbre dos olhos alheios.

O legalismo ignora que a modéstia vai além das roupas

Não encontramos na Bíblia descrições muito claras de como as mulheres deveriam se vestir. Paulo não discorre sobre o tamanho das saias ou o cumprimento das roupas. Ele fala sobre o coração. Assim também Pedro está convicto de que o problema do vestuário deveria ser corrigido começando pelo interior da pessoa. E isso é algo da maior importância. Afinal, a modéstia também tem se tornado um fetiche da moda corrente. Blogueiras se especializaram nesse assunto. Todo um mercado se voltou para certo tipo de vestuário mais tradicional e clássico, como se isso representasse a solução da exposição física. Há algo muito positivo em mulheres encontrarem disponíveis no mercado da beleza opções de roupas que as cubram adequadamente. Porém, pode existir uma confusão nessa área. Ser modesta não é usar roupa do século 17, nem se vestir como uma princesa da Disney. Ser modesta não significa assumir um tipo de estilo específico. Observe a maioria dos perfis em redes sociais que defendem a modéstia e perceba que sempre se trata de alguém em um campo florido que parece ter saído diretamente do interior da Holanda. Isso muitas vezes não comunica com a realidade do que é exercer a modéstia no meu Ceará, por exemplo, ou em outras regiões do Brasil. Repito: modéstia não tem tanto a ver com moda ou roupa, mas principalmente com o coração. Você pode usar roupas tiradas de obras como *Orgulho e preconceito*, *Dowtown Abbey* ou qualquer outro seriado de época e, ainda assim, ter o coração absolutamente lascivo. Ou quem sabe seu coração deseje se exibir por meio de vestuários que, embora cubram a pele, chamam atenção pelo preço exorbitante que lhe custaram. Existe muita vaidade em nosso coração, e ela pode se manifestar também em roupas que nos cobrem. Não devemos ser modestos só com o guarda-roupa, mas principalmente com o coração. Existem muitos motivos pelos quais alguém pode se vestir de forma decente e não estar preocupado em glorificar a Deus. A pessoa pode morar num lugar frio, o cônjuge pode não gostar que o outro use roupas escancaradas, a igreja pode achar ruim e a pessoa decide se cobrir por conveniência, ou ela pode simplesmente apreciar o estilo. Nada disso tem necessariamente a ver com um coração modesto.

A modéstia, portanto, vai muito além das roupas. É uma questão profunda da alma e do coração. Mais importante que mudar o guarda-roupa é construir um espírito manso que não necessite de olhares de outros para se sentir valioso, um espírito que encontra na apreciação de Deus um valor muito maior que na apreciação do espelho. É o processo de repetir com as roupas aquilo que confessamos com os lábios: a verdade de que Jesus é o Senhor de nossa vida, Rei sobre absolutamente tudo em nós.

Nosso coração precisa ser ensinado a amar aquilo que é santo, e não apenas a escolher roupas maiores. Muitas mulheres de roupas modestas não têm modéstia na alma. É fácil abandonar uma roupa que ficou apertada demais; difícil é abandonar um caminho imodesto da alma.

Se a roupa modesta cobre um coração que ama a sensualidade, as vestes não serão o bastante para impedir o comportamento sensual. As Escrituras falam da sensualidade não só em relação a roupas, mas também no modo de olhar, de falar, de se comportar. Alertando quanto à mulher imoral, a sabedoria bíblica diz que os ensinos do pai e da mãe "protegerão da mulher imoral, das palavras sedutoras da promíscua. Não cobice sua beleza; não deixe que seus olhares o seduzam" (Pv 6.24-25). O profeta diz o mesmo: "A bela Sião é arrogante; estica seu pescoço elegante e lança olhares atrevidos, caminhando com passos curtos, fazendo tinir os enfeites de seus tornozelos'" (Is 3.16). Um comportamento sedutor pode vir de alguém que esteja coberto até os calcanhares. Muitas mulheres vestidas dos pés à cabeça podem agir com sensualidade e tentar conquistar intencionalmente os homens com seus olhares e gestos, com o tom de sua voz, com os assuntos das conversas.

É por isso que o legalismo precisa ser tratado com o mesmo afinco com que tratamos a imodéstia. Não basta uma igreja coberta; precisamos de uma igreja transformada. Lidar apenas com o que é externo é o esporte favorito dos hipócritas. Quando tratamos de assuntos externos, há pessoas que só faltam babar de alegria pela possibilidade de exercer alguma medida de controle sobre o outro. Porém, deveríamos lutar pelo controle de Deus sobre nossa vida e nosso coração. O mesmo Paulo que escreveu sobre modéstia escreveu em Colossenses 2.20-23:

> Vocês morreram com Cristo, e ele os libertou dos princípios espirituais deste mundo. Então por que continuar a seguir as regras deste mundo, que dizem: "Não mexa! Não prove! Não toque!"? Essas regras não passam de ensinamentos humanos sobre coisas que se deterioram com o uso.

> Podem até parecer sábias, pois exigem devoção, abnegação e rigorosa disciplina física, mas em nada contribuem para vencer os desejos da natureza pecaminosa.

Aqui a morte com Cristo se refere à identificação batismal com Cristo em sua crucificação, ou seja, sua morte. Essa identificação com Jesus em sua morte rompe a escravidão dos cristãos com os princípios espirituais deste mundo. Os cristãos já não têm motivo para se apegarem a esses princípios, que tinham aparência de piedade. Eles agora estão unidos a Cristo. Portanto, quando nos apegamos a esses princípios é como se estivéssemos negando nossa união com Jesus. Tais práticas são apenas aparentes e não possuem valor algum para a santificação, para fazer-nos mais parecidos com Cristo.

Saia longa e roupa fechada não são o bastante para resolver o pecado do coração. Jesus deixa claro que o que corrompe o homem é que está dentro, não fora. Você acha que os pecados visíveis são mais graves que os pecados privados e secretos? Acredita que é superior ou melhor porque mostra menos do corpo quando se veste? Ora, você pode estar belamente vestida, mas destilar sensualidade com as palavras e os olhares, "pois os lábios da mulher imoral são doces como mel, e sua boca é mais suave que azeite. No fim, porém, ela é amarga como veneno e afiada como uma espada de dois gumes" (Pv 5.3-4). Além de toda essa vestimenta não ter valor para santificação, a sensualidade de suas conversas mostra que "seus pés descem para a morte; seus passos conduzem direto à sepultura" (5.5).

O que a Bíblia (realmente) fala sobre roupas

As Escrituras não nos deixam sem instrução a respeito do modo correto de nos vestirmos. Já no livro de Gênesis descobrimos que a roupa foi criada por causa do pecado, por ocasião da Queda da humanidade. Em Gênesis 2.25, lemos que Adão e Eva estavam nus, e que a falta de roupa não representava vergonha alguma. Deus criou homem e mulher sem necessidade de vestuário. O pecado, porém, trouxe vergonha à nudez. "Naquele momento, seus olhos se abriram, e eles perceberam que estavam nus. Por isso, costuraram folhas de figueira umas às outras para se cobrirem" (Gn 3.7). O termo hebraico para descrever as roupas que fizeram para si, *chagowr*, indica que cobriam apenas os genitais.[12] Então, quando Deus aparece, eles se escondem. Adão explica o motivo: "Ouvi que estavas andando pelo jardim e me escondi. Tive medo, pois eu estava nu" (3.10). Ainda que cobertos com uma cinta, Adão e Eva julgam que é como se não estivessem vestidos. Deus concorda com eles. Ao ouvir a argumentação de Adão, Deus não diz que as cintas de folhas bastavam. Antes, questiona: "Quem lhe disse que você estava nu?" (3.11). Mais à frente, o texto bíblico afirma: "E o SENHOR Deus fez roupas de peles de animais para Adão e sua mulher" (3.21). A vestimenta aqui é usada como um símbolo da graça e do amor de Deus. Victor P. Hamilton diz que "o vestir precede a expulsão do jardim. O ato de graça de Deus vem antes de seu ato de julgamento. O casal não foi expulso nu do jardim. O casal não foi mandado para fora do jardim totalmente vulnerável".[13] As roupas que Deus fez para Adão e Eva, por sua vez, são descritas pela palavra hebraica *kethoneth*, que significa túnica, uma espécie de camisa comprida que, em geral, tinha mangas longas e se estendia até o tornozelo, quando usada como veste formal, mas, com frequência, não tinha mangas e ia até os joelhos, quando usada por trabalhadores comuns.[14]

Algumas condenações bíblicas se manifestariam por meio do ato de descobrir as vergonhas (Na 3.5; Ez 16.37; Is 47.3). O profeta Naum, por exemplo, escreve ao povo de Nínive dizendo que Deus iria levantar a saia deles. É uma linguagem esquisita, não? Mas é Deus dizendo: "Vocês vão passar vergonha diante de todos. Vou colocar vocês nus diante da multidão". É por isso que, quando os homens iriam ser crucificados, os romanos os deixavam nus. Jesus não foi crucificado de tanguinha. Ele estava nu. Para um judeu, expor a nudez era um ato de vergonha. Todos viram Jesus exposto nu como uma forma de envergonhá-lo.

Nos Evangelhos, lemos que a nudez descontrolada é uma obra típica de endemoniados. O relato do endemoniado gadareno é paradigmático. Diz o texto que ele estava possesso por vários demônios havia muitos anos, e que por isso vivia nu: "Fazia muito tempo que ele não tinha casa nem roupas", escreve Lucas. Mais adiante, depois que os demônios são expulsos, Lucas faz questão de registrar que ele agora estava vestido: "Uma multidão se juntou ao redor de Jesus, e eles viram o homem que havia sido liberto dos demônios. Estava sentado aos pés de Jesus, vestido e em perfeito juízo" (Lc 8.27-35). Os mesmos espíritos que se apossavam do gadareno influenciam os filhos da desobediência (Ef 2.1-3), levando muitos à nudez irrestrita. Cobrir a nudez representa o padrão de uma pessoa sã.

Ninguém deveria sentir-se tranquilo e confortável com a nudez pública. O corpo não foi feito para ser mostrado ostensivamente. Em Levítico, por exemplo, "descobrir a nudez" é usado como eufemismo para sexo (Lv 18.6-7; 20.18). Na atual conjuntura em que vivemos, em um mundo pós-Éden, a nudez deve causar vergonha fora do ambiente conjugal. É o resultado natural e esperado de ter as vergonhas expostas. Apenas quando imersos em uma cultura profundamente erotizada é que não nos envergonhamos da nudez — de nossa nudez e da nudez dos outros.

É por isso, aliás, que no Antigo Testamento Deus ordena que os sacerdotes não usassem roupas demasiadamente curtas, porque eles subiriam no altar e, ao fazê-lo, as pessoas poderiam enxergar suas pernas. Moisés escreve: "E não usem degraus para chegarem diante do meu altar, para que sua nudez não seja exposta" (Êx 20.26). Deus está dizendo que o altar não deve ser alto, porque, se o sacerdote subisse, o povo o veria de baixo para cima, vendo mais do que deveria — e a roupa do sacerdote era um vestido relativamente longo! Não se conseguiria ver sequer o joelho de um sacerdote, e Deus ainda assim chama isso de nudez. Em Êxodo 28.41-43, por sua vez, o Senhor adverte Arão e seus filhos a ser ungidos e consagrados como sacerdotes para ministrarem no lugar santo — porém, eles não poderiam entrar na tenda do encontro de qualquer jeito: "Faça também roupas de baixo de linho para serem usadas diretamente sobre a pele, indo da cintura até as coxas". Arão e seus filhos teriam de vestir esse calção de linho quando se aproximassem, e assim "não levarão culpa alguma sobre si e não morrerão". Usariam uma veste relativamente comprida, mas, por baixo dessa veste, era preciso que houvesse um calção que saísse da cintura e cobrisse as coxas, para que eles não incorressem em pecado diante de Deus pelo modo como se vestiam.

Na época do Novo Testamento, os pescadores, como no caso de Pedro, tiravam a túnica e ficavam apenas com a roupa que vestiam por baixo dela, um vestido mais frouxo — o equivalente à roupa de baixo daquele tempo — quando iam pescar. Quando Pedro volta a ser pescador, após a morte de Cristo, o texto diz que ele estava nu, pois usava apenas a roupa que ficava por baixo da túnica: "E, quando Simão Pedro ouviu que era o Senhor, cingiu-se com a túnica (porque estava nu) e lançou-se ao mar" (Jo 21.7, ARC). Para os judeus, qualquer um que retirasse a veste superior estaria nu. Pedro estava longe da praia, no barco, rodeado de homens. Não estava pecaminosamente nu, mas em um contexto no qual vestir apenas suas vestes mais íntimas era normal. Ao perceber a presença de Cristo, veste novamente a túnica para cobrir a nudez. As Escrituras tratam como nudez não apenas estar completamente sem roupa, como também estar com pouca roupa.

O vestuário se estabelece como um tipo de padrão ao longo das Escrituras. Quando Deus dá ordens a respeito de como devem ser as vestes sacerdotais, ele recorre à mesma palavra usada para as vestes que fez para Adão e Eva (Êx 28.3-4). O Cristo encarnado também usava a túnica judaica (Jo 19.23). O discípulo que tivesse "duas túnicas" deveria dar uma (Lc 3.11), considerando que esse era um vestuário comum. Até mesmo quando Deus entrega roupas aos santos nos céus, ele também lhes dá túnicas, à semelhança do que fez com Adão e Eva, com os sacerdotes e consigo mesmo encarnado: "Então a cada um deles foi dada uma veste branca" (Ap 6.11). A palavra grega indica uma roupa folgada que ia até os pés.

Na Bíblia, os seios são tratados como áreas sexuais. Por exemplo, quando Deus está narrando a Ezequiel a história de duas irmãs que se entregaram à prostituição nas terras egípcias, mesmo quando ainda eram jovens, o ponto principal que Deus ressalta sobre a prostituição daquelas moças é que "quando ainda eram meninas, deixavam que homens acariciassem seus seios" (Ez 23.2-3). Em Provérbios 5.19, a região do tórax feminino é tratada como uma zona preparada para o prazer do marido: "Ela é gazela amorosa, corça graciosa; que os seios de sua esposa o satisfaçam sempre e você seja cativado por seu amor todo o tempo!". Há uma atração pela região dos seios que é exclusiva da relação matrimonial, de modo que sua exposição pertence ao contexto sexual dentro do casamento.

A mesma compreensão se dava com homens no Antigo e Novo Testamentos a respeito de áreas que deveriam ser cobertas. As pernas, o tórax e os genitais deveriam estar sempre cobertas. Precisamos compreender com clareza por que Deus quer que nos cubramos. Parte do processo do que é ser modesto é não usar roupas que exponham nossa nudez. Ela representa não só pequenos espaços de nosso corpo, mas tudo que envolve partes do corpo relacionadas à área sexual.

Isso se aplica de forma muito prática à vida das igrejas, em que pastores e músicos se colocam em palcos elevados. Deve haver especial cuidado no que vestimos quando estamos em tais ambientes. É o velho hábito de nunca subir escadas atrás de mulheres que usam vestido. Deus se preocupa com esse tipo de detalhe. Não podemos fazer isso parecer mais do que realmente é, mas Deus mantém um padrão de vestimenta que vem desde Gênesis, passando pelos Evangelhos e findando no Apocalipse. Não significa que existe uma única forma santa de se vestir. A cultura muda, os padrões se movem, mas há algo instrutivo em Deus manter um padrão ao longo do tempo.

Em nossos dias, já não sentimos vergonha ao olhar para corpos nus, seja nos filmes, nas ruas ou em festas como o carnaval. Mas quanta nudez também não contemplamos em nossas próprias igrejas, sem que isso nos constranja? Será que estamos usando roupas que a Bíblia consideraria equivalentes a nudez? Quão específicas são as recomendações bíblicas sobre nossas roupas?

Nos textos acima mencionados, vemos as Escrituras sendo absolutamente específicas sobre aquilo que Deus espera de nós em relação às roupas que usamos. Quando faz a roupa, Deus cobre a nudez do homem, porque o pecado transformou a nudez em vergonha. Deus trata por várias vezes a exposição das pernas e da região do busto como algo vergonhoso, como exposição de nudez, como algo sexual. Deus espera que a fé nos cubra.

Algumas polêmicas sobre vestes

Como vimos nos textos bíblicos que tratam da nudez, as Escrituras não condenam o cuidado com o corpo, nem criam padrões absolutos de vestimenta, mas também apontam alguns limites claros. Não cabe a mim determinar o tamanho da sua saia, ou algo desse tipo. Se Pedro e Paulo não fizeram isso, eu não farei. De todo modo, as Escrituras contêm algumas respostas para uma série de polêmicas sobre como nos vestimos.

Mulheres de calça

Aqui entramos em uma área que demanda uma análise de contexto. As Escrituras são objetivas acerca de nosso vestuário: devemos ser modestos e não ansiar por ser vistos e desejados por outros. O fato, porém, é que nos vestiremos de modo coerente com a cultura em que vivemos. E nela, há muito tempo, as calças deixaram de ser roupas exclusivamente masculinas.

No entanto, até hoje, em muitos ambientes conservadores, mulheres são proibidas de usar calças. Minha esposa não podia usar sequer as calças do fardamento da escola quando criança. Ainda que igrejas pentecostais sejam as primeiras que vêm à mente quando evocamos a imagem de mulheres sendo condenadas por não usarem apenas saias e vestidos, ambientes reformados mais estritos e católico-romanos mais tradicionalistas muitas vezes seguem o mesmo padrão.

No Ocidente, houve um tempo em que as calças eram roupas distintamente masculinas. Uma mulher usando calça realmente provocaria espanto na sociedade em meados do século passado. Em 1960, o arcebispo de Genova Giuseppe Siri publicou um documento reprovando o uso de roupas masculinas por mulheres, em especial o uso da calça. E, como já dito, há quem mantenha essa leitura cultural ainda hoje. Em determinado blog católico-romano sobre modéstia feminina, a autora diz que o uso de calças pelas mulheres "ajudou muito na decadência da nossa sociedade, pois não é apenas uma peça inofensiva, que é usada, mas os danos que trazem à mulher e a sociedade são sérios, apesar de serem ignorados por muitos". Em sua leitura, se toda mulher entendesse o que as calças trouxeram para a sociedade, "baniria as calças do seu guarda-roupas por completo".[15]

O problema é que existe uma falta grande de leitura cultural nesse tipo de proibição. Pense, por exemplo, nas roupas dos tempos bíblicos, seja entre os hebreus do Antigo Testamento, seja no mundo helênico dos tempos de Jesus e dos apóstolos. Eram tempos em que mulheres não usavam calças... e homens também não. Tanto homem quanto mulher usavam algo parecido com um vestido, como já explicamos anteriormente. O sentido das roupas muda com o passar das eras, e não podemos ser culturalmente obtusos no que se refere à identificação das roupas masculinas e femininas.

Roupas de banho

Outra polêmica comum envolve as roupas de banho. Na igreja que pastoreio, não fiscalizamos as roupas com tanta formalidade, mas entendemos que as roupas de banho também precisam representar esse padrão mais objetivo de estética. Não recomendamos que as mulheres usem biquínis devido ao nível de exposição do corpo. Geralmente, mulheres usam maiôs e shorts nos acampamentos. Ninguém fica fiscalizando a vida privada dos outros, mas não recomendamos roupas que exponham demais.

Hoje em dia, muitos cristãos não veem problema em ficar quase despidos se estiverem perto da água. A pessoa não tem coragem de andar desnuda pelo terreno da igreja ou para ir ao mercado, mas, se estiver na praia ou na piscina, a roupa (ou a falta dela) deixa de ser importante. A proximidade da água parece tornar-se uma zona moralmente neutra. Vivemos em um tempo no qual é preciso argumentar longamente que não está tudo bem andar seminu só porque se está perto da água — e ainda ser chamado de moralista por isso. O profeta diz algo importante:

> Desça, sente-se no pó,
> Virgem Filha da Babilônia;
> sente-se no chão sem um trono,
> filha dos babilônios.
> Você não será mais chamada
> mimosa e delicada.
> Apanhe pedras de moinho e faça farinha;
> retire o seu véu.
> Levante a saia, desnude as suas pernas
> e atravesse os riachos.
> A sua nudez será exposta,
> e a sua vergonha será revelada.
> Eu me vingarei;
> não pouparei ninguém.
>
> Isaías 47.1-3, NVI

Aqui Deus está condenando quem ele chama de Babilônia, criando um contexto de comparação com uma mulher que sofrerá como a cidade da Babilônia sofreria. Ela não teria mais trono, tomaria assento no pó, não seria mais chamada de nomes elogiosos, teria de trabalhar no roçado, ficaria sem véu e teria de levantar a saia — não muito, só o bastante para desnudar as pernas. Por que a cidade faria isso? Faria para atravessar o riacho, mas, mesmo assim, o texto diz que isso seria uma exposição da nudez e uma revelação da vergonha. A mulher que representa a cidade estaria mostrando as pernas para atravessar o rio, e isso seria uma humilhação relacionada a mostrar a nudez.

Micheline Bernardini era uma dançarina de cassino que posava para revistas adultas e foi a primeira mulher a aceitar usar biquíni em um desfile, em 1946. Ela foi contratada porque o criador do biquíni, Louis Réard, não conseguiu encontrar nenhuma modelo que tivesse coragem de desfilar com aquelas roupas. Hoje, praticamente qualquer mulher se sente tranquila para usar essas mesmas roupas e até mesmo tornar isso público nas redes sociais. Mudança cultural ou degradação cultural? Deveria chamar a atenção o fato de que uma vestimenta que ninguém além de uma stripper teve coragem de usar no meio do século passado hoje seja vista com tanta naturalidade, como um vestuário comum para qualquer mulher distinta desfilar na praia. Eu adicionaria até que não existem meios possíveis para que a cultura se degrade mais que isso nesse ponto em especial sem chegar à nudez de fato. Você se lembra de quando a prática do topless causava confusão nas praias, o que ganhou as manchetes dos jornais? A vida é muito complexa e cheia de nuances, mas não creio que o biquíni seja uma dessas nuances. Veja, é impossível haver uma vestimenta muito menor que o biquíni. Menos que biquíni, só a nudez. Onde está a nuance em uma vestimenta que é o mais próximo possível de estar nu?

Talvez haja ambientes em que usar biquíni não seja algo tão problemático. A mulher sozinha no banheiro ou no quarto com o marido é um bom exemplo. Talvez dentro d'água, usando alguma saída de banho ou se enrolando na toalha ao voltar para a areia. Talvez na piscina do condomínio, em um horário pouco frequentado. Na sauna feminina. Não consigo, sinceramente, pensar em outras situações.

Eu vou tão pouco à praia e, em geral, tão bem acompanhado que ainda fico absolutamente constrangido de ver uma mulher de biquíni. Quando vou rolando a linha do tempo do Instagram e vejo a foto de alguma conhecida com pequenos pedaços de tecido cobrindo apenas e exclusivamente suas zonas sexuais, pulo a imagem depressa e me esforço para não ver nada. Isso, em parte, é para me proteger do pecado. Não quero ficar sozinho com a foto de uma mulher desnuda. Sabe aquele reflexo de virar o rosto quando a toalha de alguém cai? É como se eu participasse de uma intimidade indevida, como se olhasse pela fechadura uma conhecida apenas de calcinha e sutiã, trocando de roupa. Não quero me pôr nesse tipo de situação. Não quero pôr outra mulher nesse tipo de situação. Em geral, meu caminho é o *unfollow*. Além disso, é muito vexatório que alguém entregue seu corpo inteiro à mostra para a internet, para o acervo pessoal (seja no notebook ou na mente) de uma miríade de desconhecidos. A pessoa pode achar que não, mas está produzindo pornografia.

Quando eu ainda fazia faculdade, antes do seminário, vivia espantado com o que os rapazes conversavam no banheiro. Sempre que o assunto era praia, ninguém falava de água, areia, sol ou coco. O interesse geral era "ver mulher". Se as mulheres soubessem o que acontece por trás dos óculos escuros, usariam roupas diferentes perto dos "amigos". O problema de um homem falar isso é que ele sempre parecerá um tarado para quem não vê nada de mais em aparecer de biquíni na internet. Mas quem dos dois é o verdadeiro tarado: eu, que rejeito o panfleto de seu corpo, ou você, que paga para que todos vejam seu outdoor de lingerie?

Vestidos de festa

Parece que a modéstia ganha um dia de folga em festas de casamento. Sei que muitas vezes é um tormento conseguir um vestido de casamento minimamente decente. Minha esposa adquiriu algum conhecimento de corte e costura para consertar os vestidos que alugávamos, porque tudo era muito exposto, com aberturas inconvenientes. Casamentos e festas, quando nos arrumamos mais cuidadosamente, são ocasiões especiais para também destacar a modéstia dos servos de Deus.

Roupas de academia

Agora que todo mundo resolveu ir para a academia — o que é muito bom —, surgiram novos desafios quanto à exposição do corpo e às roupas que são usadas em momentos de treino, principalmente em exercícios que exigem movimentos esquisitos e constrangedores.

Existe um cuidado especial em cada momento que vivemos. Não é o caso, porém, de a igreja criar uma lista de como as mulheres vão se vestir em cada situação. Até porque entendemos que a grande questão que envolve a modéstia é uma questão de transformação interna muito mais que externa. Já me aconteceu várias vezes de, sempre que uma mulher aparece na praia de biquíni ou com uma roupa na academia que não era o ideal, outras pessoas me procurarem, geralmente no intuito de que eu exorte a pessoa a se cobrir mais. A preocupação raramente é entender o que acontece no coração para que ela precise se expor daquela forma. Na cultura do legalismo, está suficiente que todos estejam bem-vestidos. A cultura de quem entendeu Pedro e Paulo está muito mais preocupada com o coração. A pessoa pode vestir o corpo e manter a alma nua diante do pecado. Isso é um problema muito mais sério.

Imodéstia masculina

Homens também podem ser imodestos. Não falei muito de homens até aqui porque os textos bíblicos focam as mulheres. Isso me faz entender que o pecado da exposição física tende a estar mais atrelado à feminilidade que à masculinidade. Isso é comum ao longo da história do mundo. Existem pecados mais comuns a determinado sexo, ainda que não sejam exclusivos a eles. Pedro, Paulo e Provérbios lidam mais com a exposição do corpo feminino, porque a questão da aparência é mais enfática em mulheres que em homens. Porém, isso não exclui os homens da cultura de imodéstia.

Embora mulheres possuam mais áreas sexuais no corpo que homens, ainda assim os homens precisam conhecer a discrição. Na cultura fitness, por exemplo, parece que mulheres têm de ir com a roupa do marido para a academia, ao passo que homens se sentem menos preocupados em cobrir pernas, abdômen, peitorais definidos e coisas do tipo, como se isso configurasse um aspecto de menor importância. Não obstante, Deus também se preocupa com a modéstia masculina. Por exemplo, calças demasiadamente apertadas.

Um professor de seminário chamou um jovem para tocar no culto. O jovem foi e tocou. À noite, o professor pediu a conta bancária desse jovem e lhe mandou cerca de cem reais. O jovem respondeu agradecendo a oferta da igreja, mas o pastor respondeu, dizendo: “Não, não. Estou mandando esse dinheiro para você comprar uma calça que não seja do Chitãozinho e Xororó. Para você nunca mais subir ao púlpito para louvar a Deus com uma calça apertada como essa”. Não acho que essa seja a linguagem mais apropriada para abordar o problema, mas homens tendem a ser negligentes com a exposição do próprio corpo. Mulheres com calças apertadas chamam a atenção e geram burburinho, e homens com calças apertadas marcando o que não deveria muitas vezes passam despercebidos. Ainda assim, trata-se de exposição indevida.

Cuidando da objetificação

Tendo dito tudo isso, convém ter também cuidado com a objetificação. Um problema comum no esforço eclesiástico contra pecados no uso do vestuário está em como justificamos inconscientemente uma cultura de objetificação. Assim como muitos grupos justificam estupros contra mulheres por causa do tamanho da roupa, como se o vestir-se sensualmente tornasse a violência um ato moralmente menor, algumas igrejas parecem acreditar que mulheres que se portam de modo tentador carregam toda a culpa de qualquer pecado masculino.

Nisso, alguns homens são tratados como meras vítimas quando caem sexualmente, sendo infiéis à esposa, viciando-se em pornografia ou flertando com mulheres casadas. As mulheres acabam responsabilizadas pelos pecados dos outros, não apenas pelos seus. Sim, as Escrituras condenam aquele que leva o outro a cair em pecado: "Quanto sofrimento haverá no mundo por causa das tentações para o pecado! Ainda que elas sejam inevitáveis, aquele que as provoca terá sofrimento ainda maior" (Mt 18.7). Sim, o tropeço pode se dar pela tentação do outro, e essa pessoa será responsabilizada por isso. Porém, as mulheres não são responsáveis pelos pecados masculinos. Homens que não conseguem controlar seus olhos são responsáveis por seus pecados. Isso é muito mais profundo que parece.

Muitas vezes, diminuímos a identidade feminina na luta contra o pecado. Para muitos pornógrafos e lascivos, as mulheres podem acabar reduzidas a tentações. Não são mais irmãs, não são mais pessoas criadas à imagem de Deus. São possibilidades de pecado a ser evitadas. É claro que toda tentação deve ser evitada. Quando somos atraídos por imagens lascivas, devemos desviar nossos olhos, mesmo que isso diminua a chance de um relacionamento maduro com o outro. Mulheres que se expõem demais não deveriam estranhar caso sejam evitadas por quem não deseja ceder à atratividade natural da exposição. Porém, muito homens acabam depositando a culpa pelo próprio pecado sobre mulheres que estejam vestidas impropriamente. É isso que o pecado faz. Ele impossibilita as relações humanas. Mas isso não pode nos levar a olhar para as pessoas como menos do que realmente são. A complicação é que isso surge em contextos em que as discussões sobre modéstia e vestuário se resumem às mulheres, como se os homens não precisassem se preocupar com nada além de evitá-las.

Uma forma de evitar culturas de objetificação no combate à imodéstia no vestuário é entendendo que o pecado de imodéstia não depende inteiramente daquilo que as mulheres causam nos homens. Mesmo que as mulheres não estejam se mostrando de modo vulgar a qualquer homem, o pecado ainda está lá, porque é, antes de tudo, sobre elas e Deus. Além disso, homens também podem pecar com imodéstia no vestuário e no comportamento — sem falar do coração.

A modéstia não é um mandamento apenas aos bonitos. Os homens não acreditam que podem ser imodestos porque não acreditam ter alguma beleza física para ostentar. Muitas mulheres argumentam que não precisam preocupar-se com isso porque ninguém terá interesse em olhar para elas. Mas a modéstia não está atrelada ao efeito gerado em outra pessoa. O que haveria de interessante em olhar para as pernas de um sacerdote do Antigo Testamento? Não era pela questão de gerar libidinosidade no coração do outro, mas simplesmente porque a nudez estava sendo mostrada de forma imprópria. A nudez pública é um pecado mesmo que ninguém a esteja desejando.

Vista Jesus

No fim das contas, tudo se resume a como nos vestimos no corpo e na alma. As Escrituras nos chamam a nos vestirmos com Jesus e o evangelho. Paulo diz: "Em vez disso, revistam-se do Senhor Jesus Cristo e não fiquem imaginando formas de satisfazer seus desejos pecaminosos" (Rm 13.14). Acima de tudo, precisamos nos revestir de Cristo e nos despir dos desejos da carne. Não é possível usar Jesus como um sobretudo para cobrir os desejos da carne. É preciso abandoná-los. Paulo também diz que toda a vida cristã pode ser descrita como despir-se e vestir-se. O processo começa na justificação e no batismo (Gl 3.27). Precisamos tirar a roupa suja do pecado e nos revestir do poder do evangelho. É por isso que o único jeito de vencer os desejos da carne e dos olhos é nos vestirmos de Jesus. Todos os dias precisamos ser lembrados daquilo que ele fez por nós. Não é meramente preocupar-se com a roupa, mas sim buscar agradar Jesus em todo momento, em todo lugar, inclusive em cada peça de roupa. Nós nos preocupamos em honrar Jesus na praia, na academia, no trabalho, na igreja, na completude de quem somos, até mesmo no modo como nos vestimos.

É isso que significa entender que Deus entregou seu Filho por nós. É entender que Jesus morreu nu, envergonhado numa cruz, para que fôssemos vestidos em nossa alma, para que fôssemos transformados em nosso interior, e assim possamos cobrir a nudez de nosso corpo para a glória de Deus e para o serviço dos irmãos.

Se eu pudesse voltar àquela aula de escola bíblica dominical, nos meus 16 anos, é isso que eu gostaria de ter dito para Beth. Talvez hoje você precise mudar suas roupas, não só as do guarda-roupa, mas as roupas espirituais que veste diante de Deus. Talvez precise mudar a forma como tem vivido e decidir viver para a glória de Cristo em todas as suas decisões e escolhas. Assim, a sua postura será como uma cidade sobre o monte que não pode ser escondida. Procure isso no Senhor em oração, e certamente ele ajudará você a viver em sabedoria.

7

Cobertura

A Bíblia diz que mulheres precisam usar véu e cabelo comprido?

"Mas irmã", eu perguntei para Maria, "você não acha que está sendo cativada mais pela imitação de um personagem da internet do que por uma preocupação com a Palavra de Deus?" Seus olhos arregalaram, e ela tomou um gole do copo d'água para ter tempo de pensar um pouco, antes de me pedir que explicasse melhor. Preocupada com o mundo da política, ela seguia muitos perfis de católicos conservadores nas redes sociais que também militavam por sua visão eleitoral. Esses perfis misturavam política e religião, quase sempre o catolicismo, e frequentemente atacavam a fé evangélica — um fenômeno muito comum com a efervescência do marketing político digital que emergiu a partir de 2018. O efeito colateral disso foi uma quantidade acima da média de protestantes voltando para o catolicismo-romano por intermédio da atuação de influenciadores digitais do universo político.

Maria sempre foi protestante, mas começou a ver beleza em toda liturgia e pompa do catolicismo romano. Foi então que marcou uma conversa para me perguntar, entre outras coisas, por que as mulheres de nossa igreja não usavam véu nos cultos. Ela acreditava que isso mostrava mais da beleza da vida com Deus e era a única forma de ser verdadeiramente modesta como mulher.

Até 1983, o catolicismo-romano prescrevia o uso do véu. O Código de Direito Canônico de 1917, no cânon 1262, dizia que as mulheres "têm que cobrir suas cabeças e vestir-se com modéstia, especialmente quando se aproximam da mesa do Senhor", mas a lei sobre uso do véu caiu em desuso após o Concílio Vaticano II. Mesmo assim, essa prática tem reaparecido em meio a um ressurgimento de um catolicismo mais tradicional. Segundo o autor católico-romano Peter Kwasniewski, "O véu assinala a mulher como uma pessoa de oração, que sabe por que e por quem vai à igreja".[1] O padre Pio de Pietrelcina, canonizado em 2002, chegou a colocar um cartaz na porta de sua igreja dizendo que era "proibido para as mulheres entrarem usando calças, sem um véu sobre sua cabeça".[2] Ainda hoje, mulheres precisam usar véu sempre que encontram o papa romano.

No protestantismo, diferentes grupos defendem o uso do véu. Os menonitas, por exemplo, acreditam que as mulheres devem usá-lo até mesmo fora de momentos de culto. A Congregação Cristã no Brasil, estabelecida em nosso país em 1910 pelo italiano Louis Francescon, tornou-se conhecida como "igreja do véu". Qualquer busca por uma declaração doutrinária ampla da CCB será inútil, uma vez que essa denominação conhecidamente não divulga suas doutrinas para além das reuniões da própria denominação. A única forma de conhecer essas doutrinas é participando de suas igrejas. Mesmo assim, há um livreto oficial da CCB que registra uma reunião de anciãos, diáconos, cooperadores e administradores em março de 1948, em que consta a seguinte resolução: "Sempre que a mulher orar ou profetizar deve estar com a cabeça coberta; é necessário estar atenta para em nenhum caso ofender a Palavra de Deus".[3] Sabemos também por diversos testemunhos de ex-membros da CCB que mulheres precisam usar o véu para participar de seus cultos. Há relatos até de mulheres que são enterradas usando o véu.

Essa não é uma questão tão distante de nossa realidade. Já me sentei com irmãos da igreja que apareciam com questões envolvendo o catolicismo, não porque foram convencidos teologicamente, mas porque foram encantados por algum influenciador que lhes apresentou algum aspecto do catolicismo para o qual eles não estavam preparados. De fato, não é raro que igrejas que não usam o véu não saibam explicar por que não o fazem. Diante disso, podemos ficar mudos quando lemos 1Coríntios 11.2-16, em que Paulo aparentemente ordena que as crentes usem véu. Geralmente a resposta é tão somente: "Porque não usamos. Vou mandar uma mensagem para o pastor e descobrir o que está acontecendo". Isso é importante também porque o texto sobre véu envolve um segundo assunto controverso: o de que seria pecado mulheres usarem cabelo curto e homens usarem cabelo longo.

Então, mulheres de cabelo curto, preparem sua peruca ou véu, e homens de cabelo longo, sua ida ao barbeiro, porque a tesoura de Deus chegou sobre nossa vida. Porém, é isso mesmo que a Palavra de Deus diz?

Uma questão de autoridade

Paulo começa o trecho em questão dizendo: "Eu os elogio porque vocês sempre têm se lembrado de mim e têm seguido os ensinamentos que lhes transmiti. Mas quero que saibam de uma coisa..." (1Co 11.2-3a). O verso 2 é um elogio, ao passo que o 3 traz um novo desenvolvimento que pode ser lido como uma contraposição.[4] Ou seja, Paulo está dizendo que os elogia porque eles guardam em mente as tradições que ele ensinou. Na sequência, porém, há esse contraste. Eu sempre brinco que se alguém me elogia e fala um "mas" na sequência, ele só queria mesmo era dizer o que vem depois do "mas". O que vem antes é só uma forma de amaciar para não doer muito. Paulo está dando uma amaciada, dizendo que eles se lembram dele e das tradições, mas há um assunto do qual não estão se lembrando direito. Em uma leitura de contraposição, os ensinamentos que se seguem sobre o véu diriam respeito a uma falha em "lembrar de mim [Paulo]" e reter "os ensinamentos que [eu, Paulo] lhes transmiti". Aquela igreja estava falhando em seguir Paulo e seus ensinos nas questões relacionadas a masculinidade e feminilidade, principalmente quanto ao relacionamento entre marido e mulher e suas expressões públicas no vestuário.

"Homem e mulher" ou "marido e esposa"?

O que Paulo deseja que aqueles crentes saibam? Paulo explica que "o cabeça de todo homem é Cristo, o cabeça da mulher é o homem, e o cabeça de Cristo é Deus" (1Co 11.3). No grego, a palavra para "homem" e "marido" é a mesma (*aner*), assim como é a mesma a palavra para "mulher" e "esposa" (*gyne*). Portanto, sempre que aparece *aner* ou *gyne* é o contexto que determinará como iremos traduzir. Por mais que a maioria das traduções em português optem por "homem" e "mulher", penso que é mais cabível traduzir como "marido" e "esposa". Três argumentos apontam para essa escolha. Primeiro, o contexto de todo o argumento que se segue é claramente conjugal. Segundo, quando essas duas palavras aparecem juntas em grego, geralmente se referem a marido e mulher, como em outros textos paulinos (1Co 7.2-3; Ef 5.23; Tt 1.6). Terceiro, no outro momento em que Paulo argumenta sobre o homem ser cabeça da mulher, em Efésios 5.23, o argumento diz claramente respeito ao contexto conjugal. Assim, Paulo não estaria argumentando sobre homens e mulheres em geral, mas sobre maridos e esposas. Nesse sentido, a melhor leitura do versículo parece ser a oferecida pela NTLH: "Mas quero que entendam que Cristo tem autoridade sobre todo marido, que o marido tem autoridade sobre a esposa e que Deus tem autoridade sobre Cristo".

Essa é uma questão relevante de tradução porque, sem essa percepção, alguns acabam tentando criar, conscientemente ou não, um modelo de autoridade geral de todo homem sobre toda mulher, isto é, a mulher não seria sujeita exclusivamente ao marido, mas a todo homem de forma geral. Acredito que isso não somente é impraticável, mas é também uma excentricidade teológica. Se Paulo estivesse falando de forma geral, teria de haver uma relação de submissão de todas as mulheres a todos os homens. De fato, há igrejas que acreditam nisso — que as mulheres são sujeitas a todos os homens — a ponto de mulheres não poderem ser professoras em universidade, policiais, administradoras de empresas ou líderes civis. Isso para mim é um absurdo e não condiz nem com 1Coríntios 11 nem com outros tantos textos bíblicos que localizam a autoridade e a submissão exclusivamente no contexto matrimonial.

John Piper é um dos teólogos que defende que certas profissões podem dificultar a relação de submissão-liderança entre mulher e homem. Para ele, "existem papéis que tensionam a personalidade do homem e da mulher para além do que é apropriado, produtivo e saudável para a estrutura geral da casa e da sociedade". Essa opinião também é levada para ministérios paraeclesiásticos. Quando perguntado sobre o papel das mulheres nesses ministérios, Piper responde: "Eu acho que Paulo diria: 'Eu ensinei, Moisés ensinou, a natureza ensina, que vai contra a verdadeira natureza dada por Deus para o homem e a mulher colocar uma mulher em um papel de liderança regular, direta e pessoal sobre homens".[5]

Essa liderança pessoal e direta é uma espécie de escala que Piper delineou a fim de avaliar se seria bom para os padrões de liderança bíblicos uma mulher exercer determinado cargo. Para ele, a influência da mulher pode ser vista no seguinte espectro:

Pessoal ____________ Não pessoal
Diretivo ____________ Não diretivo

Uma influência não pessoal seria, por exemplo, uma mulher desenvolver "o sistema de tráfego das ruas de uma cidade e assim exercer um tipo de influência sobre todos os motoristas homens. Mas essa influência seria não pessoal e portanto não seria necessariamente uma ofensa contra a ordem de Deus".[6] Uma influência não diretiva seria agir com petições e persuasão em vez de ordens diretas. Ele dá o exemplo de Abigail, que convence Davi a não matar Nabal (1Sm 25.23-25). Em contrapartida, uma influência diretiva seria uma mulher ter uma patente no exército, por exemplo, em que ela tenha poder para dar ordens a homens. Em resumo, para Piper, a mulher deveria exercer um papel diretivo e não pessoal, ou pessoal e não diretivo.

Ele também cita o exemplo de uma mulher que se encontra em casa, e um homem lhe pede direções de trânsito. A mulher tem conhecimento superior ao do homem, que se submeteria às instruções dela. Piper diz que "sabemos que existe uma forma em que uma dona de casa lidere o homem sem que nenhum deles sinta que sua masculinidade ou feminilidade maduras sejam comprometidas". Analisando isso pela negativa, Piper entende que haveria uma forma em que a mulher não estaria exercendo uma feminilidade madura ao dar simples instruções de trânsito a um homem. Ele também argumenta que profissões como legisladora, advogada, motorista de ônibus, policial ou diretora de escola podem "esticar as expressões apropriadas de feminilidade para além de um ponto de ruptura".[7]

Cynthia Long Westfall apresenta uma tese diferente do consenso acadêmico sobre o sentido dessa passagem, argumentando que Paulo está ordenando que todas as mulheres da igreja — casadas ou solteiras, livres ou escravas — usem o véu. Seu argumento se baseia, entre outros aspectos, na preferência pela tradução "mulher" em lugar de "esposa".[8]

Apesar dos méritos de sua argumentação, sua posição depende de muitas inferências culturais, sendo, na minha opinião, menos provável que a leitura tradicional da passagem. Como comenta Paul D. Gardner: "Paulo provavelmente tinha em mente mulheres casadas e seus maridos, e não homens e mulheres em geral, embora isso não negue o fato de que Paulo também faz comentários gerais nessa passagem sobre todos os homens e mulheres".[9]

O sentido de "cabeça"

O termo "cabeça" (*kephale*) sempre aponta para aquele que é autoridade. Porém, muitos têm tentado argumentar — ainda que sem sucesso, a meu ver — que o termo traduzido como "cabeça" teria o sentido de fonte ou origem. Em minha leitura, o argumento de que "cabeça" é um termo metafórico para autoridade permanece convincente. Wayne Grudem, por exemplo, examinou 2.336 usos da palavra "cabeça" na literatura grega e concluiu que seu sentido nunca denota "fonte".[10] Além disso, Paulo não apenas compara a relação de autoridade e submissão entre Deus Pai e Deus Filho com a relação entre o marido e a esposa, mas também cria uma progressão de submissão e autoridade que vai desde o Pai até a esposa, passando por Cristo e o marido.

Lendo esse texto a partir das lentes da modernidade, sentimos algum desconforto ao supor que Paulo está diminuindo as mulheres ao falar de submissão. No entanto, o apóstolo escreve em meio ao contexto do mundo greco-romano, em que as mulheres eram vistas como desprovidas de valor. Para ter uma ideia, Nero pôde torturar e matar a própria esposa sem que isso causasse qualquer controvérsia na época. Se um presidente hoje torturasse e matasse a própria esposa, a notícia certamente abalaria o país, para dizer o mínimo. Porém, como já vimos em capítulo anterior, o conceito de *pater familias* no mundo antigo fazia que homens pudessem disciplinar esposas como disciplinavam os filhos, recorrendo até mesmo à violência. Isso significa que as palavras de Paulo, segundo as quais a mulher deve submissão ao marido, não machucariam a consciência de ninguém naquela época. Porém, quando o apóstolo diz que o marido é sujeito a Jesus e que Jesus é sujeito ao Pai no mesmo sentido que a mulher é sujeita ao marido, um tipo de cuidado relacional muito importante é estabelecido. O modo como a esposa é submissa a seu marido não equivale ao modo como uma esposa se sujeitava ao *pater familias*. É o modo como a igreja se sujeita a Cristo, e como Cristo se sujeita ao Pai.

Os crentes de Corinto, portanto, estavam se esquecendo de uma doutrina de Paulo que envolvia a submissão e autoridade. Estavam se esquecendo de que a esposa é sujeita ao marido, o marido ao Filho e o Filho ao Pai. Logo, a mulher ser submissa não tiraria sua dignidade ou valor. Se tirasse, o homem teria menor dignidade ao ser submisso a Cristo e Jesus teria menos dignidade ao ser submisso ao Pai. Como bem percebe Andy Naselli: "O relacionamento marido-mulher deve refletir o relacionamento Pai-Filho com referência à autoridade e submissão. Deus, o Filho, submete-se a Deus, o Pai, embora ainda seja igual em essência e valor; o Filho não é inferior só porque se submete ao Pai. Da mesma forma, uma esposa que se submete ao marido ainda é igual em essência e valor; uma esposa não é inferior só porque se submete ao marido".[11]

É nesse contexto de consideração pela dignidade feminina que Paulo aborda o uso de coberturas sobre a cabeça do homem e da mulher. Essa preocupação pela dignidade da mulher em meio às diferenças entre os sexos faz que, como complementaristas, acreditemos que homens e mulheres possuem o mesmo valor, mas diferentes locais de atuação para o desenvolvimento de seus papéis na família e na igreja.

O significado do uso do véu

Paulo continua desenvolvendo seu argumento: "O homem desonra sua cabeça se a cobre para orar ou profetizar. Mas a mulher desonra sua cabeça se ora ou profetiza sem cobri-la, pois é como se tivesse raspado a cabeça" (1Co 11.4-5). Aqui temos um texto cujo entendimento é extremamente dependente de uma análise do contexto cultural greco-romano. As mulheres, quando casadas, usavam sobre a cabeça um véu para representar que tinham marido e que não estavam sexualmente disponíveis. Rapar a cabeça, naquele contexto, era um tipo de punição por prostituição ou adultério. Para um homem, era diferente: se ele fosse preso, uma das punições era proibi-lo de cortar o cabelo, e o cabelo longo era um símbolo de ataque à sua masculinidade, porque o cabelo longo era um símbolo da feminilidade e da submissão a um homem. Mulheres que não fossem fiéis a seus casamentos não teriam cabelo longo. Em sentido análogo, o cabelo ocupava a mesma função que hoje ocupa, em nossa cultura, a aliança de casamento. Usamos uma aliança no dedo anelar esquerdo para simbolizar que somos casados. De igual modo, naquela época e lugar mulheres usavam véu para simbolizar que eram casadas.

Paulo escreve que o homem que cobrisse sua cabeça física ao orar ou profetizar estaria desonrando sua cabeça metafórica, sua autoridade — isto é, Cristo. Por quê? Bruce Winter, especialista no mundo romano dos tempos bíblicos, afirma que o ato de cobrir a cabeça nas cerimônias religiosas era comum nos rituais pagãos.[12] Paulo exorta duas vezes os coríntios nessa primeira epístola a imitarem a ele, o apóstolo (1Co 4.16; 11.1), o que indica que aqueles cristãos estavam imitando quem não deviam. Aparentemente, os crentes coríntios estavam imitando ritos e atos de vestuário comuns às falsas religiões daquele tempo, talvez em busca do prestígio público que os sacerdotes pagãos possuíam. Isso não é de espantar, já que pouco antes Paulo havia precisado repreender os coríntios por frequentarem os templos dos ídolos pagãos (1Co 8.10). Os homens estavam imitando a forma de adoração dos rituais pagãos usando roupas que eram comuns aos líderes daquela cultura, enquanto as mulheres estavam profetizando sem véu, o que de alguma forma era imitar as correntes da época, como uma forma de se colocar fora do casamento ou de romper com estruturas de submissão e autoridade dentro do ambiente conjugal.

Portanto, Paulo está preocupado com uma igreja que imita o mundo, que se apropria dos rituais de sua cultura e abre mão de elementos característicos de uma vida de piedade. No caso em questão, homens profetizando com a cabeça coberta e mulheres com a cabeça descoberta.

Como o véu era entendido na cultura greco-romana?

Sobre essa questão, é importante olharmos com cuidado para a relação cultural entre véu e casamento no mundo romano, a fim de entender com clareza a intenção de Paulo aqui. As cartas do apóstolo contêm ordens que são culturalmente localizadas e que nós adaptamos às culturas modernas, seguindo o sentido moral por trás do mandamento. Um excelente exemplo dessa adaptação é o mandamento na primeira epístola aos coríntios para que os cristãos se beijassem: "Saúdem uns aos outros com beijo santo" (1Co 16.20). Pedro repete o mesmo mandamento: "Cumprimentem uns aos outros com um beijo de amor" (1Pe 5.14). Será que é obrigatório que todos os crentes se beijem mutuamente como obediência à mensagem apostólica?

É bem conhecido entre os estudiosos da cultura romana que o beijo era uma saudação comum. O "selinho", beijo em que os lábios apenas se encostam, era o cumprimento comum da aristocracia, como um modo de reconhecer que faziam parte da mesma classe social. Os familiares se beijavam nas reuniões, assim como amigos íntimos. O beijo era também um sinal de proximidade entre mestres e seus alunos. Plutarco, historiador grego nascido do primeiro século, registra que as mulheres romanas beijavam seus parentes na boca (*Questões romanas*, 6.1). O político romano Lúcio Paulo, por sua vez, escreveu sobre a alegria de voltar para casa, para seus filhos, e como eles "corriam para ganhar os primeiros beijos".[13]

Então, por que não damos selinho uns nos outros nos momentos de confraternização religiosa? Porque entendemos que se trata de um mandamento culturalmente localizado. Na cultura greco-romana, era comum haver esse encostar rápido de lábios como forma de saudar pessoas próximas. Em nossa cultura, via de regra, nós nos abraçamos afetuosamente como uma forma cultural aplicada de um mandamento que suplanta o que era cultural. Somos ensinados a pegar mandamentos bíblicos relacionados a uma cultura e entender qual é a mensagem transmitida para além da cultura em que ela foi estabelecida. Sempre temos de atualizar questões culturais para o momento cultural em que vivemos.

Sabendo disso, parece razoável entender que Paulo e Pedro estão indicando aos cristãos uma prática de saudação e intimidade comum àquela cultura, algo próprio de familiares ou amigos íntimos. Em culturas nas quais o "selinho" não é um hábito comum, crentes deveriam lutar para popularizar mais o beijo (acreditando que a prática em si está sendo recomendada), ou, em vez disso, procurar determinar qual prática melhor se assemelha hoje ao que era o selinho naquele tempo (acreditando que os apóstolos se preocupavam com o que a prática significava, não com a prática em si)? Não creio que existam muitos teólogos que prefiram a primeira opção. Por isso esses textos geralmente são aplicados à nossa cultura como abraços ou apertos de mão afetuosos, já que estes representam aquilo que o beijo representava naquele tempo.

Que cenário cultural permeia o mandamento paulino sobre o uso do véu? Existe amplo testemunho de que o véu era um símbolo público de que a mulher era casada. Bruce Winter escreve longamente sobre o sentido do véu no mundo romano. Ele diz: "O véu era a característica mais simbólica do vestido da noiva na cultura romana".[14] Como já dissemos, seria mais ou menos o que uma aliança de casamento representa hoje para muitas culturas. Plutarco, por exemplo, fala da cerimônia de casamento como um ato de "colocar um véu na noiva" (*Moralia*, 301). Tácito, por sua vez, descreveu certa cerimônia de casamento dizendo que a esposa "assumiu o véu" (*Anais*, 11.27). Isso condiz com a evidência arqueológica. Uma estátua de mármore romana retrata uma cena de casamento em que a cabeça do homem está descoberta, mas a da mulher está coberta por um véu. Em um relevo funerário da Via Statilia, nos arredores de Roma, datado do primeiro século a.C., o marido é retratado com a cabeça descoberta e a esposa com a cabeça coberta.[15] Com base nisso, Bruce Winter percebe muito corretamente: "Como qualquer referência conectando uma mulher a um véu alertaria imediatamente um leitor do primeiro século para o fato de que ela era uma mulher casada, há motivos seguros para concluir que a questão aqui [em 1Coríntios 11] dizia respeito a mulheres casadas orando e profetizando sem o véu na reunião cristã".[16]

O uso do véu por mulheres casadas era também um traço de modéstia e valor social. Já na antiguidade as leis assírias exigiam que esposas, filhas e concubinas aristocráticas usassem véu, ao passo que proibiam seu uso por prostitutas e escravas.[17] Sabemos também que o império romano legislava amplamente sobre regras de vestuário e comportamento público, o que incluía a cobertura sobre mulheres. Duas estátuas de bronze encontradas em uma casa nos escombros de Herculano, cidade da antiga Roma, e atualmente sob os cuidados do Museu de Arqueologia Clássica da Universidade de Cambridge, retratam duas dançarinas que não usam véus ou mantos sobre a cabeça. Uma delas é retratada removendo parte de seu vestido para expor o ombro e parte do seio.[18]

Podemos concluir, portanto, que o véu simbolizava a fidelidade conjugal da esposa ao marido. Diante disso, uma mulher casada que removesse seu véu, naquela cultura, praticava um ato de rebelião ao próprio casamento. Seria, em nossa cultura, como jogar no lixo a aliança conjugal. Judith Lynn Sebesta argumenta que, uma vez que o véu simbolizava a autoridade do marido sobre a esposa, a remoção do véu por uma mulher casada era sinal de que ela se "retirava" do casamento. Ela registra um fato envolvendo Caio Sulpício Galo, cônsul em 166 a.C., que se divorciou da esposa porque ela havia saído de casa sem o véu sobre a cabeça. Quando tirou o véu em público, ela se excluiu do posto de mulher casada.[19] Por isso orar ou profetizar sem o uso do véu representaria um verdadeiro escândalo para a cultura nos tempos do Novo Testamento.

Andy Naselli resume o argumento de Winter em três proposições simples:

1. Os sacerdotes (que eram homens romanos de alto status social) vestiam suas togas sobre a cabeça quando conduziam cerimônias religiosas pagãs, orando ou sacrificando. Portanto, os homens cristãos em Corinto não devem adotar esse costume sincretista.
2. O fato de uma mulher cobrir a cabeça (por exemplo, com um lenço fino) indicava socialmente que ela era casada. Simbolizava sua modéstia, castidade e submissão ao marido. Uma esposa que se recusou a cobrir a cabeça desonrou publicamente o marido.
3. Um novo tipo de esposa rebelde estava surgindo nessa época no mundo romano. Sua rebeldia se revelava em sua promiscuidade sexual (o que naquela cultura era aceitável para os homens, mas não para as mulheres), o que era indicado pela remoção do véu.[20]

O uso do véu hoje representa culturalmente a posição de honra de uma mulher casada em submissão à liderança de seu marido? Absolutamente não, do mesmo modo que um beijo nos lábios não representa a fraternidade entre parentes e amigos íntimos. Se tomarmos um aspecto da cultura greco-romana na tentativa de obedecer a uma preocupação de Paulo com questões de sua época, cairemos no erro terrível de tomar a forma sem o conteúdo. O conteúdo não vem só porque trazemos a forma. Em contrapartida, quando nosso foco é o conteúdo, buscamos descobrir a forma viável de aplicá-lo à nossa cultura. Ou seja, descobrir como nos desvencilhamos de aspectos físicos e estéticos pagãos, bem como de atos públicos que demonstram ao mundo rebeldia, desconexão conjugal, falta de bom relacionamento familiar ou mesmo promiscuidade sexual. É para isso que devemos estar atentos sempre que olhamos para as Escrituras. O modo de obedecer ao mandamento de 1Coríntios 11 precisa ser culturalmente adaptado. Sobre isso, Wayne Grudem escreveu:

> Paulo está preocupado com a cobertura da cabeça porque é um símbolo externo de outra coisa. Mas o significado de tal símbolo variará com base no entendimento que terão dele as pessoas de determinada cultura. Seria errado exigir o mesmo símbolo hoje se ele tivesse um significado completamente diferente. [...] Hoje, obedecemos ao mandamento de cobrir a cabeça das mulheres em 1Coríntios 11 incentivando as mulheres casadas a usarem aquilo que simbolize o casamento em suas próprias culturas. [...] Observe que não estou dizendo que "não precisamos mais obedecer a 1Coríntios 11". Estou dizendo, isto sim, que a forma externa pela qual obedecemos à passagem pode variar de cultura para cultura, assim como o sinal físico que simboliza o casamento varia de cultura para cultura. Isto é semelhante à forma como "não cobiçarás o boi do teu próximo" (Êx 20.17) se aplica hoje a não cobiçar o carro de nosso próximo (ou, numa sociedade agrícola, o seu trator).[21]

Cabelos raspados

Releiamos o texto de 1Coríntios 11.4-5: "O homem desonra sua cabeça se a cobre para orar ou profetizar. Mas a mulher desonra sua cabeça se ora ou profetiza sem cobri-la, pois é como se tivesse raspado a cabeça". Paulo está dizendo que, quando homens que oram na igreja tomam para si parte dos rituais pagãos, eles desonram a Cristo como seu Senhor. Já a mulher que abandona o véu desonra o marido, porque está abandonando um símbolo de fidelidade a ele, como se sua cabeça estivesse raspada. É como se ela estivesse dizendo publicamente que é adúltera ou prostituta. Então, no versículo seguinte, Paulo escreve: "Se ela se recusa a cobrir a cabeça, deve também cortar todo o cabelo! Mas, uma vez que é vergonhoso a mulher cortar o cabelo ou raspar a cabeça, deve cobri-la".

O cabelo era um símbolo de honra tão significativo no período romano que, de acordo com a lei da época, a pena para uma mulher que cometesse adultério era cortar o cabelo.[22] Dião Crisóstomo, historiador do primeiro século, registra que "uma mulher culpada de adultério terá o cabelo cortado de acordo com a lei e bancará a prostituta". Ele também registra que a filha de uma mulher chamada Medeia se tornou adúltera e, por isso, teve o cabelo cortado (*Discursos* 64.3). Isso significa que, ao remover o véu em público, a mulher estava rejeitando o símbolo público de sua aliança de casamento. Se era assim, então por que não raspavam o cabelo de uma vez para representar que abandonaram o casamento? Se não estavam dispostas a isso e queriam manter seus cabelos — símbolo de fidelidade conjugal —, então que mantivessem também o véu.

A retórica paulina é sarcástica: se a mulher não quer usar o véu, símbolo público de honra matrimonial, por que ela não renuncia a outro símbolo público de glória e fidelidade conjugal, que é o cabelo comprido? Se a cabeça descoberta de uma esposa é o mesmo que ter a cabeça raspada, e é vergonhoso que uma esposa tenha a cabeça raspada, então a cabeça descoberta da esposa é vergonhosa. Por isso a esposa deve cobrir a cabeça. As mulheres não queriam o véu, um símbolo de submissão ao marido, mas também não queriam raspar a cabeça para não serem confundidas com adúlteras ou prostitutas. Ora, se é vergonhoso raspar a cabeça, também deveria ser vergonhoso não usar o véu. Essa é uma retórica forte, mas necessária. Percebemos que desarranjos entre maridos e esposas não são novidade.

A questão criacional

Paulo segue seu argumento usando um aspecto criacional. O homem não deve cobrir a cabeça, imitando os pagãos ímpios, para não desonrar a Deus, já que ele foi feito à imagem dele e reflete sua glória, e a mulher não deve descobrir a cabeça, imitando as prostitutas pagãs e as rebeldes ímpias, para não desonrar o marido, já que ela é a glória dele. Em 1Coríntios 11.7-9, lemos:

> O homem não deve cobrir a cabeça, pois ele foi criado à imagem de Deus e reflete a glória de Deus. A mulher, porém, reflete a glória do homem. Pois o homem não veio da mulher, mas a mulher veio do homem. E o homem não foi criado para a mulher, mas a mulher foi criada para o homem.

Aqui, ele volta ao argumento estabelecido no versículo 3, em que afirma que o homem é o cabeça da mulher. Paulo está mostrando que homens e mulheres não são intercambiáveis, mas possuem características criacionais distintas, apesar de seus valores e dignidade iguais. O homem não foi feito da mulher, e sim a mulher foi feita do homem. Isso não pode ser mudado, transferido ou intercambiado. São distinções nucleares entre os sexos. Da mesma forma, a mulher foi criada após o homem por causa do homem, e não o oposto. Essas diferenças motivam o argumento de Paulo acerca da observância de um símbolo cultural de submissão ao marido. O apóstolo "não quer dizer que a mulher não seja feita à imagem de Deus, uma vez que a Bíblia afirma explicitamente que Deus criou tanto o homem como a mulher à sua imagem (Gn 1.27; 9.6; Tg 3.9)",[23] mas deixa claro que ambos não são iguais em seus papéis no relacionamento conjugal. Comenta Andy Naselli que o apóstolo

> segue o relato da criação em Gênesis 2.18-23, em que homem e mulher não são intercambiáveis. Deus fez a mulher do homem (e não vice-versa) e criou a mulher para o homem (não vice-versa). Assim, "a mulher é a glória do homem" de uma forma que o homem não é a glória da mulher: a esposa honra o marido como sua autoridade. [...]. Como Paulo argumenta a partir da criação, o princípio de que maridos e esposas têm papéis diferentes transcende as culturas.[24]

Agora, o fato de Paulo estar usando um argumento que se baseia em aspectos criacionais não faz que sua argumentação seja supracultural, isto é, que transcende a cultura? Com efeito, um argumento muito comum de quem entende que a proibição do pastorado feminino em 1Timóteo 2 vale para todas as culturas é que o argumento de Paulo se baseia totalmente em aspectos criacionais, tanto na ordem da Criação do homem e da mulher quanto na ordem da Queda diante da tentação da serpente. O que torna o texto de 1Coríntios 11 diferente? Não deveria existir uma unidade interpretativa entre os textos com "base criacional"? Por exemplo, Craig Keener entende que não é correto tornar universal a proibição ao pastorado feminino em 1Timóteo 2 por causa da correlação com Eva, porque do contrário também teríamos de dizer que o véu é obrigatório, uma vez que Paulo usa o mesmo argumento. Ou seja, os dois textos seriam criacionais, mas nenhum seria supracultural. Por outro lado, se mulheres não podem ensinar por causa da base criacional usada na argumentação de Paulo, também teriam de usar véu até hoje.[25]

A diferença pode passar desapercebida em uma leitura apressada, mas é fácil perceber que o argumento criacional de Paulo em Coríntios diz respeito à liderança do homem e à submissão da esposa, não ao véu em si. O símbolo sequer existia nos tempos da criação (não há relatos de uso de véu nos primeiros momentos do Pentateuco), mas a submissão e a autoridade (que eram simbolizados pelo véu no império romano) existiam desde a criação. O argumento criacional não diz respeito ao véu, mas àquilo que é simbolizado pelo véu. O símbolo poderia mudar com o tempo, mas o tipo de relacionamento entre marido e mulher permaneceria, pois era criacional.

Benjamin L. Merkle, notável professor de grego bíblico, escreveu um artigo sagaz sobre essa aparente inconsistência argumentando que "em 1Coríntios 11 Paulo usa apenas indiretamente o argumento da criação para afirmar o uso da cabeça coberta para as mulheres", sendo a aplicação direta de seu raciocínio "mostrar que a criação afirma distinções de gênero e de papel entre homens e mulheres — e, no contexto coríntio, essa distinção precisava ser mantida através da cobertura da cabeça". Enquanto a aplicação desse princípio (isto é, a cobertura da cabeça) pode mudar com a cultura, as distinções entre marido e esposa permanecem criacionais.[26]

Além disso, quando Paulo escreve aos coríntios, ele aplica o princípio da ordem a todas as congregações dos santos, porque Deus é Deus de ordem (1Co 14.33). Assim, mesmo que a questão de 1Timóteo fosse particular daquele contexto, o princípio da ordem estabelecido em 1Coríntios 14.33 segue universal, isto é, todas as igrejas dos santos devem segui-lo. Keener focou o ensino/silêncio das mulheres, quando a questão que regula o argumento de Paulo incluía a ordem no culto de todas as igrejas da época. Paulo volta a esse ponto em 1Coríntios 14.40, ao ensinar como o culto deve ser ordeiro, e isso inclui a questão do silêncio feminino.

Uma escatologia exagerada

Parte do problema da igreja de Corinto é que sua escatologia era adiantada. Ao longo da exposição da carta, percebemos que aqueles cristãos estavam tentando viver coisas que só lhes caberia viver no futuro, no novo céu e na nova terra. Havia uma ênfase exagerada no Espírito e nos dons espirituais, bem como uma negligência de aspectos práticos da vida cristã. Paulo escreve aos coríntios visando desfazer essa conduta e relembrá-los de vários aspectos da vida presente que ainda precisam ser vividos, incluindo o sofrimento. Ele chega a ser sarcástico para lhes mostrar o absurdo desse modo de pensar (1Co 4.8,10-13).

Então, em 1Coríntios 11.10, Paulo arremata: "Por esse motivo, e também por causa dos anjos, a mulher deve cobrir a cabeça, para mostrar que está debaixo de autoridade". É como se aqueles cristãos já quisessem viver como anjos, e Paulo está dizendo que não, eles não são anjos, ainda não estão livres das questões culturais à sua volta. Os coríntios queriam viver como anjos, mas é justamente por causa dos anjos que estavam em seu meio que eles deveriam viver em submissão e autoridade. Os anjos estavam e estão presentes no culto hoje. Eles habitam as reuniões das igrejas adorando a Deus conosco! Por isso nossa adoração não é uma prática simplesmente nossa, que realizamos como bem queremos. Deus e seus mensageiros estão presentes no culto, por isso o modo como cultuamos importa, bem como o modo como nos vestimos no culto importa, porque Deus está olhando para cada um de nós no meio da adoração.

Ao que parece, os cristãos coríntios queriam suplantar as questões de gênero, como se não houvesse mais homem ou mulher na igreja. Constata-se algo disso em 1Coríntios 7, quando fica implícito que alguns deles queriam largar o cônjuge e viver sem nenhum tipo de coabitação sexual, como se isso os tornasse mais santos. Aparentemente, queriam transcender a intimidade conjugal como se já vivessem em um corpo glorificado para além das questões naturais desta vida. Paulo escreve para lembrá-los de que ainda estavam vivendo no presente, sob a cultura estabelecida.

Paulo chama o véu de *exousia*, "autoridade", o que não apenas confirma o sentido do véu como um símbolo da autoridade do marido, mas também estabelece a metáfora da "cabeça" como relacionada, de fato, a uma posição de autoridade. O texto grego diz, literalmente, "deve ter uma autoridade sobre sua cabeça", um modo comum de descrever, no grego, o símbolo de algo.[27] O véu deveria ser usado porque era um sinal, um símbolo, naquela cultura, da autoridade do marido. Paulo não está preocupado com o símbolo, mas com aquilo para o qual o símbolo aponta. Os símbolos mudam, seja de lugar para lugar, seja de era para era. Hoje, o véu não é mais entendido culturalmente como símbolo de autoridade do marido sobre a esposa. Logo, lutar por seu uso é vazio do peso que Paulo via naquele elemento dentro da cultura romana.

Por causa dos anjos

Mas por que os anjos são relevantes nessa questão? No grego, *angelous* pode ser traduzido tanto por "anjos" quanto por "mensageiros". As duas opções são plausíveis no contexto, mas os outros três usos de *angelous* em 1Coríntios contrastam anjos com humanos (4.9; 6.3; 13.1), indicando tratar-se de seres espirituais. Se Paulo está falando de anjos, os seres que habitam o mundo espiritual, então as esposas deveriam se submeter aos maridos usando uma cobertura na cabeça porque os anjos as observam. O vestuário e aquilo que ele significa não configuravam uma questão meramente privada; antes, estava sendo observada até pelos seres espirituais que eles tanto valorizavam.

Aqui, a tese de Benjamin L. Merkle contribui para compreendermos essa referência a anjos. Em sua visão, o motivo do véu ser uma polêmica entre os coríntios derivava de um problema de adiantamento da escatologia. Toda a epístola aos coríntios apresenta Paulo tentando solucionar problemas decorrentes de tentar experimentar neste mundo elementos que só poderão ser totalmente vividos na eternidade. Naquela igreja, havia um movimento de ignorar as diferenças entre os sexos e acabar com as relações de autoridade e submissão no casamento, o que levaria algumas mulheres a abandonar o uso do véu. Merkle explica:

> Por causa de sua escatologia exagerada, algumas mulheres queriam minimizar ou apagar a distinção entre os gêneros e ser como os anjos já no presente. Assim, procuravam afirmar sua liberdade recém-descoberta, desconsiderando um costume cultural comum (ou seja, cobrir a cabeça das mulheres durante o culto), algo que a sociedade consideraria vergonhoso. A posição dos coríntios teria sido fortalecida pela má aplicação do ensino de Paulo de que homens e mulheres eram iguais em Cristo (cf. Gl 3.28). Portanto, a principal preocupação de Paulo não é com cobrir a cabeça, uma vez que isso era apenas a consequência cultural de uma

verdade imutável — Deus criou homens e mulheres de forma diferente (distinção que não é eliminada quando nos tornamos cristãos).[28]

É muito provável que Paulo tenha ensinado aos coríntios o que Jesus ensinou aos saduceus quando estes lhe questionaram sobre casamento e a vida eterna. Relembremos o texto de Marcos 12.18-25 (grifos meus):

> Depois vieram a Jesus alguns saduceus, líderes religiosos que afirmam não haver ressurreição dos mortos, e perguntaram: "Mestre, Moisés nos deu uma lei segundo a qual se um homem morrer sem deixar filhos, o irmão dele deve se casar com a viúva e ter um filho que dará continuidade ao nome do irmão. Numa família havia sete irmãos. O mais velho se casou e morreu sem deixar filhos. O segundo irmão se casou com a viúva, mas também morreu sem deixar filhos. Então o terceiro irmão se casou com ela. O mesmo aconteceu até o sétimo irmão, e nenhum deixou filhos. Por fim, a mulher também morreu. Diga-nos, de quem ela será esposa na ressurreição? Afinal, os sete se casaram com ela".
>
> Jesus respondeu: "O erro de vocês está em não conhecerem as Escrituras nem o poder de Deus. *Pois, quando os mortos ressuscitarem, não se casarão nem se darão em casamento. Nesse sentido, serão como os anjos do céu*".

Por causa da escatologia adiantada, os coríntios imaginavam que já eram como os anjos. Assim, eles não se davam em casamento — problema que Paulo combate no capítulo 7 — e desejavam apagar as distinções entre os gêneros. O abandono do uso do véu nada mais era que a manifestação dessa compreensão de que eles, por se imaginarem anjos, já haviam superado a necessidade de se casarem, pois estavam vivendo esse tipo de realidade espiritual superior. Ora, uma vez que não se apegavam ao casamento, não haveria motivo para ainda usar o véu, símbolo da submissão da esposa ao marido. Merkle afirma:

> o abandono deliberado da cobertura da cabeça (um marco externo necessário entre homens e mulheres) se dava não somente porque as mulheres estavam expressando sua liberdade recém-descoberta em Cristo e tentando viver um tipo de existência celestial semelhante ao dos anjos, mas também, ao fazer isso, elas estavam se rebelando contra a ordem criacional de Deus, que estabelece o marido como o "cabeça" ou aquele em posição de autoridade sobre a esposa.[29]

Assim, Paulo estaria usando o argumento dos coríntios contra os próprios coríntios. Eles erravam em acreditar que as distinções entre os sexos não se aplicariam mais, já que estavam se esforçando para ser como os anjos (que não têm sexo/gênero). Paulo inverte o raciocínio, argumentando que a razão pela qual as mulheres precisam usar o véu é porque os anjos vigiam e ajudam a fazer cumprir a vontade de Deus neste mundo, estando presentes durante os cultos de adoração. Assim, a referência aos anjos teria o seguinte sentido: "Vocês estão tentando se tornar iguais aos anjos, mas é justamente por causa deles que vocês deveriam cultuar respeitando seus papéis como homens e mulheres".

Igualdade e interdependência

Paulo iniciou seu argumento valorizando a mulher mesmo sem rejeitar o papel feminino de submissão à autoridade do marido. Agora, em 1Coríntios 11.11-12, ele retoma a defesa do valor da mulher, para que nenhum homem se glorie de seu papel de autoridade: "Entre o povo do Senhor, porém, as mulheres não são independentes dos homens, e os homens não são independentes das mulheres. Pois, embora a mulher tenha vindo do homem, o homem nasce da mulher, e tudo vem de Deus". Como Naselli comenta: "Homens e mulheres precisam uns dos outros. Nenhum deles poderia continuar existindo sem o outro. Eles literalmente não poderiam viver um sem o outro. Eles são interdependentes. A implicação é clara: o marido ou a esposa não são inerentemente melhores ou mais importantes que o outro".[30]

O homem nasce da mulher — não o contrário — e a mulher foi criada a partir do homem — não o contrário. E tudo isso vem de Deus. Paulo está dizendo que homens e mulheres precisam um do outro de forma igual, mas fazem isso com papéis diferentes. Os coríntios não haviam transcendido as diferenças existentes entre homem e mulher deste lado da eternidade.

Cabelos compridos

Na sequência, mais uma vez, Paulo apela para os símbolos da cultura romana, agora olhando para a natureza das relações. Assim diz 1Coríntios 11.13-15:

> Julguem por si mesmos: é correto uma mulher orar a Deus em público sem cobrir a cabeça? A natureza não deixa claro que é vergonhoso o homem ter cabelo comprido? E as mulheres não se orgulham de seu cabelo comprido? Pois ele lhes foi dado como manto.

Temos aqui indicação clara de que suas palavras não estão associadas apenas a questões culturais greco-romanas, já que o apóstolo se refere ao cabelo sendo usado no lugar do véu, mas também à própria "natureza", isto é, à ordem estabelecida das coisas. Havia aqui um princípio a ser levado muito a sério, e sua aplicação cultural era o uso do véu e cabelo. Dessa forma, o argumento contextual de Paulo possui mais um peso criacional. Naselli identifica tal princípio no fato de Deus ter criado os homens "para parecerem e agirem como homens e as mulheres para parecerem e agirem como mulheres". Dessa forma, a natureza "ensina os homens a parecerem e agirem como homens em sua cultura e ensina as mulheres a parecerem e agirem como mulheres".[31] A aplicação cultural disso seria o véu.

O debate sobre cabelos compridos também seria culturalmente localizado, já que na Roma dos tempos de Paulo homens de cabelos longos estariam usando algo intimamente atrelado à feminilidade. Segundo Winter, especialista em mundo romano: "Os habitantes adultos do sexo masculino da Corinto romana não usavam cabelos compridos, pois fazê-lo indicaria a negação de sua masculinidade".[32] No entanto, em outros contextos culturais, o cabelo comprido não possuía esse significado, logo não era nenhuma vergonha. A própria Bíblia retrata homens com cabelos compridos de uma forma que não é vergonhosa, como os nazireus (Nm 6.5), Sansão (Jz 13.5; 16.17-30) e Absalão (2Sm 14.26). Nenhum desses homens estava em pecado ou em vergonha por ter cabelos compridos, justamente porque não viviam na cultura romana dos tempos de Paulo.

Ou seja, a questão do cabelo não era absoluta e universal, como se valesse para todas as igrejas de todos os tempos. Era, em vez disso, uma questão contextual relacionada ao que o cabelo significava na cultura greco-romana e como os cristãos se relacionavam com isso dentro daquela cultura.

Então, Paulo conclui o assunto: "Mas, se alguém quiser discutir a esse respeito, digo simplesmente que não temos outro costume. E as outras igrejas de Deus pensam da mesma forma" (1Co 11.16). Naselli lembra que "Paulo enfatiza repetidamente que o que ele está ensinando aos coríntios é o que ele ensina a todas as outras igrejas do mundo greco-romano (4.17; 7.17; 14.33,36; cf. 1.2)".[33]

Leia a cultura e glorifique a Deus

Paulo está preocupado que os cristãos se portem no vestuário com sabedoria e sensibilidade cultural. Tanto homens como mulheres deveriam evitar polêmicas em suas vestes e em suas posturas, a fim de não transmitir mensagens opostas à moral cristã. O modo como nos vestimos comunica algo de nossa cultura. Sem dúvida, nossa cultura é menos apegada a questões de vestuário do que a greco-romana, em que havia leis oficiais instituindo como as pessoas deveriam se vestir. Isso não é a realidade no mundo ocidental em que vivemos hoje. Não temos leis que regulem o tipo de roupa que deveríamos vestir. Mesmo assim, o apóstolo se preocupa que tenhamos a devida sensibilidade cultural para que nossas roupas não evoquem polêmicas culturais que não glorifiquem a Deus. Isso implicava, por exemplo, que os homens não usassem um tipo de vestuário que remetesse a práticas culturais pagãs. De igual modo, se eu apareço hoje em minha igreja usando uma toga preta que lembre os rituais de magia negra, isso causaria enorme estranhamento.

Na época do Novo Testamento, o véu era um símbolo tanto de honra social como de submissão conjugal. Em nossa cultura, não temos essa característica associada ao véu, mas há outras formas socialmente estabelecidas de demonstrar autoridade, submissão, fidelidade e pureza. A aliança no dedo anelar esquerdo é o símbolo que mais se aproxima do significado do véu para os romanos. Se alguém casado — seja homem, seja mulher — aparece publicamente sem aliança, isso é visto com maus olhos, como se houvesse um desejo pecaminoso por trás daquela ausência do símbolo conjugal. Em nossa cultura, entendemos que um casado sem aliança está intentando algo desonroso. Uma esposa naturalmente brigaria com o marido se descobrisse que ele tira a aliança quando viaja a trabalho.

Existem ainda outras simbologias culturais. O modo como nos vestimos precisa demonstrar fidelidade e pureza. Existem formas de se vestir que não demonstram isso; pelo contrário, sinalizam disponibilidade sexual ou insubmissão conjugal. Isso acontecia com a questão do véu, e acontece hoje com a aliança e com outras formas de conduta culturais. Homens e mulheres precisam se vestir de modo a honrar a pureza e a fidelidade do casamento. Isso muda de cultura para cultura, mas devemos mostrar sensibilidade cultural para discernir quando estamos honrando a Deus e o cônjuge com aquilo que fazemos e como agimos.

Em suma, Paulo se importa com a apropriação ou rejeição que fazemos dos símbolos culturais à nossa volta. O modo como ornamentamos nossas igrejas, por exemplo, transmite uma mensagem. O modo como o pastor se veste e se comunica transmite uma mensagem — se ele opta por usar terno no púlpito, por exemplo, uns talvez o enxerguem com mais credibilidade, ao passo que outros talvez o vejam de uma perspectiva legalista. Cada cenário e conjuntura implica determinado nível de sensibilidade cultural. Quando uma igreja decide se suas paredes serão mais claras ou mais escuras, a mensagem cultural transmitida será lida de formas diferentes. Tudo isso exige que a igreja não apenas leia a Bíblia, mas também leia a cultura na qual se insere, para que saiba aplicar a Palavra a seu contexto específico. De fato, existem diferenças culturais nítidas, às vezes, até mesmo dentro de uma mesma cidade, tendo em vista os diferentes contextos econômicos de cada bairro. De todo modo, devemos praticar uma sensibilidade cultural que seja oriunda da sabedoria de Deus revelada nas Escrituras.

Igrejas não deveriam impor o uso de véus às mulheres cristãs. Isso é uma prática cultural greco-romana que simbolizava o casamento. Em nossa realidade, o véu não representa a mesma coisa, logo não há por que usar o véu. Existe um tipo de leitura muito apressada (e popular) de 1Coríntios 11 que resulta em imposição de elementos culturais que não são nossos. Não somos crentes do período greco-romano. O que devemos fazer é nos alinhar à preocupação de Paulo, e essa preocupação na época envolvia o véu, mas para nossa realidade hoje envolve outros elementos culturais. Não podemos tomar um costume greco-romano — ou de qualquer outra cultura, até mesmo a nossa — e torná-lo um mandamento.

A Isa, minha esposa, me contou que um dia, quando era adolescente, estava virando uma chave no dedo e sua avó lhe deu um tapa na mão repreendendo-a para que ela nunca mais fizesse aquilo, porque era uma forma de "chamar os homens para sua casa". Na cabeça da avó da

Isa, aquele gestual simbolizava um tipo de convite sexual, um símbolo que, para a geração seguinte, simplesmente não se aplicava mais. Afinal, símbolos culturais mudam de geração para geração. Até por essa razão, não podemos julgar tão obstinadamente as igrejas das décadas de 1970 ou 1980, em que era pecado que homens usassem cabelos mais longos. Naquela época, talvez houvesse um tipo de prática cultural mais claramente estabelecida de diferenças entre cabelos de homens e mulheres. Mas isso não é mais o que se estabelece na cultura contemporânea. Via de regra, o tamanho do cabelo de homens e mulheres, hoje, é vazio de qualquer polêmica.

No final das contas, nossas preocupações devem ser eternas: aquilo que o Senhor opera em nós para nossa edificação e para a disseminação do evangelho em todo o mundo. Mas, embora nossas preocupações transcendam as eras, a verdade é que elas se manifestam na história humana. Não somos anjos. Ainda habitamos em determinado tempo e em determinada cultura. Logo, devemos ser sensíveis a essa realidade. Não necessariamente devemos ser marcados como rebeldes culturais, mas somos um povo que demonstra na cultura à nossa volta, por meio de nosso modo de falar, vestir e agir, as preocupações com aquilo que é eterno.

A pergunta e aplicação final para todos nós é: como nossa conduta nas pequenas coisas reflete nosso interesse no que é eterno? Em 1Coríntios 11 deparamos com um texto muito mais poderoso do que indicaria uma leitura superficial. Não se trata de um texto sobre o tamanho do cabelo ou do véu usado durante o culto. Trata-se de um texto sobre cada hábito e comportamento que assumimos em nossa vida e a mensagem que é comunicada à nossa cultura sobre o que é eterno em nossa identidade como cristãos.

Portanto, leia a cultura, leia o mundo e viva de modo a glorificar o nome de Deus, representando aquilo que ele está construindo em nós para a eternidade.

8

Emprego

A Bíblia diz que a mulher não pode trabalhar fora?

Maria me procurou no gabinete pastoral para desabafar sobre aspectos de sua vida que a estavam sobrecarregando, mas tudo me pareceu uma desculpa para contextualizar o problema que ela realmente queria tratar. Pais de duas crianças, Maria e o marido estavam com dificuldades para lidar com o retorno dela ao trabalho. Eles não ganhavam muito dinheiro, não contavam com ajuda familiar (os pais de ambos ou eram idosos ou falecidos), e o valor da creche de tempo integral era mais elevado que o salário do marido. A esposa, que ganhava algumas vezes mais que o cônjuge e, portanto, era responsável direta pela subsistência da família, não podia deixar o emprego.

Ela não sabia bem o que fazer, mas queria muito que o marido fosse, em suas palavras, "mais trabalhador". Se o marido ganhasse mais dinheiro, ela poderia deixar de trabalhar e cuidar exclusivamente dos filhos. No mínimo, poderiam pagar a creche sem acumular mais dívidas. O marido já havia tentado alguns concursos públicos, mas o histórico educacional deficitário cobrava seu preço. Também tentou empreender, mas nada foi para a frente. Agora, estava em um emprego estável, mas mal remunerado. "No fim, pastor, ele vai acabar ficando em casa com os filhos e eu saindo para trabalhar, o que é um absurdo", desabafou.

A reclamação me chamou atenção, porque eu sabia que o marido, embora não fosse bem qualificado profissionalmente, era um trabalhador braçal dedicado.

— Que horas seu marido acorda para trabalhar? — perguntei.

— Quatro e meia da manhã, pastor — ela respondeu.

— Todo dia? — forcei uma expressão de espanto meio caricata.

— Todo dia — ela respondeu, sem variar muito o tom de voz.

— E que horas ele chega em casa do trabalho?

— Como ele trabalha longe, acaba demorando um pouco para chegar. Chega umas dezoito horas.

— É… — comentei com um tom de voz mais baixo —, não parece a postura de um homem pouco trabalhador. Ele pode não ganhar muito dinheiro, pode não ser um empreendedor, mas certamente não me parece o tipo preguiçoso e desleixado.

Eu não consegui esconder meu espanto quando ela disse que nunca havia pensado daquela forma. Ela via o marido como alguém que falhava em seu papel de provedor porque o salário não supria tudo de que precisavam, e eu tive de dedicar um tempo para mostrar que o salário do marido não era algo que ele poderia melhorar por meio de um simples exercício de vontade (por mais que os *coaches* de internet façam carreira popularizando exatamente esse tipo de sonho utópico). Uma má compreensão sobre economia, cultura e trabalho estava afetando o modo como aquela senhora enxergava o próprio marido, como se ele fosse definido pelo valor do contracheque.

Depois de um bom tempo de conversa, ela já estava entendendo melhor que o marido não era um desleixado preguiçoso por não ter conseguido empregos melhores — ambos eram muito pobres e pouco estudados quando se casaram, e ele aguentou as pontas financeiras enquanto ela se preparava para posições profissionais melhores. Agora que as coisas se inverteram, ele não conseguiu acompanhar as demandas acadêmicas enquanto profissional braçal e pai de crianças pequenas.

Mesmo assim, o problema da creche permanecia. Foi então que ela suspirou:

— Se pelo menos isso não fosse pecado, ele poderia ficar em casa nestes primeiros anos dos bebês, tendo tempo para estudar e quem sabe conseguindo um emprego melhor depois. Não faz sentido ele trabalhar para ganhar menos que o valor da creche.

Foi quando eu entendi realmente a questão. Posicionei-me melhor na cadeira e perguntei:

— E o que faz você acreditar que seja pecado seu marido ficar em casa com os filhos enquanto você trabalha?

Ela não soube responder, e devolveu a pergunta:

— Mas não é o homem que precisa ser o provedor?

Maria sofria de incompreensão acerca de como famílias podem se arranjar no meio de situações extraordinárias. Para ela, nem mesmo a pobreza justificaria estruturas familiares não ideais. O homem trabalha fora, a mulher fica em casa. Percebi que ela até se ressentia secretamente por precisar exercer uma profissão.

— Meu papel deveria ser exclusivamente no lar — lamentou.

Maria e o marido se converteram numa Igreja Universal do Reino de Deus, onde receberam suas primeiras lições sobre o funcionamento de uma família. Segundo o que me contou, a teologia da prosperidade afetava suas interpretações sobre os papéis familiares. Se todos deveriam ser materialmente ricos por meio da fé, caberia aos homens prover com abundância para o lar, de modo que as mulheres ficariam em casa para cuidar das demandas domésticas e maternais.

Nada disso surpreende qualquer um inteirado das polêmicas envolvendo o bispo Edir Macedo, fundador e líder da IURD. Certa vez, ele justificou não ter permitido que sua filha fosse para a faculdade argumentando que, "se você se formar numa determinada profissão, você vai servir a si mesmo. Você vai trabalhar para si. Mas eu não quero isso. [...] Não sou contra você se formar, estudar, não. Mas no caso delas, eu não as criei para servirem a si mesmas, eu as criei para servirem ao Senhor". O que isso significa? Ele esclarece: "Você vai fazer até o ensino médio, depois, se quiser a faculdade você que sabe, mas até o seu casamento será apenas uma pessoa de ensino médio". Então ele traz ao palco uma de suas filhas e diz: "Se ela tivesse um grau de conhecimento elevado e encontrasse um rapaz que tivesse grau de conhecimento baixo, ele não seria o cabeça, ela seria a cabeça. E se ela fosse a cabeça, não serviria à vontade de Deus".[1] Para ele, o homem só seria o cabeça de sua casa caso tivesse um grau acadêmico superior ao da esposa.

Esse tipo de postura não é exclusivo dos círculos neopentecostais. Em sermão publicado em um canal de teologia reformada de grande alcance, um pastor calvinista afirma que pais que dizem a suas filhas que não se casem muito cedo para primeiro se formarem, estudarem e arrumarem um trabalho estão treinando-as para serem homens. "Ela tem que falar três idiomas, ter três diplomas, ganhar um supersalário? Então, você está treinando sua filha para ser homem. Isso não é função da sua filha, é do marido dela." Afinal, ele continua, "Quem é que vai cuidar da casa? Da roupa? Dos filhos?". Ele aconselha: "Você tem que treinar sua filha para ser mulher, para ser mãe, para ser esposa, para ser a mulher sábia, a mulher virtuosa. Não é função da mulher trazer a provisão da casa. Não é a função da mulher ter três doutorados, cinco títulos e ganhar dez mil reais por mês. Você tem que treinar sua filha para ser mulher e ela cumprindo os ofícios da casa". Se não, vai se "tornar um homem". De igual modo, se o filho homem não trabalha, não estuda e não sabe trocar uma lâmpada, um botijão de gás ou uma fechadura, "você o está treinando para ser uma mulher".[2]

Em outro sermão, o mesmo pastor, criticando o feminismo, diz que hoje "você está vendo mulheres galgando posições na sociedade que não lhes pertencem", e ilustra quais seriam essas posições: "A liderança do Estado, a liderança de repartições que cabem ao homem, e não à mulher". Isso deixa o homem "completamente deslocado", uma vez que "a esposa faz tudo, ela manda, ela governa, ela educa, ela é provedora, ela ganha mais que ele, ela estudou e tem um diploma melhor que o dele. E o homem está perdido em seu papel". Isso tiraria "a voz ativa do homem, a virilidade do homem, a macheza do homem".[3]

Nada disso parece ser uma deturpação dos ideais clássicos do complementarismo de primeira geração. O famoso pastor batista John Piper, um dos principais nomes do complementarismo amplo, apresenta em sua obra *Qual a diferença?* uma série de relacionamentos profissionais em que mulheres podem estar extrapolando as expressões bíblicas de feminilidade por exercerem algum tipo de autoridade sobre homens:

- Primeira-ministra e seus conselheiros e assessores.
- Diretora de escola e seus professores
- Professora universitária e seus alunos.
- Motorista de ônibus e seus passageiros.
- Gerente de livraria e seus balconistas e estoquistas.
- Médica e seus internos.
- Advogada e seus auxiliares.
- Juíza e os empregados do tribunal.

- Oficial de polícia e os cidadãos em sua delegacia.
- Deputada e seus assistentes.
- Âncora de telejornal e seus editores.
- Conselheira e seus clientes.

Para Piper, a mulher só poderia assumir esses papéis de liderança profissional caso sinalizasse, aos homens subordinados e aos outros, que eles têm intrinsecamente, por serem homens, uma responsabilidade de liderança. Essa sinalização se daria, por exemplo, pelo uso de expressões apropriadas de respeito e acolhimento, por parte da mulher, à força e aos gestos corteses de um homem.[4]

Como cristãos conservadores, extraímos nossos valores das Escrituras e entendemos que o cenário ideal para as famílias é o do homem como o provedor e da mulher como dedicada especialmente aos filhos. Em muitos lares como o de Maria, porém, o conflito emerge quando o homem está desempregado há muito tempo, quando a mulher possui um emprego que paga mais que o do marido, quando os filhos nascem e a mulher trabalha fora, ou quando os filhos crescem e saem de casa deixando a esposa/mãe que dedicou a vida a cuidar deles sem saber o que fazer porque o trabalho a que ela se dedicou foi concluído. Isso tudo gera novas dinâmicas familiares.

Também é um conflito quando somos constrangidos com ideias de família que se tornam de certa forma inalcançáveis para nós. Digo isso porque os livros que usamos para formular nossa teologia vêm, via de regra, de outros países. Existem excelentes materiais — outros nem tanto — sobre como funciona um lar cristão. A maioria deles provém de escritores(as) ou teólogos(as) dos Estados Unidos, país com uma realidade socioeconômica muito diferente da nossa. Vários desses materiais repetem algo muito interessante: quando a mulher trabalha fora é simplesmente pela vontade de alimentar luxos. A tese é que isso é supérfluo e que a mulher cristã deveria ficar em casa cuidando dos filhos. Se trabalham foram, elas têm falhado em seu papel doméstico como mulher.

Eu sempre achei isso um pouco engraçado, porque sou pastor de uma igreja modesta em uma periferia do Ceará. A ideia de que mulheres que trabalham fora estão em busca do supérfluo não é a realidade em um lugar onde existe tanta pobreza e dificuldade profissional. Essa pode ser a realidade em outros países, mas quando esses livros são traduzidos e trazidos para nós no Ceará, essas declarações acabam gerando um peso que não deveria recair sobre o coração de algumas famílias, porque foi escrito para uma realidade diferente da nossa. Livros americanos sobre feminilidade foram escritos a partir de uma cultura americana para uma cultura americana, na qual em geral existe uma estrutura socioeconômica próspera o bastante para que apenas os homens trabalhem fora. Como já disse, li em vários desses livros que, quando mulheres trabalham fora, é apenas por ganância e luxo, nunca por sobrevivência. A verdade é que, no cristianismo brasileiro do dia a dia, as mulheres estão lutando para conseguir ficar em casa com os filhos. A maioria sai de casa cedo, passa horas apertada no transporte coletivo, aguenta abuso de chefe, desaforo de cliente e volta para casa cansada ao fim do dia para ganhar um salário mínimo ou um pouco mais depois de trinta dias de batalha. A maioria das cristãs de países pobres daria tudo para parar de trabalhar fora e cuidar do lar, e a maioria dos maridos adoraria ganhar o bastante para permitir esse privilégio a sua esposa.

Como, então, lidar com realidades familiares que nem sempre parecem ideais? A mulher que trabalha fora está em pecado? A mulher que ganha mais que o marido sinaliza ao marido que ele deixou de ser o provedor? Procurei mostrar para Maria que não havia problema seu marido deixar o emprego temporariamente para dar suporte aos filhos em casa, usando esse tempo também para se preparar melhor e conseguir futuramente um emprego que remunerasse mais. Isto é, não era pecado que se adaptassem à situação de vida daquele momento. Esse foi o caminho que seguiram, mas apenas depois de um bom tempo olhando para as Escrituras a fim de entender os fundamentos bíblicos sobre trabalho, sobre família, sobre a mulher no ambiente de trabalho e como aplicamos isso tudo à nossa realidade como igreja. É o que pretendo fazer a seguir.

Mulheres governando e dominando a criação

Quando Deus criou a humanidade, tanto homem como mulher receberam o mandamento de dominar a criação e governar a terra:

> Então Deus disse: "Façamos o ser humano à nossa imagem; ele será semelhante a nós. Dominará sobre os peixes do mar, sobre as aves do céu,

sobre os animais domésticos, sobre todos os animais selvagens da terra e sobre os animais que rastejam pelo chão".

> Assim, Deus criou os seres humanos à sua própria imagem,
> à imagem de Deus os criou;
> homem e mulher os criou.

Então Deus os abençoou e disse: "Sejam férteis e multipliquem-se. Encham e governem a terra. Dominem sobre os peixes do mar, sobre as aves do céu e sobre todos os animais que rastejam pelo chão".

Gênesis 1.26-28

Observe, portanto, que o trabalho não é fruto da queda humana. Não foi o pecado que trouxe o trabalho ao mundo. O trabalho fazia parte da criação, designado como o ato de criação em cima da criação de Deus.

Em outras palavras, não se trata de atribuição exclusiva de Adão. Ambos, homem e mulher, deveriam dominar e governar a criação. Ambos deveriam manifestar a imagem de Deus como mordomos de Deus neste mundo criado por ele. Isso significa que todo o trabalho de desenvolvimento e fomento da criação recairia sobre ambos, homem e mulher. O mandato cultural era para homens e mulheres igualmente. Portanto, o trabalho vem do fato de que Deus nos deu um mundo para cuidar. Trabalhar não significa engajar-nos em uma atividade que nos recompense financeiramente no final do mês. Trata-se, acima de tudo, de produzir e criar a partir da criação de Deus, porque Deus nos deu o poder de arar a terra, cuidar dos animais, controlar as circunstâncias e criar coisas maravilhosas à nossa volta, para a glória dele. Francine Veríssimo Walsh escreveu sobre isso com muita perspicácia:

> Quando falamos sobre Mandato Cultural, estamos trazendo justamente essa ideia de que Deus deu ao homem e à mulher o comando de *multiplicar* [...] e também de *dominar* sobre a criação, usando-a não para suas próprias ambições, mas cultivando-a como bons jardineiros. Esse comando foi dado a Adão e Eva como representantes iniciais de toda a humanidade (cf. Gn 1.28) e, posteriormente, também a Noé como o representante da humanidade que permaneceria após o dilúvio (cf. Gn 9.1). E nós, hoje, permanecemos cumprindo esse chamado de Deus sempre que, como diz [Timothy] Keller, trazemos ordem ao caos do mundo — lavando louças,

cozinhando, amamentando, vendendo roupas, codificando novos aplicativos virtuais ou liderando uma multinacional.[5]

Ou seja, mesmo que você não ganhe um salário, mesmo que não tenha um emprego, você tem um trabalho quando está diante da criação e se empenha em construir e governar aquilo que Deus nos entregou. Assim, quando alguém realiza uma cirurgia cardíaca, conserta um eletrodoméstico, limpa um chão, lava um prato ou faz uma peça publicitária, todo esse esforço deve visar o bem da criação de Deus. E todos somos chamados a trabalhar. Todos somos chamados a construir. Homens e mulheres recebem o mandato cultural, esse poder de domínio, porque homem e mulher são criados à imagem de Deus. Essa é uma linguagem muito forte para falar sobre representar o próprio Deus na criação. Homens representam Deus construindo coisas à sua volta. Mulheres representam Deus construindo coisas à sua volta. Isso é um dos primeiros fundamentos quando falamos sobre o papel de homens e mulheres no mundo. Estamos juntos trabalhando na criação de Deus.

A mulher na fecundidade, o homem na provisão

Todavia, o trabalho na criação de Deus começa a receber ênfases específicas a partir do momento em que o pecado entra no mundo. Se Gênesis 1 trata das igualdades entre homem e mulher, em Gênesis 3, depois da Queda, Deus lida com Adão e Eva de maneiras distintas. Nesse importantíssimo evento cósmico — a entrada do pecado no mundo —, o Senhor amaldiçoa o homem e a mulher de formas que parecem remeter à principal atuação de cada um no governo da criação.

À mulher, Deus diz: “Farei mais intensas as dores de sua gravidez, e com dor você dará à luz” (Gn 3.16). E, ao homem: “maldita é a terra por sua causa; por toda a vida, terá muito trabalho para tirar da terra seu sustento. Ela produzirá espinhos e ervas daninhas, mas você comerá de seus frutos e grãos. Com o suor do rosto você obterá alimento, até que volte à terra da qual foi formado. Pois você foi feito do pó, e ao pó voltará” (3.17-19).

Portanto, o homem é amaldiçoado em sua busca por alimento, um tipo de trabalho específico em que ele traz de fora algo para dentro da família. A mulher é amaldiçoada em seu processo de gerar vida, um trabalho que é desenvolvido de dentro para fora de casa, onde os filhos são gerados e lançados para o mundo. Acredito que há uma divisão claramente biológica aqui. Apenas mulheres possuem útero e leite materno. Bebês crescem dentro da mãe e tendem a depender mais dela para sobreviver quando nascem. Deus criou as mulheres biologicamente voltadas para isso. Assim também, o homem possui um desenvolvimento físico diferente, mais propício para buscar recursos alimentares. Homens aguentavam jornadas de trabalho mais extensas, debaixo do sol, colhendo trigo e lidando com animais. Deus criou uma divisão de papéis biologicamente muito bem definidos.

Podemos dizer, assim, que Deus criou o corpo do homem e da mulher com ênfases diferentes. Não que mulheres não pudessem trabalhar no campo ou homens não conseguissem cuidar de seus filhos. Em um contexto em que não havia muitos recursos além da própria mãe para alimentar uma criança, homens teriam de apelar para outros meios, como as amas de leite. No entanto, era menos comum que houvesse essa intercambialidade entre homens e mulheres. O trabalho era extremamente físico, por isso os homens estavam voltados para esse tipo de serviço. No caso da gravidez, não havia muitos recursos externos para poder suprir as necessidades das crianças, e as mulheres eram a principal fonte de cuidado de seus filhos.

Dito isso, tudo indica que Deus já criou o homem e a mulher com uma divisão clara em seus papéis biológicos. As mulheres possuem uma ênfase física e criacional. Elas olham para os filhos e cuidam deles, gerindo a criação principalmente por meio dessa tarefa. Homens cuidam da criação principalmente através do suor e do arar da terra.

Isso me parece bem reproduzido em outros momentos das Escrituras. O salmo 128, escrito depois do exílio, é um ótimo exemplo. Nele é retratada uma família abençoada em Israel. O homem traz para casa o fruto do trabalho, e a mulher no interior da casa frutifica filhos. No primeiro verso, lemos que "bem-aventurado todo aquele que teme o Senhor, aquele que anda nos seus caminhos" (NVI). Bem-aventurado é mais que um estado de felicidade ou alegria — ainda que envolva isso —, e é algo que a pessoa é por temer o Senhor. Temor o Senhor não é só respeito ou medo, mas sim uma reverência que nos faz tremer diante do assombroso poder que criou tudo o que existe, não nos restando outra postura senão prostrar-nos diante dele e consequentemente seguir seus caminhos. Importante também é saber que isso é aplicado a "todo aquele". Quem faz parte desse todo? O verso 2 nos responde: "Você comerá do fruto do seu trabalho, será bem-aventurado e próspero" (NVI). Isso remete diretamente ao encargo do homem de arar e cuidar da terra, trabalhando nela. Porém, diferente da maldição dada por Deus, em que o homem se afadiga de seu trabalho, aqui ele é feliz e tudo lhe irá bem justamente porque ele teme o Senhor e anda em seus caminhos. Mesmo depois do pecado e do terrível tempo de exílio, todo aquele que teme o Senhor e anda em seus caminhos derrama o suor com alegria e ainda desfruta do que faz. O temor do Senhor vence o terror do pecado. Há alegria no esforço. Há desfrute para aqueles que andam nos caminhos de Deus.

No verso 3, encontramos o modelo familiar comum ao povo judeu: "Sua esposa será como videira frutífera que floresce em seu lar. Seus filhos serão como brotos de oliveiras ao redor de sua mesa". Observe a diferença entre os locais de atuação de trabalho do homem e da mulher. Enquanto ele trabalha fora, a mulher trabalha em casa. O resultado é que os filhos serão muitos. A imagem é de uma oliveira cheia de frutos, sinal de prosperidade e alegria em Israel. A Abraão, Deus prometeu uma descendência incontável como as estrelas do céu. Todo aquele que teme ao Senhor e anda em seus caminhos abençoa sua mulher com a promessa de Abraão: filhos!

Em suma, enquanto a ênfase do trabalho do homem recai sobre o exterior, a ênfase no trabalho da mulher reside no interior da casa. Não obstante, ambos são trabalho, ambos geram alegria e desfrute.

Esse princípio é seguido por Paulo em seu texto mais famoso sobre o papel do homem no casamento. Em Efésios 5.28-29, Paulo estabelece como o marido deve se relacionar com a esposa: alimentando-a e cuidando dela. Francine Walsh comenta:

> Quando Paulo estabelece um paralelo entre o casamento humano e o relacionamento entre Cristo e a igreja em Efésios 5, diz que os maridos devem amar suas esposas e "alimentar e cuidar" delas, como Cristo faz com a igreja (cf. v. 29). As palavras originais gregas encontradas nesses dois verbos sugerem cuidado físico, e não somente espiritual. A mesma

palavra traduzida como "alimenta" também é encontrada em Efésios 6.4, sobre a criação dos filhos, e o mesmo vocábulo traduzido como "cuida" é visto em 1Tessalonicenses 2.7, que aborda o cuidado que uma mãe deve ter com os filhos. A ideia, então, é que o marido tem a responsabilidade de garantir a segurança e a estabilidade física de sua esposa, assim como os pais garantem a segurança e a estabilidade física de suas crianças. O paralelo é ainda mais profundo porque é feito com base no cuidado que Cristo tem com sua amada igreja. Paulo não dá espaço aos maridos para que abram mão da responsabilidade que suas famílias trazem. Assim como o marido ama seu próprio corpo, alimentando-o e cuidando dele diariamente, com o fim de garantir sua sobrevivência, também é comandado a amar sua esposa (cf. v. 29).[6]

Agora, se essa divisão é fundamentalmente biológica, o que fazemos quando suplantamos as questões físicas? Trata-se de algo absolutamente moderno. Nossa geração possui duas coisas que tornam essa divisão de papéis algo aparentemente inútil. Primeiro, dispomos de métodos contraceptivos mais eficazes, o que gera uma anomalia muito própria de nosso tempo e que afeta a todos: casamentos sem filhos ou com poucos filhos por pura escolha. Se antes a mulher estava focada em criar os filhos, fazia sentido o marido estar focado em trazer provisão para a casa. Atualmente, isso mudou. Ter filhos pode ser adiado indefinidamente, e os casais são cada vez menos fecundos; afinal, o que a mulher ficará fazendo em casa o dia todo? Nada a prende ao lar a ponto de justificar que apenas o homem trabalhe fora. Em segundo lugar, o tipo de trabalho do mundo moderno não é mais tão dependente da força física, sendo mais atrelado a capacidades intelectuais. Isso faz que a força masculina seja menos central ao trabalho externo, chegando a ser praticamente inútil na maioria das profissões contemporâneas. Então, por que homens seriam os provedores principais se mulheres conseguem fazer o que eles fazem, às vezes até melhor?

Algumas respostas são necessárias. Primeiro, precisamos lembrar que nosso propósito não vem apenas da capacidade, mas do desígnio divino. Deus nos atribuiu papéis, e mesmo que tenhamos suplantado as dificuldades que justificaram aqueles papéis eles ainda permanecem intrínsecos a nossa identidade. É verdade que vivemos em um mundo que vê os gêneros como intercambiáveis, bastando alguns recursos cirúrgicos, remédios e endógenos para tornar um corpo parecido com o do sexo oposto. Ser homem e ser mulher perdeu o significado. Porém, fomos criados por Deus com um propósito, e ele não pode ser ignorado mesmo que disponhamos de recursos para suplantar as limitações que levam àquele propósito. A ideia de fecundidade e trabalho ainda é parte de quem somos porque fomos criados por Deus para isso. Daí a antiga frase: "A mulher pode trabalhar fora, mas o homem tem de trabalhar fora". Mesmo que o trabalho seja uma possibilidade para mulheres que buscam oportunidades no mundo profissional, Deus criou o homem com a função de sair e trazer para dentro de casa o alimento. Isso faz parte de como fomos projetados por Deus.

Você pode se perguntar como isso se dá no tocante às diferenças salariais. Convém, antes de tudo, lembrar que as Escrituras não foram escritas sob a vigência do capitalismo contemporâneo. A Bíblia nada diz acerca de salários porque ela não foi escrita em um mundo pós-industrial. Ainda assim, tentando transpor o mundo agrário de Israel para nossos tempos, podemos falar com segurança que se a mulher ganha mais, o homem não deixa de ser provedor, porque ele permanece o principal responsável por esse papel — a pressão e o compromisso de dar sobrevivência à família é dele, mesmo quando dada situação leve sua esposa a ganhar mais dinheiro. Mulheres que trabalham pelo mundo afora também estão servindo a Deus, cuidando de suas casas e famílias. Entretanto, existe uma responsabilidade particular que Deus impõe sobre os homens acerca do cuidado financeiro, do arar a terra. Analogamente, existe algo que Deus espera para suas filhas.

Em segundo lugar, é fundamental que a fecundidade volte a fazer parte do âmago do casamento. Acreditamos hoje que ter filhos é parte opcional ou um acessório ao casamento. É claro que existem casais com dificuldades de ter filhos — isso será uma questão tratada nas aplicações finais. Porém, pertencemos a um Deus que criou o casamento com o propósito de que haja nele fecundidade. Isso não significa que não se possa usar métodos contraceptivos não abortivos, ou que não se possa espaçar as gestações. Deus nos dá sabedoria para avaliar como gerir adequadamente as gestações. No entanto, filhos não são opcionais ao casamento. Não são um artefato para produzir quando o casamento já não tem o encanto inicial. Filhos são um trabalho central daquilo que Deus espera de nossos matrimônios. Quando uma mulher trata a fecundidade como algo descartável, é como o homem que trata o trabalho como algo descartável. Uma mulher que absolutamente decide não ter filhos é como um homem que absolutamente decide não ir ao campo trazer alimento para sua casa. A partir do momento que a fecundidade não é mais algo intrínseco aos casamentos, a divisão de papéis de fato parece deixar de fazer sentido. O que é lamentável. Deveríamos ter a fecundidade como parte central de nossos casamentos. Sou muito grato a Deus por ser pastor de uma igreja tão fecunda. No momento de produção deste livro contávamos com dezenas de bebês em nossa igreja. Isso é uma bênção. Não ficamos fiscalizando a fecundidade de nossos membros. Ninguém sai por aí dizendo que você é mais ou menos crente por ter uma quantidade específica de filhos. Ainda assim, deve haver alegria em torno da fecundidade.

Em terceiro lugar, precisamos lembrar que não suplantamos de modo absoluto nossa formação biológica. Mulheres ainda têm filhos, ainda que em taxas cada vez menores, e o esforço de provisão continua fisicamente demandante, ainda que não aconteça majoritariamente no campo. De fato, mesmo que as mulheres não tenham tantos filhos como antigamente, basta um ou dois para sentirem o que é ter de se dividir entre a casa e o mercado de trabalho lá fora. O modo como Deus nos projetou como homens e mulheres não pode ser ignorado. Essa é a grande beleza do que chamamos de complementarismo. Não cremos em hierarquia entre homens e mulheres, mas em complementariedade entre eles, para que ambos funcionem como um arranjo de engrenagens que é o serviço da família para o mundo lá fora.

Mulheres na vida pública

Quando olhamos para outras passagens das Escrituras, notamos a beleza no serviço de mulheres na vida pública. Em Juízes 4—5, Deus usa a mulher para ser exaltado e cumprir seu propósito. O texto bíblico diz que, após a morte do juiz Eúde, os israelitas voltaram a pecar, e Deus os entrega nas mãos de Jabim, rei dos cananeus, cujo exército era comandado por Sísera, que contava com novecentos carros de guerra. Por causa disso, Israel sofreu opressão durante vinte anos (Jz 4.1-3).

Na sequência o texto nos apresenta Débora, juíza em Israel. Essa não era uma posição normalmente ocupada por uma mulher no Antigo Testamento. Barry Webb aponta que "o exercício de Débora de julgamento demonstra como as coisas haviam se tornado irregulares no período dos juízes, mas não há indicação na narrativa ou em qualquer outro lugar das Escrituras de que seu exercício de tal papel era contrário aos propósitos de Deus, ou uma violação de sua vontade declarada".[7] Ou seja, era irregular, mas não necessariamente um juízo de Deus.

Além disso, Webb também nos lembra que Débora é apresentada como "mulher de Lapidote" (Jz 4.4). Ou seja, Débora é uma pessoa comum, a esposa de um desconhecido que em nada contribui para a narrativa. Mesmo assim, é importante para Deus ressaltar o papel da família aqui. Débora também é profetisa e conclama Baraque à batalha reunindo dez mil homens no monte Tabor para enfrentar os cananeus. Essa ainda era uma quantidade díspar contra o poderio das carruagens inimigas. Débora diz a Baraque que Deus levaria Sísera até ele e o entregaria em suas mãos. Porém, Baraque se mostra relutante. Em circunstâncias humanas, isso seria normal, mas diante de um comissionamento de Deus Baraque deveria mostrar coragem. É por isso que ele chama Débora para acompanhá-lo, pois era como se a presença de Deus estivesse com ele na pessoa de Débora, a profetisa. Como resposta, Débora profetiza que por causa disso a honra não seria de Baraque, mas de uma mulher (Jz 4.4-9).

A essa altura da história, imaginamos que a honra seria de Débora, mas Deus é o Senhor da história. Não foi fruto do acaso o local que Deus ordenou que a guerra acontecesse. Do monte Tabor, o exército israelita teria uma visão do vale próximo ao rio Quisom. Cundall e Morris comentam que as novecentas carruagens de ferro dos cananeus "lhes dariam completo controle dos vales e planícies exceto se uma ocorrência não usual imobilizasse seu poder".[8] É nesse ponto que Deus mostra que está agindo em favor de seu povo, ao mandar uma chuva torrencial no momento da guerra (Jz 5.21). E é essa chuva que elimina toda a superioridade cananeia, porque enquanto as carruagens cananeias ficariam atoladas o exército israelita se veria livre para atacá-los. Mesmo nesse momento, ainda é de Débora a voz que guia Baraque. Talvez observando a situação, ela afirma com convicção: "Prepare-se! Este é o dia em que o Senhor entregará Sísera em suas mãos, pois o

Senhor marcha adiante de você" (Jz 4.14). Porém, o texto não dá glória nem a Baraque, nem a Débora, mas tão somente a Deus, pois "o Senhor derrotou Sísera, todos seus carros de guerra e todo seu exército a fio da espada, diante de Baraque" (Jz 4.15, NAA). Baraque não passa de um espectador do poder do Senhor.

Ao ver seu exército derrotado, Sísera foge, abandonando a batalha. Baraque, obstinado em vencê-lo e vendo que as coisas estavam mais fáceis, esquece-se de Débora. Afinal, quem precisa dela agora? Basta seguir Sísera e matá-lo. Porém, Sísera consegue fugir. É então que o ponto culminante da história se aproxima. Outra mulher, Jael, entra em cena, apresentada novamente como uma esposa, a mulher de Heber (Jz 4.21). Uma mulher que sequer era israelita. O grande general de guerra estava diante de uma mulher comum.

Sísera pede água, mas Jael lhe dá leite (ou algum derivado do leite, como coalhada), demonstrando hospitalidade. Fatigado pela batalha, Sísera adormece facilmente. Jael aproveita a situação e crava em sua cabeça uma estaca usada para prender a tenda. Eis o *plot twist* de Deus. Não é Débora, a juíza, encorajadora e guia de Baraque, que recebe a honra. É uma esposa não israelita diante de sua tenda e que provavelmente estava executando suas atividades corriqueiras. Ela aproveitou a oportunidade, mesmo que por meios enganosos, e matou Sísera. A cena da morte é descrita com tanta ênfase que o texto diz que a estaca atravessou a cabeça de Sísera e penetrou a terra (Jz 4.22). Certamente uma cena nada agradável de se ver, tampouco um ato fácil de se cometer.

Não sabemos quanto tempo se passa até que Baraque passe pela tenda de Jael e veja Sísera morto diante de si. Em Juízes 4.23, lemos que "naquele dia, o povo de Israel viu Deus derrotar Jabim, o rei cananeu". Baraque é novamente um espectador.

O livro de Juízes nos mostra como Deus usa e honra mulheres. Débora trabalha para o Senhor. Por causa de seu encorajamento a Baraque, os israelitas vencem o exército cananeu. Jael, a surpresa da história, é honrada por Deus de forma ainda mais surpreendente. Débora era uma juíza e profetisa, mas Jael era uma dona de casa. É ela quem mata de forma brutal o poderoso general cananeu. Baraque, enquanto isso, é simplesmente um instrumento e observador. Jabim é citado somente para ser referenciado como rei derrotado. Não se sabe quem foram Lapidote e

Heber. Em Juízes, portanto, Deus mostra como mulheres — quer profetisas respeitadas, quer simples donas de casa — são importantes para ele e como ele pode usá-las para grandes feitos mesmo em meio a homens fortes, generais de guerra e reis poderosos.

O Cântico de Débora, apresentado em Juízes 5, representa sua submissão ao Deus vivo e sua fidelidade à aliança. Nesse louvor, o fato de o povo ter seguido a liderança de uma mulher é visto sob uma luz positiva, não como um problema ou uma maldição: "Os líderes de Israel assumiram o comando, e o povo os seguiu de boa vontade. Louvem o SENHOR!" (Jz 5.2). Sua liderança do exército é descrita como o próprio Deus indo à frente dos guerreiros: "SENHOR, quando saíste de Seir e marchaste desde os campos de Edom, a terra tremeu, e as nuvens do céu despejaram chuva. Os montes estremeceram na presença do SENHOR, o Deus do monte Sinai, na presença do SENHOR, o Deus de Israel" (5.4-5). O povo estava fragilizado, "até que Débora se levantou como mãe para Israel" (5.7). O resultado é que "houve paz na terra durante quarenta anos" (5.31).

O único argumento textual que poderia ser usado para dizer que Débora não deveria ser juíza é que, naquele período, "os israelitas voltaram a fazer o que era mau aos olhos do SENHOR" (Jz 4.1). No entanto, essa fórmula é usada ao longo de todo o livro de Juízes sem necessariamente desqualificar o juiz que regia o povo naquele momento. Na verdade, o livro diz que debaixo dos juízes o povo obedecia a Deus. Era apenas depois que o juiz morria que o povo voltava a fazer o que era mau diante do Senhor:

> Sempre que o SENHOR levantava um juiz sobre os israelitas, o SENHOR estava com ele e livrava o povo de seus inimigos enquanto o juiz vivia; pois o SENHOR tinha compaixão de seu povo, que sofria sob o peso da aflição provocada por seus opressores. Quando o juiz morria, porém, eles voltavam a seus caminhos corruptos e se comportavam ainda pior que seus antepassados. Seguiam outros deuses, servindo-os e adorando-os. Não abandonavam suas práticas perversas e seus caminhos teimosos.
>
> Juízes 2.18-19

Deus levantou uma mulher para trabalhar publicamente como líder civil sobre seu povo. Então, como podemos acreditar que mulheres de Deus não podem exercer papéis de liderança na vida pública?

Mulher virtuosa, quem a achará?

Na literatura bíblica de sabedoria, há um texto que descreve um modelo de mulher ideal. Nos ditados do rei Lemuel, que compilam ensinamentos de sua mãe, encontramos a famosa descrição da mulher virtuosa. O texto de Provérbios 31 descreve essa mulher como alguém que cuida de sua casa por meio de atitudes que, a nosso ver hoje, competiriam com a vida doméstica.

Erika Moore descreve as ações dessa mulher como uma campeã porque ela põe a Sabedoria em prática: "Uma esposa valorosa é uma figura heroica usada por Deus para fazer o bem a seu povo, assim como os antigos juízes e reis faziam bem ao povo de Deus através de seus espólios de guerra".[9] Apesar de não ser a Sabedoria descrita no prólogo de Provérbios, essa mulher a personifica. Ela vive o que a Sabedoria clamou. E, ainda que se possa argumentar que se trata de uma mulher ficcional, Watke comenta que "o retrato dessa mulher valiosa é totalmente compatível com o de uma esposa ideal no registro histórico".[10] Portanto, mulheres não precisam considerar a mulher de Provérbios 31 como um modelo ideal e inalcançável, mas podem segui-la como um modelo de caráter factível com base nas virtudes ensinadas em Provérbios.

Como imagem e semelhança de Deus, a mulher virtuosa domina a criação sabiamente. Uma vez que as mulheres foram criadas para refletir a Deus, a mulher virtuosa, em seu cuidado, trabalho e gerência, demonstra a semelhança do próprio Deus em suas obras. Ela é verdadeiramente uma mulher que, por temer o Senhor, demonstra a sabedoria que a torna semelhante a ele. Mulheres possuem plena capacidade de desempenhar o mandato cultural quando temem a Deus.

Essa mulher virtuosa é descrita adquirindo lã e linho e trabalhando fios com as mãos (31.13). Ou seja, ela está envolvida em compra e venda e em manufatura. Isso é interessante, porque hoje em dia, para conseguir roupas, vamos a uma loja e compramos. É uma troca financeira que vem do fruto do trabalho de outros. O texto também a compara com um "navio mercante", pois "traz alimentos de longe" (31.14). Na sequência, ela é descrita como alguém que acorda cedo para preparar comida e gerenciar suas empregadas (31.15). E mais: "Vai examinar um campo e o compra; com o que ganha, planta um vinhedo. [...] Certifica-se de que seus negócios sejam lucrativos" (31.16,18). Ou seja, ela está envolvida com ganhos financeiros para a família. Faz negócios, organiza campos, manda plantar vinhas.

Ela é quem faz as roupas de seus familiares e daqueles ao redor que precisam de ajuda: "Suas mãos operam o tear, e seus dedos manejam a roca. Estende a mão para ajudar os pobres e abre os braços para os necessitados. Quando chega o inverno, não se preocupa, pois todos em sua família têm roupas quentes. Faz suas próprias cobertas e usa vestidos de linho fino e tecido vermelho" (31.19-22). De sua manufatura, também lucra vendendo aquilo que produz: "Faz roupas de linho com cintos e faixas para vender aos comerciantes" (31.24).

O corpo do poema mostra em que aspectos essa mulher se revela boa e respeitável diante do marido e das pessoas à sua volta, inclusive do ponto de vista econômico. Diferentemente do que se poderia pensar, uma mulher de virtudes forjadas no temor do Senhor pode ajudar economicamente em sua casa sem desmerecer a provisão do marido; ao contrário, traz-lhe honra.

Não podemos esquecer também que tudo isso foi ensinado por uma mulher, a mãe do rei Lemuel. Ou seja, aqui um rei está sendo ensinado por sua mãe sobre como ser rei (31.1-9) e sobre como procurar uma esposa digna (31.10-31). Provérbios começa com as instruções de um pai a seu filho e termina com as palavras de uma mãe. Isso mostra o papel fundamental da família na construção das virtudes que formarão um caráter sábio. A mãe do rei Lemuel, outra anônima, demonstra sabedoria ao instruir seu filho e inspira que tantas outras mulheres anônimas temam a Deus a fim de que obtenham a sabedoria necessária para ensinar seus filhos a andar nos caminhos do Senhor.

Todas essas atividades da mulher virtuosa não são tratadas por meio de um dualismo "casa *versus* trabalho". Tudo é uma forma de cuidar do lar. O texto encerra dizendo que a mulher que age desse modo "cuida bem de tudo em sua casa" (31.27). Ou seja, o trabalho era uma forma de cuidar da casa, não uma forma de não estar em casa. Ela cuidava da casa ao fazer negócios fora de casa. A mulher virtuosa é alguém que trabalha fora, que traz lucro para casa, e tudo isso sem competir com o cuidado do lar.

Hoje, contudo, muito do que era trabalho da mulher nos tempos bíblicos passou a ser obtido por meio de dinheiro. Roupas não são manufaturadas, mas compradas em lojas ou pela internet. O pão não é feito em casa a partir do trigo colhido pelo marido, mas comprado na padaria. A água não é mais trazida de um poço num jarro na cabeça, mas é provida por companhias de saneamento. Tudo é diferente em nossa cultura contemporânea. Os bens conquistados pelo trabalho da mulher virtuosa hoje são obtidos por meio de dinheiro. Por isso, a esposa que ganha dinheiro não é uma maldição, mas uma bênção. Ela, como a mulher virtuosa, está trazendo, à sua maneira, bens e recursos para casa. Muitas mulheres sentem culpa de trabalhar fora, mas não deveriam. Francine Veríssimo Walsh escreve:

> A sociedade judaica do Antigo Testamento e a sociedade greco-romana do Novo Testamento não conheciam a divisão contemporânea entre trabalho e casa. A vida pública e a vida privada eram uma só, com o ofício do marido sendo também o ofício da esposa e dos filhos (como vimos no caso de Áquila e Priscila, como casal; e de Jesus e José, em Mc 6.3 e Mt. 14.54-55, como pai e filho). A separação que conhecemos hoje só teve início com a Revolução Industrial, que chegou aos Estados Unidos por volta de 1790 e promoveu a saída dos maridos para o trabalho nas indústrias e a permanência das esposas no lar. Nesse contexto, as mulheres criavam um abrigo para o qual o marido, cansado da labuta, poderia voltar. Essa ideia permaneceu na cultura norte-americana por séculos, e o foco na domesticidade que vemos na década de 1950 (que, como vimos, ainda hoje inspira alguns adeptos do que denominamos como feminilidade exclusiva) resulta do que teve início naquela época. Assim, quando o apóstolo Paulo diz à esposa que seja uma boa dona de casa, estava encorajando não apenas o que hoje compreendemos como domesticidade, mas também o que atualmente chamamos de "trabalho". Priscila cuidava de seu lar tanto quanto de seu ofício como fabricante de tendas, ao lado de seu marido, de modo que, para ela e para todas as outras irmãs a quem Paulo escreveu, não havia ruptura entre os dois tipos de trabalho. A boa dona de casa, de acordo com os comandos de Paulo, seria a mulher que compreendia a própria influência na família e na sociedade, e que utilizava todas as oportunidades para expandir o Reino de Deus.[11]

Ou seja, a mulher bíblica não "ficava em casa" no mesmo sentido que se entende isso hoje. Ela trabalhava arduamente no gerenciamento dos bens e da subsistência da família, e dispondo de muito menos recursos. Ela não possuía água encanada ou energia elétrica. Ela costurava cada veste de sua família. Todo alimento era produzido do zero, não por meio de materiais pré-prontos comprados no supermercado. Era uma rotina de trabalho séria, muito mais intensa que a de qualquer mulher de classe média que fica em casa cuidando dos filhos hoje em nossas metrópoles.

Já pastoreei senhoras que lutaram para ficar em casa cuidando dos filhos, mas quando isso aconteceu enfrentaram desafios terríveis a ponto de a família beirar a fome. Essas mulheres, muitas vezes, tiveram de voltar tristes para o mercado de trabalho porque não conseguiram ficar em casa cuidando dos filhos. A pergunta que deve ser feita é: O que é melhor para sua casa? O que fornecerá para seu lar mais bênçãos da parte de Deus? Sua presença na casa às custas da provisão financeira? Ou dividir com o marido a busca pelo sustento familiar, com menos presença mas uma sobrevivência mais digna? O fato é que muitas vezes não temos a possibilidade de escolher. Temos de viver com o que Deus nos entrega. Além disso, há mulheres que não encontram propósito de ficar em casa porque Deus as dotou de serviços e talentos que eram mais úteis fora do lar. Elas entenderam que precisavam trabalhar fora porque era isso que Deus esperava delas. Acredito que muitas famílias precisam olhar mais para os princípios e menos para as pressões de uma cultura conservadora como a nossa, que por vezes busca ideais inacessíveis a um mundo tão quebrantado.

Também já pastoreei mulheres que oraram muito para poder ficar em casa com os filhos, mas que simplesmente não se adaptaram a esse estilo de vida, pois se sentiam inúteis para o mundo. Algumas chegaram a desenvolver depressão quando os filhos passaram a ir para a escola durante metade do dia. Outras passavam de quatro a oito horas por dia em redes sociais ou maratonavam série após série de streamings, afundando-se em uma vida de consumo de telas para se sentirem ocupadas de alguma forma. Ainda outras adquiriram uma neurose de vida doméstica na qual o lar precisa estar impecável o tempo inteiro, os filhos precisam ser microgerenciados em cada detalhe e tudo tem de ser perfeito sempre — ou seja, acabam atarefadas por repetir as tarefas de casa desnecessária e incessantemente, como que para justificar sua existência doméstica. Claro que em muitas famílias a presença da mãe em casa foi uma bênção, mas essa não é a realidade de todo lar. Cada família precisa analisar sabiamente sua realidade doméstica e familiar a fim de entender o que funciona mais apropriadamente.

Assim, quando uma mulher me pergunta por que deveria estudar e se profissionalizar se ela pretende ser mãe em tempo integral, eu respondo por seis vias. Em primeiro lugar, porque trabalhar é uma coisa boa. Ficar em casa lavando roupa, preparando refeições, varrendo o chão e cuidando de crianças não é o modelo bíblico de família por excelência, por mais que seja um modelo possível e justo. A mulher virtuosa fazia isso tudo e também gerava lucro para o lar. Segundo, a mulher deveria se preparar para o trabalho porque ela talvez não consiga ser mãe e dona de casa. Ela pode ser chamada ao celibato. O marido pode morrer cedo. Ele pode ser acometido por uma doença grave ou sofrer um acidente e não ser suficientemente capaz de prover financeiramente, cabendo à esposa trazer dinheiro para casa e cuidar dele. Lembro-me de um curso de noivos, quando uma moça me disse que sonhava ser mãe e dona de casa de tempo integral. Eu perguntei: "E se você for estéril? E se seu marido virar um mulherengo e abandonar você?". Ela respondeu: "Eu não saberia como viver, pastor".

Terceiro, é necessário, infelizmente, considerar que seu casamento pode ter fim um dia. Por mais que nunca se deva ter essa expectativa, a ponto de gerar tendências e autoproteções pecaminosas, a mulher sábia tem ciência de que essa é uma possibilidade que afeta a vida de muitos casais. Há mulheres que acabam presas a casamentos abusivos e violentos porque não têm como se sustentar caso saiam daquele ambiente de maus-tratos. Em quarto lugar, um dia os filhos vão crescer. Quanto mais velhos eles forem, mais tempo livre a mãe terá para usar em favor do reino e da sociedade. Quinto, o marido pode não dar conta. Que bênção é uma esposa poder trabalhar para suprir necessidades familiares em momentos em que o marido não pode fazê-lo. Em sexto lugar, por fim, ser mãe exigirá inteligência e capacitação. Quando a Isa fazia mestrado, as colegas zombavam dela perguntando o que ela estava fazendo ali se ela queria ser mãe e dona de casa. Ela respondia: "E por acaso eu preciso ser burra para ser mãe?". Claro que ninguém é burro por não ter mestrado, mas o mundo por vezes parece insinuar que o exercício da maternidade e o cuidado dos filhos no lar proíbem ou desestimulam o desenvolvimento intelectual. Nada poderia ser mais falso.

Mulheres que sustentavam Jesus e as igrejas

Outro ponto digno de menção a respeito da relação entre mulher e trabalho vem do Novo Testamento, que apresenta uma série de mulheres cujos recursos foram usados para sustentar o ministério de Jesus e de seu povo. Embora fosse mais comum homens trabalharem fora, surpreendentemente muitas mulheres aparecem como responsáveis pelo sustento financeiro no relato bíblico.

Maria, Joana e Suzana foram mulheres que que sustentaram o Filho de Deus. Um dos ensinamentos de Jesus ao comissionar seus discípulos a pregarem aos judeus era que não levassem "moedas de ouro, prata ou mesmo de cobre, [...] bolsa de viagem, nem outra muda de roupa, nem sandálias, nem cajado. Quem trabalha merece seu sustento" (Mt 10.9-10). Conforme a hospitalidade judaica, os discípulos deveriam receber algum alimento ou recurso para se manter quando chegassem à casa de alguém para anunciar o evangelho. Ele também diz que "se o lar se revelar digno, que sua paz permaneça nela" (Mt 10.13). Ou seja, havia tanto dependência dos discípulos em relação àqueles que lhes dariam ou não alguma coisa como também bênção àqueles que lhes fornecessem alimento ou recursos.

Havia também a questão da gratidão. Em Lucas 8.2-3, lemos que algumas mulheres "tinham sido curadas de espíritos impuros e enfermidades. Entre elas estavam Maria Madalena, de quem ele havia expulsado sete demônios; Joana, esposa de Cuza, administrador de Herodes; Susana, e muitas outras que contribuíam com seus próprios recursos para o sustento de Jesus e seus discípulos". Madalena, Joana e Suzana são especialmente citadas como mantedoras de Jesus e seus discípulos, porém havia "muitas outras" que os ajudavam com seus bens. Cada uma delas, pela gratidão e pela libertação que receberam, passaram a contribuir para que o evangelho do reino fosse propagado. O próprio Jesus, o Filho do Deus Todo-Poderoso que sustentou o povo de Israel no deserto, foi alimentado por meio de recursos providenciados por mulheres.

Lídia foi uma mulher de coração hospitaleiro que sustentou parte do trabalho de Paulo. Em Atos 16.13-15, lemos a história de Lídia de Tiatira, uma comerciante de tecido de púrpura. Ela foi uma das ouvintes do evangelho anunciado por Paulo e Timóteo. Além de registrar o trabalho que Lídia desempenhava fora de casa, o texto bíblico afirma que o próprio Deus direcionou Paulo e Timóteo à região da Macedônia, onde encontraram Lídia. Ela foi batizada e ofereceu sua casa para que eles se hospedassem. Mais à frente, quando os dois foram presos, Lídia os recebeu novamente para, com outros irmãos, incentivá-los na missão (At 16.40). Ou seja, essa mulher não somente foi hospitaleira por gratidão à Palavra pregada, como foi hospitaleira em um momento de necessidade de Paulo e Timóteo.

Na casa de Lídia se reuniu uma igreja, e Paulo e Timóteo foram encorajados por ela e por outros para os quais ela abriu as portas de sua casa. Ela era provavelmente uma das "mulheres de alta posição" (At 17.4,12). O fato de o texto bíblico não fazer menção a seu marido indica que ela possivelmente era viúva e se sustentava com o próprio trabalho. Um coração aberto pelo Senhor tem o poder de abençoar outras pessoas de várias formas. Uma mulher temente a Deus é uma verdadeira aliada no reino.

Priscila foi uma mulher que constituiu tendas para habitação dos santos. Em Atos 18.1-17, Paulo se encontra com um casal chamado Priscila e Áquila, "fabricantes de tendas, como ele" (At 18.3). O casal é hospitaleiro e recebe Paulo em sua casa, para trabalharem juntos (18.4). Eles também foram responsáveis por instruir Apolo com mais exatidão no caminho do Senhor, pois ele conhecia apenas o batismo de João (18.24-28). Tornaram-se amigos e colaboradores de Paulo, e uma igreja se formou na casa deles (Rm 16.3-5; 1Co 16.19). Priscila, convém notar, é na maioria das vezes citada à frente de Áquila, o que pode indicar algum tipo de proeminência. O que é certo é que se tratava de uma mulher temente ao Senhor, árdua trabalhadora, aliada de seu marido e proclamadora da Palavra de Deus.

Febe foi uma cuidadora por excelência. Em Romanos 16.2, Paulo escreve suas saudações finais à igreja, e a primeira pessoa que ele cita é uma mulher, Febe. Ele a recomenda porque ela tem se mostrado uma cuidadora de muitos, inclusive dele próprio. Não temos informações detalhadas sobre esse cuidado, mas o próprio fato de Paulo fazer uma recomendação dela, e ainda mais em primeiro lugar, à frente até mesmo de Priscila e Áquila, já lhe confere destaque. Assim como Lídia, temos aqui uma mulher que demonstra seu amor através do cuidado de muitos. Ela é chamada de "protetora", o que alguns traduzem como "patrona", indicativo de que ela ajudava a financiar as atividades da igreja.

Ninfa forneceu casa para os que são templo do Espírito. Em Colossenses 4.15, Paulo recomenda Ninfa, uma mulher que abriu as portas de sua casa para que uma igreja se reunisse ali. Não há menção ao marido de Ninfa, que provavelmente era solteira ou viúva. Imagine arrumar a casa para toda uma igreja! A hospitalidade de Ninfa é honrada por Paulo.

Loide e Eunice formaram um dos principais pastores do Novo Testamento. Loide e Eunice foram respectivamente a avó e a mãe de Timóteo (2Tm 1.5). Paulo elogia a fé sem fingimento das duas, que transmitiram essa fé a Timóteo, discípulo de Paulo e que veio a se tornar pastor na igreja em Éfeso. Temos aqui duas mulheres usadas por Deus para transmitir a fé que salva a um homem que se tornaria discípulo de Paulo e pastor de igreja.

Em suma, a Bíblia nos apresenta mulheres que auxiliaram o próprio Cristo, além de Paulo e outros líderes, mulheres que trabalharam, que foram hospitaleiras, que se destacaram em seu serviço e que transmitiram a Palavra de Deus à sua família. Elas receberam pessoas em casa, pregaram o evangelho, amaram, doaram e cuidaram. Jesus dependeu delas. O Espírito Santo guiou os escritores a falarem delas. Deus as honrou, porque elas foram criadas à sua imagem e semelhança e são tão responsáveis pela criação quanto os homens, quando cumprem seu papel debaixo do temor do Senhor.

Certa vez, uma jovem solteira de minha igreja ouviu de um seminarista que ela havia se tornado "muito masculina" depois que precisou trabalhar para sustentar a mãe idosa e a avó doente. Na cabeça daquele rapaz, que estava estudando para se tornar pastor (e, pelo que eu saiba, cheio de boas notas no seminário), ela estava se masculinizando ao exercer sua profissão na área da saúde a fim de prover a familiares em necessidade. A verdade é que o Novo Testamento apresenta uma série de mulheres que trabalharam e proveram, e sua feminilidade nunca foi posta em xeque por isso.

Existe um foco doméstico, mas homens também vivem a vida do lar

Muitos textos bíblicos atrelam o cuidado doméstico à mulher, o que confirma nossa leitura dos textos de Gênesis. Paulo escreve em Tito 2.3-5 que as mulheres mais velhas deveriam "instruir as mulheres mais jovens a amar o marido e os filhos, a viver com sabedoria e pureza, a trabalhar no lar, a fazer o bem e a ser submissas ao marido". De igual modo, em 1Timóteo 5.14, ele diz desejar "que essas viúvas mais jovens se casem de novo, tenham filhos e tomem conta do próprio lar". Por vezes, porém, acabamos nos apegando a essas passagens sem considerar que os maridos também são comissionados a dar atenção à vida doméstica, não apenas ao trabalho externo. É o que Pedro escreve:

> Da mesma forma, vocês, maridos, honrem sua esposa. Sejam compreensivos no convívio com ela, pois, ainda que seja mais frágil que vocês, ela é igualmente participante da dádiva de nova vida concedida por Deus. Tratem-na de maneira correta, para que nada atrapalhe suas orações.
>
> 1Pedro 3.7

Quando Pedro diz que maridos devem ser compreensivos no convívio com a esposa, trata-se de "um discernimento pessoal que leva ao cuidado amoroso e delicado, seja no leito conjugal, seja *em outras atividades do casamento*" (grifos meus).[12] Pedro nos mostra que nem só de submissão vive o casamento cristão. Aos maridos, ele ensina que eles devem honrar a esposa, porque ela é co-herdeira da mesma graça que eles. Douglas Harink diz que "homens que não reconhecem e vivem na realidade dessa graça ainda estão na escravidão 'dos desejos carnais que lutam contra a alma' (2.11)".[13] E Wayne Grudem afirma que Pedro "visa incluir aqui qualquer tipo de discernimento que poderia ser benéfico para a relação marido-esposa: discernimento dos propósitos de Deus e princípios para o casamento; discernimento dos desejos, objetivos e frustrações da esposa; discernimento de suas forças e fraquezas nos aspectos físicos, emocionais e espirituais etc.".[14] Ou seja, o marido deve amar a esposa e honrá-la em *todos* os aspectos que engrandeçam o casamento, porque isso é vontade de Deus.

É justamente por isso que maridos devem se envolver na vida doméstica. Mulheres se cansam, se frustram, se entristecem, sofrem descargas hormonais diferentes das masculinas. Elas precisam ser nutridas, amadas, cuidadas, honradas, e se isso implica bater um tapete, trocar uma lâmpada, arrumar os brinquedos espalhados dos filhos, varrer a casa — ainda que reste aquela poeirinha no canto — ou mesmo contratar uma pessoa para isso, é dever do marido fazê-lo, porque isso é viver o cotidiano da vida marital e honrar a esposa.

É fundamental que maridos honrem suas esposas. Alguns homens provêm para o lar, mas não cuidam dele. Felizmente, pela graça de Deus, muitos têm reconhecido seu erro. Provisão do lar não é só trazer o dinheiro para casa, mas é participar dele fazendo da esposa a rainha do lar, porque ela é como a igreja, e Jesus é o Rei dos reis.

Oito aplicações

Diante de tudo que foi exposto, sugiro oito aplicações sobre essa questão.

Em primeiro lugar, às moças solteiras: preparem-se para as possibilidades da vida. Sim, você precisa se preparar para a vida doméstica como esposa e mãe. Porém, também precisa se preparar para o mercado de trabalho. Não viva acreditando que seu marido sempre terá meios de sustentar integralmente o lar. Você pode se casar com um homem pobre, ou que fique pobre. Talvez o mal caia sobre vocês e seu marido adoeça. Você precisa estar preparada se ainda é jovem e dispõe de meios para isso.

Pais: cuidem de seus filhos e da vida doméstica, mas não se esqueçam da vida profissional. Vivemos em um contexto em que homens não sabem participar da vida comum do lar. Então, quando os filhos nascem e a esposa precisa dedicar-se a eles, o marido não consegue contribuir em nada em casa. Em contrapartida, muitas mulheres entendem que o mercado de trabalho não é possível para elas em nenhuma circunstância, mesmo quando uma desgraça financeira acomete a família. Os pais precisam preparar os filhos para os diferentes rumos que a vida pode tomar.

Recém-casadas: não se ressintam de trabalhar enquanto os filhos não vêm. Conheci mulheres que acreditavam precisar ficar em casa integralmente tentando ter filhos. Eram "tentantes de tempo integral". Se você acredita que pode estar no mercado de trabalho para contribuir para sua família, saiba que Deus a dotou dessa possibilidade. Você não foi feita apenas para a procriação. Você também foi feita para o serviço no mundo, seja no mercado, na igreja ou em outras lugares para os quais Deus a designou.

Mães de filhos pequenos: lembrem que a vida tem fases. Esse certamente é o momento em que sua presença se torna mais importante em casa. Se é possível você estar mais presente na vida de seus filhos, isso é excelente. Muitas mães nem cogitam essa possibilidade, não pensam que seja algo bom, nem planejam se conseguirão estar em casa com os filhos menores. De todo modo, é importante que isso seja conversado dentro de cada contexto familiar.

Mães que precisam trabalhar fora: existem mulheres que não conseguem estar integralmente com seus filhos. Deus está com vocês. Deus é tão poderoso e maravilhoso que está conosco mesmo quando não conseguimos realizar tudo que gostaríamos. Ele continua sustentando nosso coração e o coração de nossas famílias. Você não é menos mãe porque precisa trabalhar fora para complementar a renda de sua casa. Pelo contrário, você tem assumido uma postura de amor e cuidado com sua casa quando a maior necessidade naquele momento é financeira. Glória a Deus por você poder trabalhar como uma mulher virtuosa para trazer bens e recursos mesmo quando seus filhos são pequenos e a renda de seu marido não é suficiente para sustentar a família. Não se ressinta disso. Deus conhece a necessidade de seu lar e as dificuldades de sua família. Ele conhece as decisões que vocês tomam em oração e sabedoria. Se Deus lhe deu a possibilidade de complementar a renda familiar, receba isso como um presente de Deus.

Homens que ganham menos que suas esposas: vocês não são menos provedores por isso. Muitas vezes isso se torna um problema pastoral. Já tive de intervir seriamente em conflitos relacionados a essa questão. Maridos se ressentiam por ganharem menos que as esposas; ou esposas acreditavam que os maridos estavam falhando em seu papel por não conseguirem empregos que pagassem melhor. Em primeiro lugar, salário não é uma questão de decisão ou escolha. Se fosse, não haveria um só pobre sobre a terra. Salário é uma questão multifacetada, que nem sempre condiz com nossas decisões, porque dependem do mundo à nossa volta, e principalmente dependem da vontade de Deus. Um homem que ganha menos não deixa de ser um provedor. Sim, o homem tem de trabalhar e se esforçar para prover o suficiente, mas um homem que ganha menos que a esposa não se torna menos homem nem deixa de ser o provedor do lar.

Algumas mulheres não receberam filhos do Senhor, outras não receberão, e algumas têm filhos que já foram embora. Essas mulheres podem ser acometidas de tristeza porque entendem que Deus fez o casamento para a fecundidade. Você, mulher, que está nessa situação: lembre que Deus não comete erros. Ele não falhou com você. Podemos ter expectativas na vida, mas não conhecemos os planos do Senhor. Não sabemos a intenção de Deus ao nos dar famílias diferentes — algumas com muitos filhos, outras sem filho nenhum. Ele é sempre sábio, e não sabemos onde Deus poderá usar sua vida para outras coisas. Deus pode lhe dar filhos e filhas espirituais com seu discipulado e serviço. Pode construir coisas boas para o mundo por meio de seu trabalho lá fora. Sua vida foi construída por Deus para a glória dele, mesmo quando os filhos saíram de casa ou quando os filhos não vieram.

Para famílias em circunstâncias difíceis: acima de tudo, lembrem que Deus está com vocês. Cada família tem sua própria realidade. Não se deixem perturbar por regras rígidas que não vêm das Escrituras enquanto vocês estão lutando pelo bem de seu lar. Temos um evangelho que é muito poderoso e que traz salvação pela fé em Cristo, não por obras. Não acreditamos em teologia da prosperidade. Tornar-se crente não significa conquistar da noite para o dia saúde mental, felicidade conjugal, recursos financeiros, família perfeita. Existem princípios a ser seguidos na vida cristã, mas acima de tudo existe Jesus numa cruz.

Portanto, não pensem que Deus ama menos vocês porque sua família não se encaixa nos padrões à sua volta. Vocês não estão mais longes do Senhor porque não conseguem ganhar tanto quanto gostariam ou porque não conseguem estar presentes em casa como queriam. Nossa salvação está atrelada única e exclusivamente ao poder do Cristo que morreu numa cruz para levar todos os nossos pecados, todas as nossas falhas, todos os nossos erros, todas as nossas incapacidades. É nessa cruz que confiamos. Não é no trabalho que está nossa salvação. Não é na fertilidade do ventre que está nossa salvação. É na obra perfeita daquele que morreu numa cruz. Lutamos para nos adequar, para nos acertar, para viver as ênfases que Deus escolheu para nós. Acima de tudo, lutamos para confiar única e exclusivamente naquilo que Jesus fez no Calvário. É isso que traz paz e força a nossos lares, para que a família se torne extensão do que Deus está fazendo no reino.

Uma palavra final

Este livro não teve por objetivo esgotar os temas relacionados ao exercício da fé das mulheres. Vários outros assuntos ligados ao papel feminino em igrejas conservadoras poderão ser abordados em obras que intentem construir uma teologia e uma eclesiologia mais bíblica e saudável.

Por exemplo, eu mesmo tenho encorajado muitos pais cristãos a considerarem o *homeschooling* como possibilidade na educação dos filhos, mas há muito a analisar sobre os exageros envolvendo essa prática. Alguns pais tratam a escola como um mal absoluto ou creem que a fé familiar está praticamente condicionada a uma educação exclusivamente doméstica. Outro exemplo diz respeito a filhos e contracepção. Já escrevi materiais sobre a importância e a bênção da fecundidade, mas muitas comunidades têm fiscalizado de modo legalista a quantidade de filhos de seus membros. Sei de uma igreja que distribui um prêmio chamado "troféu reprodutor" ao homem que teve mais filhos naquele ano. Em outros lugares, a prática romanista de proibir quaisquer métodos contraceptivos vem ganhando popularidade, criando mandamentos inexistentes nas Escrituras.

Apesar da relevâncias desses e de outros temas, creio que o assunto mais importante que ficou de fora deste livro tenha sido o do abuso sexual cometido por pastores. Uma quantidade imensa de escândalos sexuais envolvendo pastores tem tomado a mídia brasileira e internacional. Esses líderes são por vezes tratados como pessoas que "caíram em adultério", para depois de um breve período de pretensa restauração ser devolvidos ao ministério. A meu ver, essa é uma das formas mais cruéis de calar mulheres na atualidade eclesiástica. Existe até mesmo um costume demoníaco de esconder da igreja casos de abuso pastoral, quando as Escrituras são claras ao dizer que os presbíteros devem ser repreendidos diante de todos (1Tm 5.20). Com isso, famílias inteiras são caladas e jogadas para debaixo do tapete de culturas de abuso.

Muitos ignoram que não existe adultério puro e simples entre um pastor e uma ovelha da igreja, do mesmo jeito que não existe apenas adultério entre um orientador de mestrado e sua orientanda. Em casos em que há uma relação de poder ocorre o que chamamos de abuso. Se um patrão usa sua posição de poder e autoridade para se satisfazer sexualmente com uma funcionária, não se pode chamar isso simplesmente de adultério. Não há ali um consentimento livre e total por parte da funcionária, que muitas vezes se encontra financeiramente acuada e dependente. No mundo acadêmico, fala-se de "consentimento livre e esclarecido". Nem sempre é possível consentir livremente quando um possui poder para destruir a carreira profissional do outro. Em *A redenção do poder*, Diane Langberg define com clareza essa questão sobre o abuso sexual:

> O abuso sexual é, geralmente, definido como qualquer atividade sexual — verbal, visual ou fisica — com a qual se envolve sem consentimento. Uma criança que é vitima não tem condições de consentir devido à imaturidade de desenvolvimento e a incapacidade de compreender o comportamento sexual. Quando nos referímos a adultos, é importante entender o que torna uma interação consensual. Em primeiro lugar, a fim de consentir, a pessoa tem que possuir a capacidade de tomar decisões. Se você se encontra anestesiada em uma cama de hospital, obviamente não possui tal capacidade. [...] Se todo o seu ser ficou dormente por causa de anos de abuso sexual, pancadas, discursos odiosos, ou drogas e bebidas alcóolicas, você não tem tal capacidade — ela foi esmagada, assassinada. Em segundo lugar, o consentimento significa que não há perigo em dizer não. Se você tem cinco anos e ele quarenta, se ele é o chefe e pode lhe despedir, se alguém possui o poder de lhe banir da comunidade, o consentimento não é possível pois você corre risco ao dizer não.[1]

Tal entendimento impacta o modo como interpretamos o papel de um pastor. Quando um professor universitário trai a esposa com uma colega das aulas de crossfit, isso não afetará sua carreira. No entanto, caso faça sexo com uma de suas alunas ou com alguém que depende dele para manter uma bolsa de estudos, ele provavelmente será investigado pelo conselho de ética e demitido. De igual modo, um pastor comete adultério ao arrumar uma amante na escola dos filhos ou no clube de férias, ou mesmo ao contratar uma prostituta. Mas não se pode falar apenas em "adultério" quando ele faz sexo com alguém que está debaixo de seu cuidado e pastoreio. Trata-se de abuso, pura e simplesmente. A autoridade remove a equidade da relação.

Jonathan Leeman fala muito apropriadamente de uma "assimetria criada pela autoridade" quando há pecado envolvendo um líder e um liderado. A seu ver, qualquer pecado cometido "por alguém com autoridade é pior e mais prejudicial do que aquele mesmo pecado cometido por um pessoa sob autoridade". Seu conselho é importante para complementaristas como eu:

> A Bíblia é rica em recursos para compreender o abuso e a opressão, para não falar do que podemos aprender com as fontes da graça comum. Nós, complementaristas, deveríamos estar entre os primeiros a explorar as Escrituras para estes propósitos, a fim de que possamos discipular melhor os homens e mulheres de nossas igrejas.[2]

Um caso proeminente que ilustra essa triste realidade é o de Tullian Tchividjian. Neto de Billy Graham, Tchividjian era pastor na Igreja Presbiteriana de Coral Ridge, na Flórida, e chegou a ser pastor de amigos meus no período em que teve relações com uma ovelha em 2015. Separou-se da esposa, perdeu o cargo e as credenciais como pastor, e foi excluído pelo presbitério. Ao ser descoberto, confessou outro "caso", sem entrar em detalhes. Ele alega que não se tratou de "abuso sexual", porque as relações teriam sido "consensuais".[3] "Eu não abusei de minha função autoritativa para buscar mulheres", disse. No entanto, Rachel Steele tem uma visão diferente: ela nega que tenha sido um simples "caso". Segundo ela, Tchividjian não mediu esforços para conquistá-la ao mesmo tempo que se oferecia para acompanhá-la e ao marido em aconselhamento.[4] Os dois caíram em maio de 2015 e foram descobertos pela liderança. "Ele era meu líder espiritual. Alguém com quem sempre podia contar, um mestre. Tinha com certeza um lugar de autoridade na minha vida. Havia muito mais confiança envolvida."[5] Steele conta também que nunca recebeu dele um pedido de desculpas sincero. A liderança da igreja que o exonerou foi bem clara: "Acreditamos que o sr. Tchividjian não deveria ocupar nenhuma função ministerial na igreja". No entanto, algum tempo depois de casar-se novamente, Tchividjian abriu uma igreja independente, em 2019. Ironicamente, seu irmão, Boz Tchividjian, é um advogado atuante em casos de abuso eclesiástico.

O caso mais proeminente, todavia, é o de Ravi Zacharias. Evangelista e apologista renomado em vida, depois de seu falecimento, em 2020, muitas coisas terríveis sobre ele começaram a aparecer, incluindo abusos e profunda imoralidade sexual. Ele alegava uma dor lombar constante e viajava com várias mulheres massagistas, que também trabalhavam em seu spa. Poucos meses após sua morte, elas começaram a revelar que ele as assediava e lhes pedia favores sexuais. Uma investigação encontrou inúmeros casos ainda mais antigos em diferentes países, confirmando histórias que antes haviam sido descartadas. Uma das mulheres que o conheceu em 2014 e se tornou membro de sua igreja, Lori-Anne Thompson, descreve como ele a envolveu sob o pretexto de pastoreio: ele se aproveitou de sua fragilidade, ouviu a história de como ela havia sido abusada pelo próprio pai, apresentou-se como um pai espiritual e começou a dizer coisas absolutamente impróprias — que seu casamento era uma fachada, que se sentia sozinho a ponto de arriscar o ministério, e aos poucos convenceu Lori-Anne a ocupar essa função de alguém que o provê de carinho e sexo. Demorou muito para ela perceber a armadilha em que havia caído. Hoje, Lori-Anne Thompson conta sua história e é uma das vozes importantes na causa contra o abuso cometido por lideranças espirituais. No leito de morte, Ravi Zacharias disse à sua secretária: "Você vai lamentar ter me conhecido".[6] Toda a sua conduta está documentada e provada, o que deve nos fazer lamentar que tamanha hipocrisia tenha permanecido oculta por tanto tempo, enganando cristãos em todo o mundo.

Não podemos ignorar que sexo entre líderes e membros dificilmente não configura abuso — não apenas sexual, mas também espiritual, pois o elemento do poder torna a relação desigual. A confiança, a obediência e a admiração envolvidas no cargo de liderança facilitam o acesso indevido dos líderes ao corpo dos liderados, e isso não pode ser minimizado. Dificilmente um abusador será um verdadeiro convertido, pois no processo do abuso existe uma satisfação cruel em enganar e usar pessoas, atraindo-as com o fingimento da ajuda espiritual e depois fisgando-as para um prazer ilícito. A pessoa precisa ser demasiadamente falsa para fingir ser algo que não é, além de insensível à voz de Deus e ao sofrimento alheio, para cometer abusos repetidamente. Creio que o abusador é o "lobo" de que a Bíblia fala, buscando devorar as ovelhas.

Afinal, se esse tema é tão importante, por que ele não ocupa lugar de destaque nesta obra? O principal motivo é que, enquanto escrevia e pesquisava, conclui que esse é um tema para um livro inteiro. Em segundo lugar, já possuímos uma boa quantidade de livros sobre o assunto disponíveis em português. Entre eles, posso indicar os excelententes *A redenção do poder*, de Diane Langberg (Livre Press, 2023), *Desmascarando o abuso*, de Darby A. Strickland (Fiel, 2022), *Refúgio bem presente*, de Hannah Fordice (Thomas Nelson Brasil, 2023), e *Uma igreja chamada tov*, de Scot McKnight e Laura Barringer (Mundo Cristão, 2022). Que mais obras sobre o assunto possam nos ajudar a não construirmos igrejas que calam as filhas de Deus.

Notas

Epígrafe

[1]Matheus Garzon, “Pastor com 117 mil seguidores faz textão sobre ‘potencial demoníaco da mulher’”, *Metrópoles*, 2 de outubro de 2021, <https://www.metropoles.com/distrito-federal/pastor-com-117-mil-seguidores-faz-textao-sobre-potencial-demoniaco-da-mulher>.

[2]Douglas Wilson, “That Lutheran Jezebel Lady”, *Blog & Mablog*, 6 de março de 2019, <https://dougwils.com/books-and-culture/s7-engaging-the-culture/that-lutheran-jezebel-lady.html>.

[3]“John MacArthur Beth Moore Go Home”, Maywood Church (YouTube), 23 de setembro de 2020, <https://youtu.be/tO9JWqJJmdo>.

1. Criação

[1]“Esposa, adore seu marido”, Pastor Anderson Silva (YouTube), 17 de maio de 2019, <https://www.youtube.com/watch?v=l4Yjh_U2SCw>.

[2]Jonathan Leeman, “Complementarianism: A Moment of Reckoning (Part 2)”, *9Marks*, 11 de dezembro de 2019, <https://www.9marks.org/article/complementarianism-a-moment-of-reckoning-part-2/>.

[3]Conforme vimos acima, para o complementarismo estreito isso também não seria problema.

[4]Francine Veríssimo Walsh, *Ela à imagem dele: A identidade feminina à luz do caráter de Deus* (Fortaleza: Editora 371, 2022), p. 29.

[5]Este parágrafo é adaptado de meu livro *No alvorecer dos deuses: Desvendando as idolatrias profundas do coração* (Rio de Janeiro: Thomas Nelson Brasil, 2020), p. 90-99.

[6]James McKeown, *Genesis*, The Two Horizons Old Testament Commentary (Grand Rapids, MI: Wm. B. Eerdmans, 2008), p. 37.

[7]John E. Hartley, "Genesis 2.18-20a", *Genesis*, Understanding the Bible Commentary Series (Grand Rapids, MI: Baker Books, 2012), edição eletrônica.
[8]Ibid.
[9]Ibid.
[10]Ibid.
[11]Esses e outros comentários ao corte do sermão da Francine Walsh estão registrados em meu vídeo: "Reagindo a absurdos machistas em comentários online", Dois Dedos de Teologia (YouTube), 6 de abril de 2023, <https://youtu.be/cSJp1GMyYr8>.
[12]Vik Zalewski Baracy argumenta contra essa ideia, dizendo: "Adão nomear Eva não é um exercício de autoridade. Se fosse, ele teria sobre ela a mesma autoridade que tinha sobre os animais que nomeou. Além disso, Hagar deu nome ao próprio Deus! Adão só deu à mulher o nome Eva após a queda, quando já havia pecado na relação entre eles" (*Mulher pode ser pastora?* [Rio de Janeiro: Thomas Nelson Brasil, 2023], edição Kindle). Conforme expressou Daniel Figueireido em resenha do livro (<https://danielfigueiredo-23.medium.com/mulher-pode-ser-pastora-resenha-1fdada06ae31>), há três problemas nessa argumentação. Primeiro, Adão exerce autoridade sobre os animais e, posteriormente, sobre a esposa. Não significa, porém, que se trata do mesmo tipo de autoridade ou que a mulher deve ser rebaixada ao nível dos bichos. É uma derivação absolutamente inapropriada do texto. Em segundo lugar, Hagar não dá nome a Deus, mas apenas encontra uma forma de expressar seus atributos. Deus já havia se revelado como Javé antes de qualquer atribuição feita por Hagar. Em terceiro lugar, Adão dar o nome próprio à primeira mulher (Eva) apenas depois da Queda não significa que ele não nomeou o sexo feminino antes da Queda, o que mostra que esse exercício de autoridade não decorre da entrada do pecado no mundo, mas faz parte da estrutura original da Criação.
[13]G. K. Beale e Mitchell Kim, *God Dwells Among Us: A Biblical Theology of the Temple* (Downers Grove, IL: InterVarsity Press, 2014), p. 25-26.
[14]R. Kent Hughes, *Genesis: Beginning and Blessing*, Preaching the Word (Wheaton, IL: Crossway, 2004), p. 88.
[15]Roy E. Ciampa e Brian S. Rosner, *The First Letter to the Corinthians*, The Pillar New Testament Commentary (Grand Rapids, MI: Wm. B. Eerdmans, 2010), p. 535.
[16]Leon Morris, *1 Corinthians*, The Tyndale New Testament Commentaries (Leicester, UK: InterVarsity Press, 1985), p. 155.
[17]Veja a postagem de Anderson Silva em Mateus Garzon, "Pastor com 117 mil seguidores faz textão sobre 'potencial demoníaco da mulher'", *Metrópoles*, 2 de outubro de 2021, <https://www.metropoles.com/distrito-federal/pastor-com-117-mil-seguidores-faz-textao-sobre-potencial-demoniaco-da-mulher>.

[18]Marília de Camargo César, *O grito de Eva: A violência doméstica em lares cristãos* (Rio de Janeiro: Thomas Nelson Brasil, 2021), cap. 9, edição eletrônica.
[19]Rachel Denhollander, citada em Scot McKnight e Laura Barringer, *Uma igreja chamada tov: A formação de uma cultura de bondade que resiste a abusos de poder e promove cura* (São Paulo: Mundo Cristão, 2022), p. 69.
[20]Ver Mateus Garzon, "Pastor com 117 mil seguidores faz textão sobre 'potencial demoníaco da mulher'", *Metrópoles*, 2 de outubro de 2021, <https://www.metropoles.com/distrito-federal/pastor-com-117-mil-seguidores-faz-textao-sobre-potencial-demoniaco-da-mulher>.
[21]Ver meu vídeo "Reagindo a pastores machistas (e outros nem tanto)", Dois Dedos de Teologia (YouTube), 6 de janeiro de 2022, <https://youtu.be/_yOnXL0P7DE>.
[22]Gavin Ortlund, "4 Dangers for Complementarians", *The Gospel Coalition*, 14 de novembro de 2014, <https://www.thegospelcoalition.org/article/four-dangers-for-complementarians/>.

2. Submissão

[1]"Pastor diz que mulher tem que rastejar para manter o marido: 'Não teima'", Diário Online Brasil (YouTube), 8 de setembro de 2023, <https://youtu.be/ijUAEQfuucE>.
[2]Esse texto e outros absurdos são analisados em meu vídeo: "Mulher não pode negar sexo? Feias traem mais? Precisa ter pé bonito?", Dois Dedos de Teologia (YouTube), 5 de outubro de 2021, <https://youtu.be/-BwUzApuh-8>.
[3]Marc Bassets, "Não ser submissa exige um combate constante e exaustivo", *El País*, 22 de fevereiro de 2020, <https://brasil.elpais.com/internacional/2020-02-22/nao-ser-submissa-exige-um-combate-constante-e-exaustivo.html>.
[4]J. Swanson, *Dictionary of Biblical Languages with Semantic Domains: Greek (New Testament)* (Oak Harbor: Logos Research Systems, Inc. 1996), edição eletrônica.
[5]Frank Thielman, *Ephesians*, Baker Exegetical Commentary on the New Testament (Grand Rapids, MI: Baker Academic, 2010), p. 375.
[6]Peter Thomas O'Brien, *The Letter to the Ephesians* (Grand Rapids, MI: Wm. B. Eerdmans, 1999), p. 399.
[7]Ibid., p. 402-403.
[8]Arthur G. Patzia, "Ephesians 5.22-24", *Ephesians, Colossians, Philemon*, Understanding the Bible Commentary Series (Grand Rapids, MI: Baker Books, 2011), edição eletrônica.
[9]John Stott, *The Message of Ephesians: God's New Society* (Westmont, IL: InterVarsity Press, 2021), edição eletrônica.

[10]R. Kent Hughes, "Ephesians 5.21-24", *Ephesians: The Mystery of the Body of Christ* (Wheaton, IL: Crossway, 1990), edição eletrônica.
[11]O'Brien, *The Letter to the Ephesians*, p. 415
[12]Bryan Chapell, "Ephesians 5.23-24", *Ephesians*, Reformed Expository Commentary (Phillipsburg, NJ: P&R Publishing, 2009), edição eletrônica.
[13]Para mais detalhes, ver "A desgraça da idolatria política: submissão às autoridades diante da besta que saiu do mar", capítulo 6 de meu livro *No alvorecer dos deuses: Desvendando as idolatrias profundas do coração* (Rio de Janeiro: Thomas Nelson Brasil, 2020), p. 141-178.
[14]Sarah B. Pomeroy, *Goddesses, Whores, Wives and Slaves: Women in Classical Antiquity* (London: Pimlico, 1994), p. 62.
[15]Jonathan Leeman, "Complementarianism: A Moment of Reckoning (Part 3)", *9Marks*, 12 de novembro de 2019, <https://www.9marks.org/article/complementarianism-a-moment-of-reckoning-part-3/>.
[16]Ibid.
[17]Greg Morse, "Prophet, Priest, and King: The High Calling of Christian Husbands", *Desiring God*, 30 de abril de 2021, <https://www.desiringgod.org/articles/prophet-priest-and-king>.
[18]Harold Vaughan, "The husband as priest", *Christ Life Ministries*, 17 de maio de 2021, <https://christlifemin.org/2021/05/17/the-husband-as-priest/>.
[19]Richard Foster, *Celebração da disciplina: O caminho do crescimento espiritual* (São Paulo: Vida, 2007), p. 135.
[20]Francine Veríssimo Walsh, *Ela à imagem dele: A identidade feminina à luz do caráter de Deus* (Fortaleza: Editora 371, 2019), p. 118.

3. Violência

[1]Lynde Langdon, "Report accuses Southern Baptist leaders of ignoring abuse", *World*, 22 de maio de 2022, <https://wng.org/sift/report-accuses-sbc-leaders-of-ignoring-abuse-1653254663>.
[2]R. Albert Mohler Jr., "The reckoning of the Lord", *World*, 23 de maio de 2022, <https://wng.org/opinions/the-reckoning-of-the-lord-1653303105>.
[3]Russel Moore, "This Is the Southern Baptist Apocalypse", *Christianity Today*, 22 de maio de 2022, <https://www.christianitytoday.com/ct/2022/may-web-only/southern-baptist-abuse-apocalypse-russell-moore.html>.
[4]Existem vários casos detalhados no documento, mas você pode ler alguns deles em português no artigo de Kate Shellnutt, "Batistas do Sul se recusaram a agir contra o abuso, apesar da lista secreta de pastores", *Christianity Today*, 24 de maio de 2022, <https://www.christianitytoday.com/news/2022/may/convencao-batista-sul-abuso-vitimas-investigacao-pt.html>.

[5]Julie Roys, "Exclusive: John MacArthur's Church Supported Convicted Child Abuser & Pedophile, Records Show", *The Roys Report*, 17 de março de 2022, <https://julieroys.com/john-macarthur-church-supported-convicted-abuser-pedophile/>.

[6]Rachel Shubin, "The Shubin Report: 'Analyzing Douglas Wilson's Handling of the Steven Sitler and Jamin Wight Cases'", *The Truth About Moscow*, 9 de setembro de 2016, <https://moscowid.net/2016/09/09/the-shubin-report-analyzing-douglas-wilsons-handling-of-the-steven-sitler-and-jamin-wight-cases/>.

[7]Scott Clark, "It Can Be Difficult But We Need To Open Our Eyes And Pay Attention To The Facts", *The Heidelblog*, 29 de setembro de 2021, <https://heidelblog.net/2021/09/it-can-be-difficult-but-we-need-to-open-our-eyes-and-pay-attention-to-the-facts/>.

[8]A conta no X (antigo Twitter) @ExaminingMoscow traz atualizações frequentes sobre as denúncias envolvendo Douglas Wilson.

[9]Todd Wilhelm, "Bad News for C.J. Mahaney – Joshua Harris is Coming Clean!", *Thou Art The Man*, 31 de janeiro de 2015, <https://thouarttheman.org/2015/01/31/bad-news-for-c-j-mahaney-joshua-harris-is-coming-clean/>.

[10]The Sovereign Grace Leadership Team, "FAQ – Concerning Allegations Against Sovereign Grace Churches", *Sovereign Grace Churches*, 12 de abril de 2019, <https://www.sovereigngrace.com/blog/faq>.

[11]Muitos gostam de usar a tese de soberania das esferas, desenvolvida por Abraham Kuyper, como desculpa para esse tipo de atitude (seja para manter igrejas abertas em plena pandemia, seja para não denunciar violência e abuso sexual), mas se esquecem de que o neocalvinismo holandês esteve também preocupado com o correto relacionamento entre as esferas.

[12]Pheme Perkins, *First Corinthians*, Paideia: Commentaries on the New Testament (Grand Rapids, MI: Baker Academic, 2012), p. 94.

[13]Superior Tribunal de Justiça, Habeas Corpus n. 514.617/SP, relator Ministro Ribeiro Dantas, Quinta Turma, DJe de 16 de setembro de 2019.

[14]Superior Tribunal de Justiça, Agravo Regimental Interno no Recurso Especial n. 1.701.733/PB, relator Ministro Nefi Cordeiro, Sexta Turma, DJe de 25 de junho de 2019.

[15]Eugênio Pacelli de Oliveira, *Curso de processo penal*, 20ª ed., revista, atualizada e ampliada (São Paulo: Atlas, 2016), p. 375.

[16]Não ignoro que o STJ, em decisões recentes sobre médicos que comunicaram suspeita de aborto ao atender pacientes grávidas (HC 783927/MG e HC 448260/SP), tem compreensão divergente dos precedentes citados acima, no sentido de que as pessoas listadas no artigo 207 do Código de Processo Penal

são confidentes necessárias, condição que impõe proibição de revelar segredo de que tenham conhecimento em razão da profissão intelectual, bem como de depor sobre o fato como testemunha.

Ocorre que percebemos uma forte questão ideológica por trás desse posicionamento, de modo que é muito improvável o STJ entender no mesmo sentido na hipótese de chegar àquele tribunal caso de pastor que tenha acobertado cometimento de crime sob o pretexto de guardar sigilo em razão da profissão.

[17]Wanderley Preite Sobrinho e Beatriz Gomes, "Marido confessa que matou cantora gospel Sara Mariano e é preso", UOL, 28 de outubro de 2023, <https://noticias.uol.com.br/cotidiano/ultimas-noticias/2023/10/28/cantora-gospel-sara-mariano-pastora-assassinada-marido-ederlan.htm>.

[18]Somos Notícia, @somosnoticia, Instagram, 28 de outubro de 2023, <https://www.instagram.com/reel/Cy8VEotgJP9/>

[19]Debochados da Bleia, @debochadosdableia, Instagram, 29 de outubro de 2023, <https://www.instagram.com/reel/Cy_EKSJO6Oq>.

[20]Marília de Camargo César, *O grito de Eva: A violência doméstica em lares cristãos* (Rio de Janeiro: Thomas Nelson Brasil, 2021), p. 35.

[21]Carolina Mazzi, "Violência doméstica dispara na quarentena: Como reconhecer, proteger e denunciar", *O Globo*, 1º de maio de 2020, <https://oglobo.globo.com/saude/coronavirus-servico/violencia-domestica-dispara-na-quarentena-como-reconhecer-proteger-denunciar-24405355>.

[22]G1, "Relatos de briga de casais aumentam 431% desde o início do isolamento provocado pelo coronavírus, diz estudo", *G1*, 20 de abril de 2020, <https://g1.globo.com/bemestar/coronavirus/noticia/2020/04/20/relatos-de-briga-de-casais-aumentam-431percent-desde-o-inicio-do-isolamento-provocado-pelo-coronavirus-diz-estudo.ghtml>.

[23]Ver meu vídeo "Reagindo a pastores machistas (e outros nem tanto)", Dois Dedos de Teologia (YouTube), 6 de janeiro de 2022, <https://youtu.be/_yOnXL0P7DE>.

[24]Rogério Tadeu Romano, "Noções gerais da família no direito romano", *Jus*, 26 de maio de 2017, <https://jus.com.br/artigos/58063/nocoes-gerais-da-familia-no-direito-romano>.

[25]Ver meu vídeo "Reagindo a pastores machistas (e outros nem tanto)".

[26]Também é importante notar que a Lei mosaica foi dada no contexto de teocracia da Antiga Aliança, no qual o adultério era punido com a morte. Hoje não vivemos sob a Antiga Aliança, portanto precisamos analisar os princípios de determinada lei e o caráter de Deus expresso nela. Mesmo que existam atualmente países com um regime teocrático em que o adultério é crime, a argumentação

que legitima essas decisões não pode se fundamentar no Antigo Testamento porque suas leis não possuem legislação sobre o mundo, uma vez que Cristo instaurou uma nova aliança que substitui a antiga. Estamos analisando o princípio do caráter de Deus nesta e nas leis seguintes, que visavam preservar a idoneidade do casamento.

[27]Ruth Baker, "Does the Bible make a woman marry her rapist?", *Meet Me Where I Am*, 6 de março de 2022, <https://whereiam.blog/2022/03/06/does-the-bible-make-a-woman-marry-her-rapist/>.

[28]Fabiano Prado Lima, "O Antigo Testamento obriga uma mulher a casar-se com o estuprador?", *Medium*, 25 de agosto de 2021, <https://fabianocplima.medium.com/o-antigo-testamento-obriga-uma-mulher-a-casar-se-com-o-estuprador-6b5429244c83>.

[29]Scot McKnight e Laura Barringer, *Uma igreja chamada tov: A formação de uma cultura de bondade que resiste a abusos de poder e promove cura* (São Paulo: Mundo Cristão, 2022), p. 25.

[30]Ibid., p. 29.

[31]Apesar de o termo ter sido banalizado por causa do sentimentalismo que predomina em nossa cultura, aqui iremos tratá-lo de forma séria, não como mera autocomiseração ou autovitimização.

[32]McKnight e Barringer, *Uma igreja chamada tov*, p. 40.

[33]Ibid., p. 44.

[34]Esse nome deriva de uma peça de 1938, *Gas Light*, em que o marido, querendo encobrir os crimes que havia cometido, tenta levar a esposa à loucura usando diversos elementos de seu apartamento para manipular a memória da esposa.

[35]McKnight e Barringer, *Uma igreja chamada tov*, p. 92.

4. Divórcio

[1]"Cláudio Duarte aconselha mulher a não se separar do marido e alerta que ela não pode casar com outro", Cristão Também Pensa! (YouTube), 5 de agosto de 2023, <https://youtu.be/_AzUQw4cbGs>.

[2]Jay Adams, "What Is She To Do?", *Nouthetic* (blog), 24 de agosto de 2015, <https://nouthetic.org/what-is-she-to-do/>.

[3]Sarah Einselen, "Head of Counseling at John MacArthur's School: Wife Should Endure Abuse Like Missionary Endures Persecution", *The Roys Report*, 5 de abril de 2022, <https://julieroys.com/head-counseling-john-macarthur-school-wife-endure-abuse/>.

[4]Ibid.

[5]Kate Shellnut, "Divorce After Abuse: How Paige Patterson's Counsel Compares to Other Pastors", *Christianity Today*, 30 de abril de 2018, <https://www.

christianitytoday.com/news/2018/april/paige-patterson-divorce-domestic-abuse-swbts-cbmw.html>.

[6]Cabe destacar que o homem poderia se casar novamente depois do divórcio, porque poderia ter quantas esposas pudesse sustentar, mas as mulheres não viviam debaixo da mesma prerrogativa. Havia poligamia, isto é, um homem com várias mulheres, mas não havia poliandria, uma mulher com vários homens.

[7]Ver Craig L. Blomberg, *Matthew*, The New American Commentary (Nashville, TN: Broadman & Holman Publishers, 1992), p. 289-294.

[8]Wayne Grudem, *What the Bible Says about Divorce and Remarriage* (Wheaton, IL: Crossway), p. 23.

[9]Ibid., p. 23-24.

[10]Craig S. Keener, *... And Marries Another: Divorce and Remarriage in The Teaching of the New Testament* (Grand Rapids, MI: Baker Books, 1991), p. 44.

[11]Anthony C. Thiselton, *The First Epistle to the Corinthians: A Commentary on the Greek Text* (Grand Rapids, MI: Wm. B. Eerdmans, 2000), p. 499.

[12]Gordon D. Fee, *1Coríntios*, Comentário Exegético (São Paulo: Vida Nova, 2019), p. 367.

[13]Ibid., p. 376.

[14]Augustus Nicodemus, "Divórcio e novo casamento", Igreja Presbiteriana do Recife (YouTube), 21 de fevereiro de 2021, <https://www.youtube.com/watch?v=4wnjDFUc38U>.

[15]Grudem, *What the Bible Says about Divorce and Remarriage*, p. 29-32.

[16]Ibid., p. 34-35.

[17]O argumento de Piper tem sua validade, mas não creio que ele, sozinho, signifique muito. Seu peso está unicamente no caso cumulativo. Digo isso porque, mesmo na validade do argumento (que há), ele carece de precisão quanto à lei mosaica. Se um voto foi errado, mantê-lo também pode acabar sendo. Quebrar esse voto não seria pecado, como pode ser lido em Levítico 5.4-6: "Se alguém, mesmo sem saber, fizer um voto impensado de qualquer tipo, para o bem ou para o mal, quando perceber a imprudência do voto, deverá reconhecer sua culpa. Quando alguém perceber sua culpa, em qualquer um desses casos, deverá confessar seu pecado. Como castigo pelo pecado, trará ao Senhor uma ovelha ou uma cabra do rebanho. É uma oferta pelo pecado, com a qual o sacerdote fará expiação pelo pecado da pessoa". Ou seja, tanto Josué quanto Piper esqueceram que havia uma lei que prescrevia a quebra de votos feitos precipitadamente. Obviamente, essa lei não poderia ser aplicada caso a pessoa alegasse ter feito precipitadamente um voto de casamento, porque isso seria uma gambiarra textual excessiva com os textos de Levítico e Deuteronômio.

[18]Ver John Piper, "Divorce, Remarriage, and Honoring God", canal Desiring God (YouTube), 18 de abril de 2017, <https://youtu.be/a3wV4fPtmBQ>.

[19]John Piper, *Casamento temporário: Uma parábola de permanência* (São Paulo: Cultura Cristã, 2019), edição eletrônica.

[20]Para mais detalhes acerca desse assunto, ver Andrew David Naselli, "What the New Testament Teaches about Divorce and Remarriage", *Detroit Baptist Seminary Journal*, vol. 24 (2019), p. 3-44, <https://andynaselli.com/what-the-new-testament-teaches-about-divorce-and-remarriage>.

Naselli demonstra convincentemente que a expressão indica tão somente que o homem, caso seja casado, deve ser fiel à esposa. Não quer dizer que, se ele teve uma vida promíscua no passado, não possa ser presbítero/diácono, ainda que tenha se arrependido. Se atualmente é fiel à esposa, ele está capacitado para a função. Afinal, se o homem *precisa* ser casado, então nem Jesus, nem Paulo, nem Timóteo se achariam qualificados.

Alguém poderia questionar ainda, com base em 1Timóteo 3.5, que se tal pessoa não soube cuidar da própria família a ponto de ter passado por um divórcio, como poderia cuidar da igreja? Mas quem então estaria apto para ser líder se a vida pregressa fosse assim considerada?

Outra justificativa geralmente dada é que o não casado não teria experiência ou maturidade para aconselhar casais, que talvez não se sintam confortáveis em tratar seus problemas com um solteiro/divorciado. Porém, a questão aqui diz mais respeito à (falta de) confiança do que a uma restrição bíblica. Líderes mais jovens que a maioria dos membros da igreja também enfrentam situação semelhante. Entretanto, o testemunho, a fé viva, a humildade, a piedade, o amor e o bom manejo das Escrituras são práticas capazes de superar essa dificuldade, tanto num como no outro caso.

Em vez de seguir pela estrada da exclusão do não casado da liderança, mais sábio é adotar uma multiplicidade de presbíteros na qual haja casados e não casados — *obviamente* não como uma obrigatoriedade, mas como uma possibilidade a ser cogitada.

5. Ministério

[1]Scott Bushey, "The Regulative Principle: Should Women Keep Silent?", *Semper Reformanda* (blog), <https://www.semperreformanda.com/the-regulative-principle-of-worship/the-regulative-principle-of-worship-articlesindex/should-women-keep-silent/>.

[2]Ibid.

[3]John Calahan, "Can a woman pray in church?", *NeverThirsty* (blog),

<https://www.neverthirsty.org/bible-qa/qa-archives/question/can-a-woman-pray-in-church/>.

[4]J. D. Greear, "As mulheres podem ensinar na Igreja?", *Seminário JMC* (blog), 21 de fevereiro de 2018, <https://www.seminariojmc.br/index.php/2018/02/21/as-mulheres-podem-ensinar-na-igreja/>.

[5]Robert Saucy, "Paul's Teaching on the Ministry of Women", in Robert L. Saucy e Judith K. Tenelshof (orgs.), *Women and Men in Ministry: A Complementary Perspective* (Chicago, IL: Moody Press, 2001), p. 307.

[6]Gordon D. Fee, *1 & 2 Timothy, Titus*, New International Biblical Commentary (Peabody, MA: Hendrickson Publishers, 1984), p. 174.

[7]Craig Keener, "Women in Ministry", LaidlawCollege (YouTube), 13 de dezembro de 2019, <https://youtu.be/xyZr-K3STsU>.

[8]Gordon D. Fee, *1 & 2 Timothy, Titus*, New International Biblical Commentary (Peabody, MA: Hendrickson Publishers, 1984), p. 75.

[9]Philip H. Towner, "1Timothy 2.9-15", *1—2 Timothy & Titus*, The IVP New Testament Commentary Series (Downers Grove, IL: InterVarsity Press, 1994), edição eletrônica.

[10]Paulo Junior, "O papel das mulheres", Defesa do Evangelho Oficial (YouTube), 2 de setembro de 2015, <https://youtu.be/WHqRRzUtBrY>.

[11]Douglas Moo, "What does it mean not to teach or have authority over men?", in John Piper e Wayne Grudem (orgs.), *Recovering Biblical Manhood & Womanhood: A Response to Evangelical Feminism* (Wheaton, IL: Crossway, 1991), p. 200-201.

[12]Thabiti Anyabwile, "I'm a Complementarian, But… Women Should Pray in Public", *The Gospel Coalition*, 24 de janeiro de 2011, <https://www.thegospelcoalition.org/blogs/thabiti-anyabwile/im-a-complementarian-but-women-should-pray-in-public/>.

[13]Thomas Schreiner, "Does the Bible Support Female Deacons? Yes", *The Gospel Coalition*, 19 de fevereiro de 2019, <https://www.thegospelcoalition.org/article/bible-support-female-deacons-yes/>.

[14]Sam Storms, "10 Things You Should Know About Women as Deacons in The New Testament", *Sam Storms* (blog), 11 de fevereiro de 2020, <https://www.samstorms.org/all-articles/post/article-10-things-you-should-know-about-women-as-deacons-in-the-new-testament>.

[15]Ibid.

[16]Benjamin L. Merkle, *40 Questions about Elders and Deacons* (Grand Rapids, MI: Kregel Publications, 2007), p. 251.

[17]Robert Mounce, *Romans: An Exegetical and Theological Exposition of Holy*

Scripture, The New American Commentary (Brentwood, TN: Broadman & Holman, 1995), p. 272.

[18]John Stott, "Romans 16.1-2", *The Message of Romans: God's Good News for the World* (Downers Grove, IL: InterVarsity Press, 2020), edição eletrônica.

[19]Ainda que não seja uma visão consensual entre os teólogos, entendo que havia outras pessoas presentes no momento da declaração da Grande Comissão além dos onze discípulos, e apresento argumentos a esse respeito em "Para quem é a ordem da grande comissão?", in *Você não precisa de um chamado missionário* (Niterói, RJ: Concílio, 2016), p. 125-158.

[20]Josafá Vasconcelos, "Por que as mulheres não falam e nem oram em público em nossa igreja?", Calvinistas (Facebook), 12 de fevereiro de 2020, <https://www.facebook.com/calvinistas/photos/a.550902228380523/1820658414738225/?-type=3>.

[21]Ver Beth Alisson Barr, *A construção da feminilidade bíblica: Como a submissão das mulheres se tornou a verdade do Evangelho* (Rio de Janeiro: Thomas Nelson Brasil, 2022).

[22]Marcelo Berti, "Era Júnia uma apóstola?", *Teologia Brasileira*, 7 de agosto de 2018, <https://teologiabrasileira.com.br/era-junia-uma-apostola/>.

[23]Gordon D. Fee, *The First Epistle to the Corinthians*, New International Commentary on the New Testament (Grand Rapids, MI: Wm. B. Eerdmans, 1987), p. 706.

[24]David E. Garland, "1Corinthians 14.33b-35", *First Corinthians*, Baker Exegetical Commentary on the New Testament (Ada, MI: Baker Academic, 2003), edição eletrônica.

[25]Fee, *The First Epistle to the Corinthians*, p. 708.

[26]Garland, "1Corinthians 14.33b-35".

[27]Neal M. Flanagan e Edwina Hunter Snyder, "Did Paul put down women in 1 Cor 14:34-36?", *Biblical Theology Bulletin*, vol. 11 (nº 1), p. 10-12, <https://doi.org/10.1177/014610798101100103>.

[28]Garland, "1Corinthians 14.33b-35".

[29]Mark Taylor, "1Corinthians 14.34-35", *1 Corinthians: An Exegetical and Theological Exposition of Holy Scripture*, The New American Commentary (Brentwood, TN: Broadman Press, 1991), edição eletrônica.

[30]Keener, "Women in Ministry".

[31]Taylor, "1Corinthians 14.33b-36".

[32]Taylor, "1Corinthians 14.39-40".

[33]Taylor, "1Corinthians 14.34-35".

[34]Roy E. Ciampa e Brian S. Rosner, "1Corinthians 14.34-35", *The First Letter to the Corinthians*, The Pillar New Testament Commentary (Downers Grove, IL: InterVarsity Press, 2020), edição eletrônica.
[35]Ibid.
[36]Ibid.
[37]Garland, "1Corinthians 14.33b-35".
[38]Ibid.
[39]Ibid.
[40]Taylor, "1Corinthians 14.34-35".
[41]C. H. Spurgeon, citado em Marcelo Berti, "Entre o machismo e o feminismo", *Teologando* (blog), 27 de novembro de 2019, < https://marceloberti.wordpress.com/2019/11/27/entre-o-machismo-e-o-feminismo/>.
[42]Renata Veras escreveu um livro cujo título explica bem qual deve ser a postura do cristão diante tanto dos exageros do feminismo contemporâneo como do conservadorismo radical: *Lugar de mulher é onde Deus disser* (São José dos Campos, SP: Peregrino, 2019).

6. Vestes

[1]"Record proíbe mulheres de usar jeans, cabelo cacheado e batom vermelho", *POPTime*, 27 de outubro de 2023, <https://poptime.space/record-proibe-mulheres-de-usar-jeans-cabelo-cacheado-e-batom-vermelho/>.
[2]"Depilação é pecado? A Bíblia responde!", Espada do Espírito–A Palavra de Deus (YouTube), 29 de outubro de 2016, <https://youtu.be/mS_LJV5FqXA>.
[3]"Queen Negative Nancy", *truthaboutthecrec* (blog), 2 de março de 2016, <https://truthaboutthecrec.wordpress.com/2016/03/02/queen-negative-nancy/>.
[4]Linda M. Day, "Esther 2.5-20", *Esther*, Abingdon Old Testament Commentaries (Nashville, TN: Abingdon Press, 2005), edição eletrônica.
[5]John N. Oswalt, "Isaiah 3.16—4.1", *Isaiah*, The NIV Application Commentary (Grand Rapids, MI: Zondervan, 2003), edição eletrônica.
[6]Raymond F. Collins, *1 & 2 Timothy and Titus: A Commentary*, The New Testament Library (Louisville, KY: Presbyterian Publishing Corporation, 2002), p. 67.
[7]F. F. Bruce, citado em John Stott, *The Message of 1 Timothy and Titus: The Life of the Local Church* (Downers Grove, IL: InterVarsity Press, 2021), p. 83.
[8]Wayne Grudem argumenta que não há no texto grego um adjetivo qualificando as "roupas", ao contrário do que fazem a NVT ("roupas bonitas"), a NVI ("roupas finas") e a NAA ("vestidos finos"). A inclusão desse adjetivo daria a entender que há uma qualificação do vestido/roupa, mas não é o caso. O grego traz apenas "aparato de vestuário", o que poderia ser entendido simplesmente como "peça de roupa". Portanto, segundo Grudem, é incorreto usar esse texto

para proibir mulheres de trançar seus cabelos ou usar joias de ouro, pois pela mesma razão teria de proibir o "aparato de vestuário", o próprio ato de se vestir. Ver Wayne Grudem, *1 Peter*, The Tyndale New Testament Commentaries (Downers Grove, IL: IVP Academic, 1988), p. 139.

[9]Jeff Pollard, *Deus, o estilista: O padrão bíblico para a modéstia cristã* (São José dos Campos, SP: Fiel, 2006), p. 14.

[10]Crystalina Evert, *Feminilidade pura: Descobrindo o valor da pureza feminina* (Sumaré, SP: Cultor de Livros, 2023), p. 11-12.

[11]Derek Kidner, "Proverbs 11.22", *Proverbs*, The Tyndale Old Testament Commentaries (Nottingham, UK: InterVarsity Press, 2008), edição eletrônica.

[12]Bible Hub, verbete *chagowr*, Strong H2290, <https://biblehub.com/hebrew/2290.htm>.

[13]Victor P. Hamilton, "Genesis 3.21", *The Book of Genesis, Chapters 1—17*, The New International Commentary on the Old Testament (Grand Rapids, MI: Wm. B. Eerdmans, 1990), edição eletrônica.

[14]Pollard, *Deus, o estilista*, p. 21-22.

[15]"Por que as calças femininas ferem a modéstia?", *Blog da Modéstia*, 19 de fevereiro de 2021, <https://www.saiamodesta.com.br/post/por-que-as-calcas-femininas-ferem-a-modestia>.

7. Cobertura

[1]Peter Kwasniewski, "The Theology Behind Women Wearing Veils in Church", *OnePeterFive* (blog), 13 de novembro de 2019, <https://onepeterfive.com/theology-women-veils/>.

[2]"A insistência de Padre Pio sobre a modéstia", *Templário de Maria*, 24 de setembro de 2021, <https://templariodemaria.com/a-insistencia-de-padre-pio-sobre-a-modestia/>.

[3]Ver Congregação Cristã no Brasil, "Tópicos das reuniões de 1948", <https://www.ccbhinos.com.br/topicos-de-ensinamentos-congregacao-ccb/Topicos-das-reunioes-de-1948-25>

[4]A partícula grega *de* pode ser lida tanto como "e mais" quanto como "porém". Aqui, ela sinaliza que a informação que se segue é nova, apresentando um desenvolvimento distinto no argumento. Esse desenvolvimento pode ter uma nuance de contraste, por isso *de*, nesse caso, é frequentemente traduzido como "mas" ou "porém", ainda que não seja essa sua semântica básica.

[5]John Piper, "Manhood and Womanhood in Parachurch Ministry", *Desiring God*, 26 de junho de 2023, <https://www.desiringgod.org/interviews/manhood-and-womanhood-in-parachurch-ministry>.

[6]John Piper, *What's the Difference?: Manhood and Womanhood Defined According to the Bible* (Wheaton, IL: Crossway, 2008), p. 62.
[7]Ibid, p. 59.
[8]Ver Cynthia Long Westfall, *Paul and Gender: Reclaiming the Apostle's Vision for Men and Women in Christ* (Grand Rapids, MI: Baker Academic, 2016).
[9]Paul D. Gardner, "1 Corinthians 11.33", *1 Corinthians*, Zondervan Exegetical Commentary on the New Testament (Grand Rapids, MI: Zondervan Academic, 2018), edição eletrônica.
[10]Wayne Grudem, "Does *Kephale* ('Head') Mean 'Source' Or 'Authority Over' in Greek Literature? A Survey of 2,336 Examples", *Trinity Journal* nº 6.1 (primavera de 1985), p. 38-59.
[11]Andrew David Naselli, "1 Corinthians", in Iain M. Duguid, James M. Hamilton Jr. e Jay Sklar (orgs.), *Romans—Galatians*, The ESV Bible Expository Commentary, vol. 10 (Wheaton, IL: Crossway, 2020), edição eletrônica.
[12]Bruce Winter, *Roman Wives, Roman Widows: The Appearance of New Women and the Pauline Communities* (Grand Rapids, MI: Wm. B. Eerdmans, 2003), p. 77-96.
[13]Brittany Britanniae, "The History of Kissing: The Ancient Roman Fascination Posted", *Latin Language Blog*, 8 de fevereiro de 2017, <https://blogs.transparent.com/latin/the-history-of-kissing-the-ancient-roman-fascination/>.
[14]Winter, *Roman Wives, Roman Widows*, p. 78.
[15]Roma, Museo Centrale Montemartini, I. 43, <https://ancientrome.ru/art/artworken/img.htm?id=7766>.
[16]Bruce W. Winter, *After Paul Left Corinth: The Influence of Secular Ethics and Social Change* (Grand Rapids, MI: Wm. B. Eerdmans, 2001), p. 127.
[17]G. R. Driver e John C. Miles (eds.), *The Assyrian Laws: Edited with Translation and Commentary* (Oxford, UK: Clarendon, 1935), p. 407-409.
[18]Winter, *Roman Wives, Roman Widows*, p. 80.
[19]Judith Sebesta, "Weavers of Fate: Symbolism in the Costume of the Roman Women", College of Arts & Sciences, University of South Dakota, Vermillion, s.d., 1994, p. 10.
[20]Andy Naselli, "Women and Head Coverings: Explaining and Applying 1 Corinthians 11:2–16", *Christ Over All*, 8 de março de 2023, <https://christoverall.com/article/concise/women-and-head-coverings-explaining-and-applying-1-corinthians-112-16/>.
[21]Wayne Grudem, *Evangelical Feminism and Biblical Truth: An Analysis of More Than One Hundred Disputed Questions* (Wheaton, IL: Crossway, 2012), p. 333, 336-337.
[22]Winter, *Roman Wives, Roman Widows*, p. 82-83.
[23]Naselli, "1 Corinthians".

[24]Ibid.
[25]Craig Keener, "Women in Ministry"", LaidlawCollege (YouTube), 13 de dezembro de 2019, <https://youtu.be/xyZr-K3STsU>.
[26]Benjamin L. Merkle, "Paul's Arguments From Creation In 1 Corinthians 11:8-9 And 1 Timothy 2:13-14: An Apparent Inconsistency Answered", *JETS* 49/3 (set. de 2006), <https://www.etsjets.org/files/JETS-PDFs/49/49-3/JETS_49-3_527-548_Merkle.pdf>, p. 527-548.
[27]Thomas R. Schreiner menciona, por exemplo, o texto do escritor do primeiro século a.C. Diodoro de Sículo (1.47.5) em homenagem ao rei Ozymandias, em que a estátua da mãe do rei é descrita possuindo "três reinos sobre sua cabeça", o que significa que possuía três coroas, isto é, três reinados. É uma construção frasal parecida com a de Paulo, ao falar da "autoridade sobre sua cabeça". Ver Thomas Schreiner, "Head Coverings, Prophecies and The Trinity: 1 Corinthians 11:2-16", in John Piper e Wayne Grudem (orgs.), *Recovering Biblical Manhood And Womanhood: A Response to Evangelical Feminism* (Wheaton: IL: Crossway, 1991), p. 126.
[28]Merkle, "Paul's Arguments From Creation In 1 Corinthians 11:8-9 and 1 Timothy 2:13-14", p. 533.
[29]Ibid., p. 538.
[30]Naselli, "1 Corinthians".
[31]Ibid.
[32]Winter, *After Paul Left Corinth*, p. 132.
[33]Naselli, "1 Corinthians".

8. Trabalho

[1]Ingrid Soares, "Bispo Edir Macedo diz que mulher não pode ter mais estudo que o marido", *Correio Braziliense*, 24 de setembro de 2019, <https://www.correiobraziliense.com.br/app/noticia/brasil/2019/09/24/interna-brasil,789307/bispo-edir-macedo-diz-que-mulher-nao-pode-ter-mais-estudo-que-o-marido.shtml>.
[2]Ver meu vídeo "Reagindo a pastores machistas (e outros nem tanto)", Dois Dedos de Teologia (YouTube), 6 de janeiro de 2022, <https://youtu.be/_yOnXL0P7DE>.
[3]Paulo Junior, "O papel das mulheres", Defesa do Evangelho Oficial (YouTube), 2 de setembro de 2015, <https://youtu.be/WHqRRzUtBrY>.
[4]John Piper, *What's the Difference?: Manhood and Womanhood Defined According to the Bible* (Wheaton, IL: Crossway, 2008), p. 42.
[5]Francine Veríssimo Walsh, *Ela à imagem dele: A identidade feminina à luz do caráter de Deus* (Fortaleza: Editora 371, 2022), p. 150.
[6]Ibid., p. 161.

[7]Barry G. Webb, *The Book of Judges*, The New International Commentary on the Old Testament (Grand Rapids, MI: Wm. B. Eerdmans, 2012), p. 189.
[8]Arthur Ernest Cundall e Leon Morris, "Judges 4.1-24", *Judges and Ruth*, The Tyndale Old Testament Commentaries (Downers Grove, IL: IVP Academic, 1968), edição eletrônica.
[9]Erika Moore, "The Domestic Warrior", citada em Bruce K. Waltke, *The Book of Proverbs, Chapters 15—31*, The New International Commentary on the Old Testament (Grand Rapids, MI: Wm. B. Eerdmans, 2005), p. 26.
[10]Waltke, *The Book of Proverbs, Chapters 15—31*, p. 26.
[11]Walsh, *Ela à imagem dele*, p. 158-159.
[12]Peter H. Davids, *The First Epistle of Peter*, The New International Commentary on the New Testament (Grand Rapids, MI: Wm. B. Eerdmans, 1990), p. 122.
[13]Douglas Harink, "1Peter 3.1-7", *1 & 2 Peter*, Brazos Theological Commentary on the Bible (Grand Rapids, MI: Brazos Press, 2009), edição eletrônica.
[14]Wayne Grudem, *1 Peter: An Introduction and Commentary*, The Tyndale New Testament Commentaries (Downers Grove, IL: IVP Academic, 2009), p. 143.

Uma palavra final
[1]Diane Langberg, *A redenção do poder: Como entender autoridade e abuso na igreja* (Livre Press, 2023), p. 83.
[2]Jonathan Leeman, Complementarism: "A Moment of Reckoning (Part 4)", *9Marks*, 12 de novembro de 2019, <https://www.9marks.org/article/complementarianism-a-moment-of-reckoning-part-4/>.
[3]Leonardo Blair, "Back in pulpit after scandal, Tullian Tchividjian insists sex with former congregants was not abuse", *The Christian Post*, 19 de agosto de 2019, <https://www.christianpost.com/news/back-in-pulpit-after-scandal-tullian-tchividjian-insists-sex-with-former-congregants-was-not-abuse.html>.
[4]Leonardo Blair, "Tullian Tchividjian's Affair With Married Woman Was Allegedly Exposed on Church Server", *The Christian Post*, 30 de novembro de 2016, https://www.christianpost.com/news/tullian-tchividjians-affair-with-married-woman-was-allegedly-exposed-on-church-server.html.
[5]Sam Howard, "Exclusive: After sex scandal, Billy Graham's grandson is starting a church in Palm Beach Gardens", *The Palm Beach Post*, 17 de agosto de 2019, <https://www.palmbeachpost.com/story/news/local/2019/08/17/exclusive-after-sex-scandal-billy-grahams-grandson-is-starting-church-in-palm-beach-gardens/4444299007/>.
[6]Bob Smietana, "She wanted to help Ravi Zacharias save the world but ended up defending an abuser", *Religion News*, 13 de agosto de 2021, <https://religionnews.com/2021/08/13/ruth-malhorta-wanted-to-help-save-the-world-instead-she-ended-up-defending-an-abuser-raavi-zacharias-alori-anne-thompson/>.

Sobre o autor

Yago Martins é mestre em Teologia Sistemática pelo Instituto Aubrey Clark, bacharel em Teologia pela Faculdade Teológica Sul Americana e pós-graduado em Escola Austríaca de Economia pelo Centro Universitário Ítalo Brasileiro e em Neurociência e Psicologia Aplicada pela Universidade Presbiteriana Mackenzie. Autor de outros dezenove livros, é pastor na Igreja Batista Maanaim, em Fortaleza, e trabalha desde 2009 com evangelismo de estudantes secundaristas e universitários na Missão GAP, sendo presidente do conselho diretor desde 2016. Atuante na popularização de teologia na internet, apresenta o canal Dois Dedos de Teologia no YouTube. É casado com Isa Martins e pai de Catarina e Bernardo.

Compartilhe suas impressões de leitura,
mencionando o título da obra, pelo e-mail
opiniao-do-leitor@mundocristao.com.br
ou por nossas redes sociais

Esta obra foi composta com tipografia Janson Text
e impressa em papel Pólen Natural 70 g/m² na gráfica Ipsis